职业教育安全类专业系列教材

消防技术装备

第2版

主　编　李莹滢　闫胜利

副主编　程　锦　郭钦元

参　编　刘　彬　郝廷柱　马江涛　周云鹏
　　　　范金鑫　罗晔琦　王　健

机械工业出版社

当前，消防技术装备向体系化、智能化、人性化发展，消防装备配备和检测的标准化程度进一步提高，装备器材和灭火救援技术的有机结合进一步强化，这对消防技术装备的使用者提出了更高的能力要求。本书以习近平新时代中国特色社会主义思想为指导，融入新发展理念，立足总体国家安全观视角，积极面向世界消防科技前沿、面向消防救援事业重大需求、面向消防救援队伍主战场、面向消防员生命安全。本书共包括十个模块，分别介绍了消防技术装备基础知识、消防员防护装备、灭火剂与灭火器、灭火器具、抢险救援器材、消防泵、灭火类消防车、举高类消防车、专勤类消防车、战勤保障类消防车。

本书可作为职业院校安全类专业教材，也可供国家综合性消防救援队伍指战员和企事业单位专职消防人员教育培训使用，还可作为消防工程技术人员的参考资料。

图书在版编目（CIP）数据

消防技术装备 / 李莹滢，闫胜利主编. -- 2版. -- 北京：机械工业出版社，2025.6. -- (职业教育安全类专业系列教材). -- ISBN 978-7-111-78857-7

I. TU998.13

中国国家版本馆CIP数据核字第2025Y52P11号

机械工业出版社（北京市百万庄大街22号　邮政编码100037）
策划编辑：陈紫青　　　　　　责任编辑：陈紫青
责任校对：梁　园　梁　静　　封面设计：马精明
责任印制：张　博
北京机工印刷厂有限公司印刷
2025年11月第2版第1次印刷
184mm×260mm・15.5印张・402千字
标准书号：ISBN 978-7-111-78857-7
定价：55.00元

电话服务　　　　　　　　　网络服务
客服电话：010-88361066　　机　工　官　网：www.cmpbook.com
　　　　　010-88379833　　机　工　官　博：weibo.com/cmp1952
　　　　　010-68326294　　金　书　网：www.golden-book.com
封底无防伪标均为盗版　　　机工教育服务网：www.cmpedu.com

前言

近年来，随着我国经济社会发展进入新时代，消防救援面临的灾情形势越来越多样化、复杂化，人民群众对消防救援队伍的要求也越来越高、越来越具体。为了适应新形势下的消防救援工作需求，新组建的国家综合性消防救援队伍聚焦新技术、新装备，向科技要战斗力，取得了不凡的成效。当前，消防技术装备向体系化、智能化、人性化发展，消防装备配备和检测的标准化程度进一步提高，装备器材和灭火救援技术的有机结合进一步强化，这对消防技术装备的使用者提出了更高的能力要求。

为满足消防救援人员特别是身处灭火救援第一线指战员学习装备、研究装备、掌握装备的实际需求，本书编者结合国家消防救援局昆明训练总队多年来在装备技术方面的教学经验和科研成果，在第1版的基础上进行了修订。本次修订以习近平新时代中国特色社会主义思想为指导，融入新发展理念，立足总体国家安全观视角，积极面向世界消防科技前沿、面向消防救援事业重大需求、面向消防救援队伍主战场、面向消防员生命安全。本书编者聚焦"教、训、战、研"一体化思路，采取"模块—单元"编写结构模式，突出教学实用性，阐述消防技术装备服务经济社会发展的关键点，力求使本书能充分反映消防救援工作新思路和新面貌。

在内容方面，本次修订做出的主要调整包括：根据当前消防技术装备实际使用情况增删部分装备内容；根据近年消防技术装备相关标准规范的变化调整有关装备的表述；根据消防装备技术的发展修改部分装备的原理和性能参数；根据灭火救援实际需求细化部分装备的使用和维护保养方法。同时，编者认真听取各方面对第1版教材的意见和建议，对照近年来国家消防救援局相关文件，参阅国内同类优秀教材，深入基层单位和装备制造企业调研学习，力求使修订后的教材适应新形势、满足新需求。

本书由国家消防救援局昆明训练总队李莹滢、中国消防救援学院闫胜利任主编，国家消防救援局昆明训练总队程锦、郭钦元任副主编。参加编写的人员分工如下：模块一由郝廷柱编写；模块二单元一、单元七由李莹滢编写；模块二单元二~单元六由马江涛编写；模块三由程锦编写；模块四由周云鹏编写；模块五单元一~单元三由刘彬编写；模块五单元四~单元八由范金鑫编写；模块六由郭钦元编写；模块七由罗晔琦编写；模块八由闫胜利编写；模块九由王健编写；模块十由郝廷柱编写。

由于编者学识水平和实践经验有限，本书难免存在疏漏和错误之处，敬请读者和同行批评指正。

编 者

二维码视频列表

序号	二维码	页码	序号	二维码	页码
1	消防员隔热防护服	22	8	机动链锯	121
2	消防员避火防护服	24	9	消防电动液压剪扩器	127
3	一级化学防护服装	27	10	手持钢筋速断器	129
4	正压式消防空气呼吸器	35	11	起重气垫	135
5	消防员呼救器	60	12	移动式消防照明灯组	156
6	消防用红外热像仪	110	13	内燃机式消防排烟机	157
7	无齿锯	118	14	手抬机动泵	176

目 录

前言

二维码视频列表

模块一　消防技术装备基础知识 ·· 1
　　单元一　消防装备的分类 ·· 1
　　单元二　消防装备的配备要求 ··· 10

模块二　消防员防护装备 ·· 15
　　单元一　消防员防护服装 ··· 15
　　单元二　消防员呼吸保护器具 ··· 34
　　单元三　正压式消防空气呼吸器 ··· 35
　　单元四　长管空气呼吸器 ··· 46
　　单元五　正压式消防氧气呼吸器 ··· 48
　　单元六　消防用防坠落装备 ·· 54
　　单元七　其他佩戴式消防员防护装备 ··································· 59

模块三　灭火剂与灭火器 ·· 63
　　单元一　水 ·· 63
　　单元二　泡沫灭火剂 ·· 67
　　单元三　干粉灭火剂 ·· 74
　　单元四　气体及其他灭火剂 ·· 76
　　单元五　灭火器 ·· 79

模块四　灭火器具 ··· 82
　　单元一　吸水、输水、射水器具 ··· 82
　　单元二　空气泡沫灭火器具 ·· 94
　　单元三　消防梯 ··· 105

模块五　抢险救援器材 ··· 107

单元一　侦检器材 · 107
　　单元二　警戒器材 · 115
　　单元三　破拆器材 · 117
　　单元四　救生器材 · 133
　　单元五　堵漏器材 · 146
　　单元六　输转器材 · 150
　　单元七　洗消器材 · 152
　　单元八　照明、排烟器材 · 155

模块六　消防泵 · 160
　　单元一　消防泵的分类与型号编制 · 160
　　单元二　离心泵 · 162
　　单元三　车用消防泵 · 165
　　单元四　消防引水泵 · 171
　　单元五　手抬机动消防泵 · 176

模块七　灭火类消防车 · 181
　　单元一　水罐消防车 · 181
　　单元二　泡沫消防车 · 187
　　单元三　压缩空气泡沫消防车 · 193
　　单元四　干粉消防车 · 196

模块八　举高类消防车 · 201
　　单元一　举高类消防车基础知识 · 201
　　单元二　登高平台消防车 · 207
　　单元三　云梯消防车 · 210
　　单元四　举高喷射消防车 · 214

模块九　专勤类消防车 · 217
　　单元一　抢险救援消防车 · 217
　　单元二　排烟消防车 · 221
　　单元三　照明消防车 · 224
　　单元四　洗消消防车 · 227

模块十　战勤保障类消防车 · 230
　　单元一　供气消防车 · 230
　　单元二　供液消防车 · 237
　　单元三　自装卸式消防车 · 239

参考文献 · 241

模块一

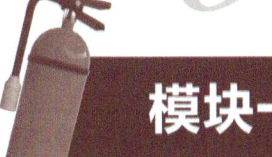

>>> 消防技术装备基础知识

单元一 消防装备的分类

消防装备种类繁多，有多种不同的分类方式，通常按产品功能用途、动力形式、产品主要特征进行分类，如图 1-1-1~图 1-1-3 所示。本书主要按照产品功能用途进行分类介绍相关消防装备。

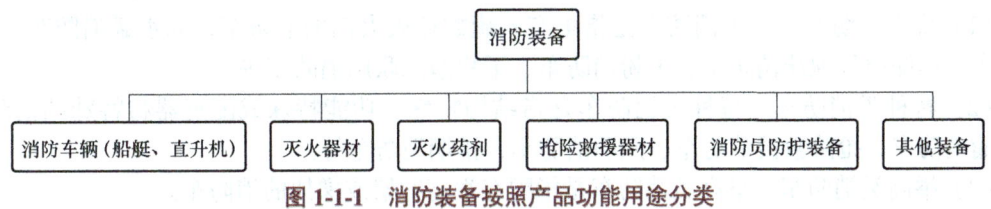

图 1-1-1 消防装备按照产品功能用途分类

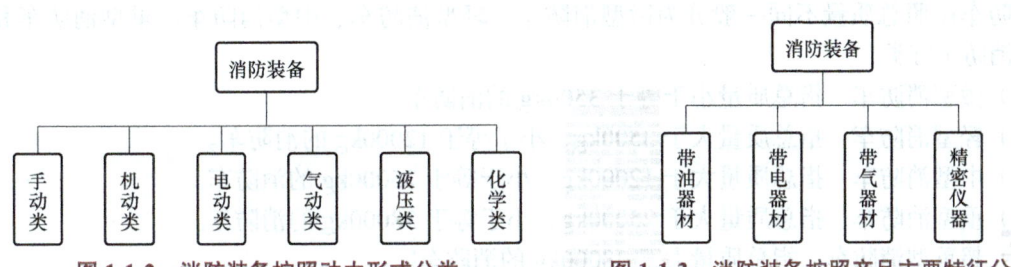

图 1-1-2 消防装备按照动力形式分类　　图 1-1-3 消防装备按照产品主要特征分类

一般，我们将除通信器材、训练器材、战勤保障器材，以及营具和公众消防宣传教育设施等以外的消防装备，依据功能用途分为消防车、灭火器材、灭火药剂、抢险救援器材、消防员防护装备五个类别。

一、消防车

消防车是指在普通商用底盘或消防车专用底盘的基础上设计的具有灭火、专项作业、举高和火场保障等功能的车辆。消防车的性能应符合 GB 7956 系列标准及《消防车消防要求和试验方法》（XF 39—2016）的规定。

（一）消防车的分类

1. 按消防车功能用途分类

消防车按功能不同可分为灭火类消防车、举高类消防车、专勤类消防车和战勤保障类消防车四大类。

（1）灭火类消防车　灭火类消防车是指可喷射灭火剂并能独立扑救火灾的消防车。这类消防车主要包括水罐消防车、泡沫消防车、压缩空气泡沫消防车、干粉消防车、联用消防车、水雾消防车、涡喷消防车等。

（2）举高类消防车　举高类消防车是指具有举高灭火或举高灭火救援功能的消防车。举高类消防车主要有举高喷射消防车、云梯消防车、登高平台消防车，部分举高类消防车还具备举高破拆功能。

（3）专勤类消防车　专勤类消防车是指不直接用于灭火，而用来执行灭火救援中某专项或某几项技术作业的消防车，如通信指挥消防车、照明消防车、抢险救援消防车、排烟消防车、侦检消防车、化学救援消防车、洗消消防车等。

（4）战勤保障类消防车　战勤保障类消防车是指向火场补给各类灭火剂、消防器材以及其他开展后勤保障工作的消防车，如供液消防车、供气消防车、供水消防车、器材消防车、装备抢修车、自装卸式消防车、饮食保障车、加油车、运兵车、宿营车、卫勤保障车、发电车、淋浴车等。

2. 按消防车结构特征分类

消防车按结构特征不同，可分为罐类消防车、特种类消防车和举高类消防车三种。

（1）罐类消防车　罐类消防车是指配有容罐贮存灭火剂的消防车，如水罐消防车、泡沫消防车、压缩空气泡沫消防车、干粉消防车、干粉泡沫联用消防车等。

（2）特种类消防车　特种类消防车是指结构特殊、功能特殊或配置器材特殊的消防车，如泵浦消防车、抢险救援消防车、照明消防车、排烟消防车等。

（3）举高类消防车　举高类消防车是指配有举高臂架或梯架的消防车。

3. 按消防车总质量分类

消防车按照总质量不同一般分为微型消防车、轻型消防车、中型消防车、重型消防车和超重型消防车五类。

（1）微型消防车　指总质量小于等于3500kg的消防车。

（2）轻型消防车　指总质量大于3500kg、小于等于12000kg的消防车。

（3）中型消防车　指总质量大于12000kg、小于等于25000kg的消防车。

（4）重型消防车　指总质量大于25000kg、小于等于38000kg的消防车。

（5）超重型消防车　指总质量大于38000kg的消防车。

4. 按消防泵的布置方式分类

消防车按照消防泵的布置方式不同，可分为中置泵式和后置泵式两种。中置泵式消防车的优点是传动路线短，传动效率高，轴荷分配较合理；缺点是不便维修、操控面板在车辆一侧，难以观察另一侧情况。后置泵式消防车的优点是维修方便，操控面板在车辆后部，方便观察周边情况；缺点是传动路线长，传动效率较低，轴荷分配容易使前轴超重。目前我国消防车以后置泵式为主。

（二）消防车的型号编制

消防车型号编制国际上没有统一的方法，我国消防车型号按《消防车　第1部分：通用技术条件》（GB 7956.1—2014）的规定编制。消防车型号由企业名称代号、车辆类别代号、主参数代号、产品序号、结构特征代号、用途特征代号、分类代号和装备主参数代号组成，必要时，还可附加企业自定义代号，如图 1-1-4 所示。

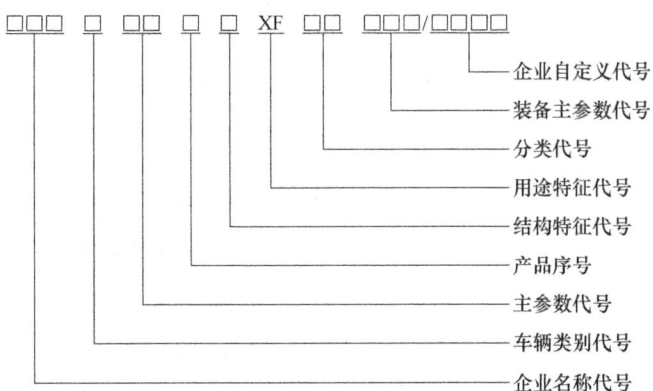

图 1-1-4　消防车型号编制

企业名称代号用代表企业名称的两个或三个汉语拼音字母表示，其代号由国家汽车行业主管部门给定。车辆类别代号用 5 表示单车式消防车，9 表示半挂式消防车。主参数代号为车辆的总质量，单位为吨（t），用两位阿拉伯数字表示。产品序号用一位阿拉伯数字表示。结构特征代号用一个汉语拼音字母表示，G 代表罐类消防车，J 代表举高类消防车，T 代表特种类消防车。用途特征代号统一用汉语拼音字母 XF 表示。分类代号用两个汉语拼音字母表示，装备主参数代号用两位或三位阿拉伯数字表示，其构成和含义见表 1-1-1。

表 1-1-1　消防车结构特征代号、分类代号、主参数代号含义

消防车类型	功能分类	结构特征代号	分类代号	装备主参数代号	
				含义	代号单位
水罐消防车	灭火类	G	SG	额定水装载量	100kg
泡沫消防车		G	PM	水、泡沫液额定总装载量	100kg
供水消防车		G	GS	额定水装载量	100kg
干粉消防车		G	GF	额定干粉装载量	100kg
干粉泡沫联用消防车		G	GP	灭火剂总装载量	100kg
干粉水联用消防车		G	GL	灭火剂总装载量	100kg
气体消防车		G	QT	所载气瓶总容积	L
压缩空气泡沫消防车		G	AP	水、泡沫液额定总装载量	100kg
泵浦消防车		T	BP	水泵额定流量	L/s
高倍数泡沫消防车		T	GP	泡沫液、水额定装载量	100kg
水雾消防车		G	PW	喷雾流量	L/s
高压射流消防车		G	SL	射流流量	L/s
机场消防车		G	JX	额定灭火剂装载量	100kg
涡喷消防车		G	WP	泡沫液、水额定装载量	100kg

(续)

消防车类型	功能分类	结构特征代号	分类代号	装备主参数代号 含义	代号单位
登高平台消防车	举高类	J	DG	最大工作高度	m
云梯消防车	举高类	J	YT	最大工作高度	m
举高喷射消防车	举高类	J	JP	最大工作高度	m
通讯指挥消防车	专勤类	T	TZ	通讯指挥设备总功率	W
化学救援消防车	专勤类	T	HJ	化学救援器材件数	件
输转消防车	专勤类	G	SZ	输转物质装载量	100kg
照明消防车	专勤类	T	ZM	发电机组额定功率	kW
排烟消防车	专勤类	T	PY	排烟机额定流量	m^3/s
洗消消防车	专勤类	T	XX	洗消液装载量	100kg
侦检消防车	专勤类	T	ZJ	可侦检的有害物质种类数	种
隧道消防车	专勤类	G	SD	水、泡沫液额定总装载量	100kg
履带消防车	专勤类	T	LD	消防荷载	100kg
轨道消防车	专勤类	T	GD	路轨系统允许荷载	100kg
水陆两用消防车	专勤类	T	SL	水中航行速度	km/h
抢险救援消防车	专勤类	T	JY	抢险救援器材数量	件
器材消防车	保障类	T	QC	消防器材件数	件
勘察消防车	保障类	T	KC	勘察器材的数量	件
宣传消防车	保障类	T	XC	专用设备数	套
水带敷设消防车	保障类	T	DF	携带水带总长度	m/100
供气消防车	保障类	T	GQ	充气泵的供气能力	m^3/h
供液消防车	保障类	G	GY	额定泡沫液装载量	10kg
自装卸式消防车	保障类	T	ZX	装载箱总质量	10kg

（三）消防车的性能要求

1. 主要结构参数和质量参数的要求

消防车的结构参数是指消防车种类、外形尺寸和所能装载灭火剂的质量，质量参数是指消防车行驶时的接近角和离去角。部分消防车的主要结构参数和质量参数见表 1-1-2。

对于举高类消防车，其结构参数除外形尺寸外，还包括额定载荷和额定工作高度。举高类消防车的主要结构参数和质量参数见表 1-1-3。

应当指出的是，外形尺寸应小于或等于表内值，而接近角和离去角应大于或等于表内值。

对于举高消防车，其额定载荷亦应大于等于表内值。

表 1-1-2　部分消防车的主要结构参数和质量参数

消防车种类	外形尺寸 /mm			灭火剂质量 /kg		接近角（°）	离去角（°）
	长	宽	高	水 / 水和泡沫液	干粉		
泵浦消防车	5000	2200	2500	—	—	30	20
水罐消防车	8500	2500	3000	3000~4000	—	25	16
	10000	2500	3000	≥ 5000	—	25	16
泡沫消防车	5000	2200	2500	≥ 1000	—	30	20
	8500	2500	3500	3000~4000	—	25	16
	10000	2500	3500	≥ 5000	—	25	16
干粉消防车	5000	2200	2500	—	500~1000	30	20
	8500	2500	3500	—	1000~3000	25	16
	10000	2500	3500	—	≥ 3000	25	16
干粉泡沫联用消防车	8500	2500	3500	1000~1500	500~1000	25	16
	10000	2500	3500	≥ 2000	≥ 1000	25	16
供水消防车	8500	2500	3100	5000~6000	—	25	16
	10000	2500	3100	≥ 7000	—	25	16

表 1-1-3　举高类消防车的主要结构参数和质量参数

消防车种类	外形尺寸 /mm			额定工作高度 /m	额定载荷 /kg	接近角（°）	离去角（°）
	长	宽	高				
登高平台消防车	8800	2500	3700	12	280	30	15
	12000	2500	3800	16, 20	280	25	10
	13500	2500	4000	25, 30, 40	360	25	10
举高喷射消防车	10000	2500	3500	16	—	30	15
	12000	2500	4000	20, 25	—	25	10
	13500	2500	4000	30	—	25	10
云梯消防车	7600	2500	3500	16	90~360	30	15
	9700	2500	3700	20, 25	90~360	25	10
	12000	2500	4000	30, 40, 50	90~360	25	10

2. 最高车速和 0~60km/h 加速时间

消防车最高车速应大于等于表 1-1-4 中所给的值，而 0~60km/h 加速时间应小于等于表 1-1-4 中的值。需要说明的是，采用吉普车底盘改装的消防车，其最高车速应大于等于 100km/h，0~60km/h 加速时间应小于等于 30s。

表 1-1-4 消防车的最高车速和加速时间

消防车功能分类	满载总质量 /kg	最高车速 /（km/h）	起步换挡加速时间（0~60km/h）/s
灭火类	500~3500	≥ 100	≤ 30
专勤类	3500~12000	≥ 90	≤ 35
战勤保障类	>12000	≥ 85	≤ 45
举高类	≤ 6000	≥ 100	≤ 35
	>6000~12000	≥ 90	≤ 40
	>12000	≥ 85	≤ 45

3. 对制动性能的要求

在制动板力不大于 700N 的条件下，对于最大总质量小于或等于 4500kg 的消防车，总制动距离应不大于 7m（车速为 30km/h 时），减速度应不小于 0.5m/s^2（车速为 65km/h 时）。而对于最大总质量大于 4500kg 的消防车，总制动距离则应不大于 8m，减速度则应不小于 0.6m/s^2。

4. 对消防泵的要求

消防泵是消防车的主要消防装备之一，消防车配用的各种消防泵应符合以下要求。

（1）低压车用消防泵 低压车用消防泵应符合以下规定。

① 工况 1：在吸深 3m 时，应满足额定流量 Q_n 和额定压力 P_n 的要求。

② 工况 2：在吸深 3m 时，流量为 $0.7Q_n$，工作压力不应小于 $1.3P_n$。

③ 工况 3：在吸深 7m 时，流量为 $0.5Q_n$，工作压力不应小于 $1.0P_n$。

（2）中压车用消防泵 中压车用消防泵应符合以下规定。

① 工况 1：在吸深 3m 时，应满足额定流量 Q_{nz} 和额定压力 P_{nz} 的要求。

② 工况 2：在吸深 7m 时，流量为 $0.5Q_{nz}$，工作压力不应小于 $1.0P_{nz}$。

（3）高压车用消防泵 高压车用消防泵应符合以下规定。

① 工况 1：在吸深 3m 时，应满足额定流量 Q_{ng} 和额定压力 P_{ng} 的要求。

② 工况 2：在吸深 7m 时，流量为 $0.5Q_{ng}$，工作压力不应小于 $1.0P_{ng}$。

（4）中低压车用消防泵 中低压车用消防泵应符合以下规定。

① 工况 1：在吸深 3m 时，应满足低压额定流量 Q_n 和低压额定压力 P_n 的要求。

② 工况 2：在吸深 3m 时，应满足中压额定流量 Q_{nz} 和中压额定压力 P_{nz} 的要求。

③ 工况 3：在吸深 7m 时，流量为 $0.5Q_n$，出口压力不应小于 $1.0P_n$。

④ 工况 4：具有中低压联用工况的中低压车用消防泵，中低压联用工况参数应满足企业公布值。联用工况中，中压的最低联用压力应大于 1.6MPa。

（5）高低压车用消防泵　高低压车用消防泵应符合以下规定。

① 工况1：在吸深3m时，应满足低压额定流量Q_n和低压额定压力P_n的要求。

② 工况2：在吸深3m时，应满足高压额定流量Q_{ng}和高压额定压力P_{ng}的要求。

③ 工况3：在吸深7m时，流量为$0.5Q_n$，出口压力不应小于$1.0P_n$。

④ 工况4：具有高低压联用工况的高低压车用消防泵，高低压联用工况参数应满足企业公布值。联用工况中，高压的最低联用压力应大于2.5MPa。

5. 对引水装置的要求

在标准环境条件下，消防车引水装置所能形成的最大真空度应不小于85kPa，消防车的最大吸深不得小于7m。在最大吸深条件下，按规定的方法进行引水试验，引水时间应不大于表1-1-5的规定。

表1-1-5　消防车引水装置的引水时间

额定流量/（L/s）	引水时间/s
<50	≤35
≥50，<80	≤50
≥80	≤80

6. 对水炮、泡沫炮的要求

对水炮和泡沫炮的要求，主要是对其流量和射程的要求。对水炮，当额定喷射压力为1000kPa时，要求其流量（L/s）/射程（m）为：20/45，25/48，30/50，40/55，50/60，60/65和80/75。消防车安装泡沫炮时，其性能应符合表1-1-6的规定。

表1-1-6　消防车安装的泡沫炮性能要求

泡沫混合液流量/（L/s）	额定喷射压力/kPa	发泡倍数（20℃时）	析液时间（20℃时）/min	射程/m
≤20	≤1000	≥5	≥2.5	≥30
>20，≤30				≥40
>30，≤40				≥45
>40，≤50				≥50
>50，≤60				≥55
>60，≤70				≥60
>70，≤80				≥65
>80				≥65

7. 对干粉车喷射系统的要求

干粉车喷射系统应符合表1-1-7的要求。

表 1-1-7 干粉车喷射系统的性能要求

干粉额定充装量 /kg	干粉罐最高工作压力 /kPa	干粉罐最低工作压力 /kPa	充气时间 /s	剩粉率（%）	干粉炮	
					有效喷射率 /（kg/s）	有效射程 /m
500	≤1700	≥500	≤30	≤15	≥20	≥20
750					≥20	≥20
1000					≥20	≥25
1500					≥25	≥30
2000			≤45		≥30	≥35
3000					≥40	≥40

8. 对举高类消防车的稳定性要求

举高类消防车的稳定性是一个极其重要的指标，要求举高类消防车的稳定性要有较大的安全裕度，即

$$F_e > 0.1 G_{OK}$$

式中 F_e——剩余载荷（kg）；

G_{OK}——举高类消防车整备质量时后轴载质量（kg）。

这就要求举高类消防车加有 1.1 倍的额定载荷，在安全工作范围内、稳定性最差的工况条件下，受载后减小负载的两个支腿剩余载荷之和，须不小于消防车整备质量时后轴载质量的 10%。对于不同规格的举高类消防车，要求其剩余载荷应不小于表 1-1-8 中的极限值。

表 1-1-8 举高类消防车的额定工作高度及剩余载荷要求

消防车种类	额定工作高度 /m						
登高平台消防车	12	16	20	25	30	40	—
举高喷射消防车	16	20	25	30	—	—	—
云梯消防车	16	20	25	30	40	50	60
剩余载荷 /kg	300	500	500	750	900	900	900

二、灭火器材

灭火器材是用于火灾扑救的专用器具，常用的灭火器材有消防枪、消防炮、泡沫比例混合装置、泡沫比例发生装置、输水器材及附件、移动式消防泵、移动式灭火装置、移动式蓄水储水装置、灭火器、消防桶等。

三、灭火药剂

通常所说的灭火药剂主要包括但不限于：水、水系灭火剂、泡沫灭火剂、干粉灭火剂、

气体灭火剂等。水虽然是消防救援队伍使用最多、最为经济、最为便捷的灭火剂，但是在一些特殊火灾的救援过程中，水不仅对于消灭火势、降低损失毫无帮助，甚至会导致灾害事故进一步扩大。为了应对不同类型的火灾事故，消防领域的科技人员针对性地发明了多种不同类型的灭火剂。值得注意的是，我们的眼光不应局限于消防车罐体内储存的灭火剂，在一些特殊场景的火灾事故处置中，一些特别的物质或者手段也许能够发挥出奇效，如覆盖沙土、炸药爆破、混凝土覆盖等。

四、抢险救援器材

抢险救援器材通常是指用于处置火灾扑救以外的其他灾害事故的移动式器材或设备。抢险救援器材按功能用途不同，可分为侦检、警戒、破拆、救生、堵漏、输转、洗消、照明和排烟器材 9 类。

侦检类器材包括有毒气体探测仪、军事毒剂侦检仪、可燃气体检测仪、水质分析仪、电子气象仪、无线复合气体探测仪、生命探测仪、消防用红外热像仪、漏电探测仪、核放射探测仪、个人辐射剂量仪、电子酸碱测试仪、测温仪、移动式生物快速侦检仪、激光测距仪、便携危险化学品检测片 16 种。

警戒类器材包括警戒标志杆、锥形事故标志柱、警戒隔离带、出入口标志牌、危险警示牌、闪光警示灯、手持扩音器 7 种。

破拆类器材包括手动破拆工具组、液压破拆工具组、双轮异向切割器、机动链锯、无齿锯、气动切割刀、冲击钻、凿岩机、玻璃破碎器、手持式钢筋速断器、多功能刀具、混凝土液压破拆工具组、液压千斤顶、便携式汽油金属切割器、液压开门器、毁锁器、多功能挠钩、绝缘剪断钳、应急救援金刚石串珠绳锯、金属弧水路切割器 20 种。

救生类器材包括躯体固定气囊、肢体固定气囊、婴儿呼吸袋、消防过滤式自救呼吸器、救生照明线、折叠式担架、伤员固定抬板、多功能担架、消防救生气垫、缓降器、灭火毯、医药急救箱、医用简易呼吸器、气动起重气垫、救援支架、救生抛投器、机动橡皮舟、殓尸袋、救生软梯、自喷荧光漆、电源逆变器、支撑保护套具、稳固保护附件、人员转换椅 24 种。

堵漏类器材包括外封式堵漏袋、捆绑式堵漏袋、下水道阻流袋、金属堵漏套管、堵漏枪、阀门堵漏套具、注入式堵漏工具、磁压式堵漏工具、木制堵漏楔、气动吸盘式堵漏器、无火花工具 11 种。

输转类器材包括集污袋、手动隔膜抽吸泵、防爆输转泵、黏稠液体抽吸泵、排污泵、有毒物质密封桶、围油栏、吸附垫 8 种。

洗消类器材包括公众洗消站、强酸（碱）洗消器、强酸（碱）清洗剂、单人洗消帐篷、生化洗消装置、简易洗清喷淋器、三合一强氧化洗消粉、三合二洗消剂、有机磷降解酶、消毒粉 10 种。

照明、排烟类器材包括移动照明灯组、移动式排烟机（电动、机动、水力式）、坑道小型空气输送机、移动发电机、消防排烟机器人、大型水力排烟机 6 种。

五、消防员防护装备

消防员防护装备是为防止消防员在灭火战斗和应急救援过程中受到伤害，对人的躯体、呼吸系统、听力及视觉等提供防护的器具。消防员防护装备可分为消防员基本防护装备和消防员特种防护装备两类。

消防员基本防护装备包括消防头盔、消防员灭火防护服、消防手套、消防安全腰带、消防员灭火防护靴、正压式消防空气呼吸器、佩戴式防爆照明灯、消防员呼救器、消防员方位灯、应急逃生自救安全绳、消防腰斧、消防员灭火防护头套、防静电内衣、消防护目镜、消防员抢险救援头盔、消防员抢险救援手套、消防员抢险救援防护服、护膝和护肘、消防员抢险救援靴、消防员呼救器后场接收装置、骨传导通话装置、手持电台、消防员单兵定位装置23种。

消防员特种防护装备包括消防员隔热防护服、消防员避火防护服、二级化学防护服、一级化学防护服、特级化学防护服、核沾染防护服、化学防护手套、内置劳动保护手套、防高温手套、消防员防蜂服、电绝缘装具、防静电服、消防阻燃毛衣、消防员降温背心、移动供气源、正压式消防氧气呼吸器、强制送风呼吸器、消防过滤式综合防毒面具、潜水装具、消防用救生衣、消防坐式半身安全吊带、消防全身式安全吊带、消防轻型安全绳、消防通用安全绳、消防坠落辅助部件、手提式强光照明灯、消防用荧光棒、水域救援漂浮救生绳、消防员水域救援防护服、消防员水域救援头盔30种。

应急管理部消防救援局发布的《消防救援队伍作战训练安全行动手册（试行）》中，对几种常见的灭火救援任务的人员防护进行了规范，防护装备的正确使用不仅可以极大地保障消防救援人员的生命安全，更可以提高作战效率，提升作战能力。

六、其他装备

其他装备包括通信器材、训练器材、战勤保障器材，以及营具和公众消防宣传教育设施等。

【思考题】

1. 消防装备的分类方式有哪些？
2. 请列出三种在消防站执勤备战中常见的消防装备，并分别说出它们属于哪个类别。

单元二　消防装备的配备要求

一、城市消防站分类

按照业务类型不同，消防站可分为普通消防站、特勤消防站和战勤保障消防站（分别简称普通站、特勤站、战勤保障站）三类，普通站又可分为一级普通站、二级普通站和小型普通站（简称一级站、二级站、小型站）。这种分类方式既符合我国城市消防站发展的需要，也适应消防救援队伍完成各项消防保卫任务和履行抢险救援职责的要求。

普通站是城市扑救火灾和处置灾害事故的主体，在消防保卫实践中发挥着决定性的作用，各地在城市总体规划中，都围绕一级站的建设进行规划布局。为满足灭火救援的需要，所有城市必须设立一级站。

部分城市为解决原有消防站布局过疏、辖区面积过大的问题，在建成区内繁华商业区、重点保卫目标等特殊区域设立一级站确有困难的情况下，结合总体规划布局，经过认真地调查论证，可设立二级站。论证的组织机构一般由出资或审批消防站建设的相应层级政府的规划、建设、发改、财政和消防部门共同组成，并由其中一家牵头，邀请同行或社会专家共同参与，或委托具有相关资质的社会专业机构进行。

对于设置二级站的条件也不具备的商业密集区、耐火等级低的建筑密集区或老城区、历史地段，在专项论证的基础上可设置小型站。为避免以小型站来取代一级站、二级站，或在大范围区域内全部设置小型站，将小型站的建设范围限定在城市建成区中的一些特定区域。考虑到小型站的车辆装备少，灭火力量有限，灭火时还需要周围其他消防站增援，因此，对于区域内是否可以设置小型站，还需要对区域火灾风险、应急响应时间、周边是否驻有一级站、二级站或特勤站等多方面进行研究论证，以确保小型站的规划建设符合灭火救援的实际需要。

二、消防车辆配备

消防车的配备数量、品种、技术性能决定着消防站的建设规模、灭火救援能力和执勤备战功能，明确各类消防站消防车辆配备数量和常用消防车辆品种配备标准，规范消防车辆的品种，优化和扩展消防车的配备范围，确定必配和选配的车辆品种，明确主要消防车辆的技术性能要求，对于保证城市消防站车辆配备与实战相适应，经费使用更加合理化具有重要意义。城市消防站车辆配备应满足表 1-2-1～表 1-2-4 的要求，并根据当地实际需求，在满足条件的基础上，适当提升性能参数。

表 1-2-1　消防站消防车辆配备数量

消防站类别	普通站			特勤站、战勤保障站
	一级站	二级站	小型站	
消防车辆数	5~7	2~4	2	8~11

需要注意的是，比功率（发动机额定功率与车辆最大设计总质量之比，单位为 kW/t）是消防车辆的核心性能指标，近年来消防站建设发展迅速，满载质量 30t 以上的消防车配备数量逐年增多。《消防车 第 1 部分：通用技术要求》（GB 7956.1—2014）对不同满载质量消防车的比功率作出了明确规定。

表 1-2-2　各类消防站常用消防车辆品种配备标准

车辆种类		消防站类别				
		普通站			特勤站	战勤保障站
		一级站	二级站	小型站		
		车辆配备标准 / 辆				
灭火类消防车	水罐或泡沫消防车	2	1	1	3	—
	压缩空气泡沫消防车	△	△	△		—
	泡沫干粉联用消防车	—	—	—	△	
	干粉消防车	△	△	△	△	

(续)

车辆种类		消防站类别				
		普通站			特勤站	战勤保障站
		一级站	二级站	小型站		
		车辆配备标准/辆				
举高类消防车	登高平台消防车	1	△	△	1	—
	云梯消防车	1	△	△	1	—
	举高喷射消防车	△	△	△	△	—
专勤类消防车	抢险救援消防车	1	△	△	1	—
	排烟消防车	△	△	△	△	—
	照明消防车	△	△	△	△	—
	化学事故抢险救援消防车	△	—	—	1	—
	防化洗消消防车	△	—	—	△	—
	核生化侦检消防车	—	—	—	△	—
	通信指挥消防车	—	—	—	△	—
战勤保障类消防车	供气消防车	—	—	—	△	1
	器材消防车	△	△	—	△	1
	供液消防车	△	—	—	△	1
	供水消防车	△	△	—	△	△
	自装卸式消防车（含器材保障、生活保障、供气、供液等模块）	△	△	—	△	△
	装备抢修车	—	—	—	—	1
	饮食保障车	—	—	—	—	1
	加油车	—	—	—	—	1
	运兵车	—	—	—	—	1
	宿营车	—	—	—	—	△
	卫勤保障车	—	—	—	—	△
	发电车	—	—	—	—	△
	淋浴车	—	—	—	—	△
	工程机械车辆（挖掘机、铲车等）	—	—	—	—	△
	消防摩托车	△	△	△	△	—

注：1. 表中带"△"车种由各地区根据实际需要选配。
2. 各地区在配备规定数量消防车的基础上，可根据需要选配消防摩托车。

表 1-2-3 普通站和特勤站主要消防车辆的技术性能要求

项目		消防站类别		
		普通站		特勤站
		一级站	二级站、小型站	
		技术性能要求		
比功率 /（kW/t）		应符合《消防车 第 1 部分：通用技术要求》（GB 7956.1—2014）的规定		
水罐消防车出水性能	出口压力 /MPa	1 | 1.8	1 | 1.8	1 | 1.8
	流量 /（L/s）	40 | 20	40 | 20	60 | 30
登高平台、云梯消防车额定工作高度 /m		≥ 18	≥ 18	≥ 30
举高喷射消防车额定工作高度 /m		≥ 16	≥ 16	≥ 20
抢险救援消防车	起吊质量 /kg	≥ 3000	≥ 3000	≥ 5000
	牵引质量 /kg	≥ 5000	≥ 5000	≥ 7000

表 1-2-4 战勤保障站主要消防车辆的技术性能

车辆种类	主要技术性能
供气消防车	可同时充气气瓶数量 ≥ 4 只，灌充充气时间 <2min
供液消防车	灭火药剂总载量 ≥ 4000kg
装备抢修车	额定载员 ≥ 5 人，车厢距地面 <50cm，厢内净高度 ≥ 180cm；车载供气、充电等设备及各类维修工具
饮食保障车	可同时保障 150 人以上热食、热水供应
加油车	汽、柴油双仓双枪，总载量 ≥ 3000kg
运兵车	额定载员 ≥ 30 人
宿营车	额定载员 ≥ 15 人

三、灭火和抢险救援器材配备

各地在装备采购中，对于装备品种和数量的达标往往较为重视，而对技术性能的要求容易忽视，导致一些不符合消防专用要求的装备器材进入消防救援队伍，如民用救生衣、娱乐用荧光棒、民用头盔、红外热像仪、防蜂服等。对于已有产品标准的，按相关现行产品标准执行；对于尚无产品标准的，应有针对性地列出关键技术性能指标要求，避免耗费大量人力物力配备完器材以后，却不能发挥应有的作用。

四、消防员防护装备的配备

从保障消防员人身安全和灭火救援实战的需要出发，消防员基本防护装备配备必须优先配齐、配强。除基本防护装备外，消防员防护装备还包括特种防护装备，主要用以满足消防员执行特殊火灾扑救和抢险救援、社会救助等特殊任务时个人防护的安全需要。

对于消防员防护装备的配备，应当坚持小型站防护装备的配备与一级站、二级站配备相一致的原则，作为独立建制的消防站，执行的任务相同，从防护的要求上也必须一致。

【思考题】

1. 城市消防站分为哪几种？
2. 简述比功率的概念及意义。
3. 在消防站所配备的消防装备中，你认为最重要的是哪个？为什么？

模块二

>>> 消防员防护装备

单元一　消防员防护服装

一、消防头盔

消防头盔（图 2-1-1）主要适用于消防员在火灾现场作业时佩戴，对消防员头、颈部进行保护，防止热辐射、燃烧火焰、电击、侧面挤压以及坠落物的冲击和穿透。

图 2-1-1　消防头盔

（一）结构组成

消防头盔按结构和形状不同可分为全盔式消防头盔和半盔式消防头盔两种。消防头盔主要由帽壳、缓冲层、舒适衬垫、佩戴装置、面罩、披肩等部件组成。

以某全盔式消防头盔为例，其结构具有四级减震功能，能够有效保护消防员的头部和颈部，可以配合头戴式防爆照明灯和头骨式收送话器使用。帽壳由高分子合成材料制成，有较强的抗穿刺性能，为第一级减震；泡沫垫为第二级减震，可以吸收冲击力；十字减震带（图 2-1-2）为第三级减震；帽网为第四级减震。帽网与十字减震带之间，以及十字减震带与泡沫垫之间都有缓冲距离，即减震空间（图 2-1-3）。

佩戴装置包括帽箍、帽托和下颚带等。根据佩戴者头围尺寸，使用棘轮或其他方式调节帽箍大小，将帽箍紧密地系箍在头围上，保证了头盔的佩戴稳定性。调节钮（图 2-1-4）用于调节头盔和头部结合的舒适程度。下颚带一般采用可调整快插式结构，方便快捷佩戴。

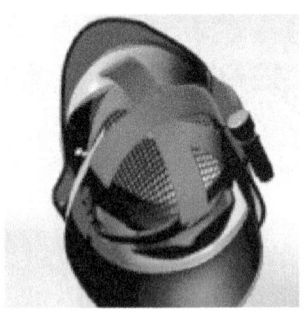

图 2-1-2 十字减震带

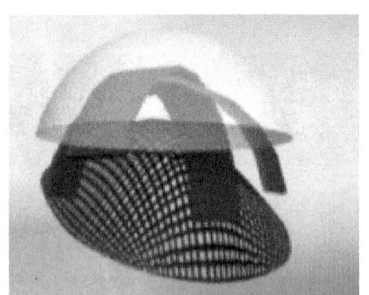

图 2-1-3 减震空间

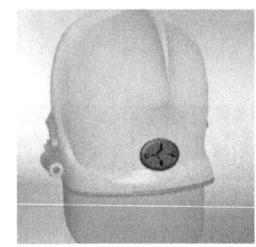

图 2-1-4 调节钮

面罩包含大面罩和小面罩。大面罩起保护作用,面罩表面涂有金属膜,可以反射火场辐射热和阻隔有害射线对面部或眼睛的伤害。小面罩在破拆作业时使用,可以防迸溅伤害眼睛。面罩配有固定和限位装置。面罩远近调节装置可以根据消防员头型不同,调节头盔深浅程度和面罩与面部间的距离。

披肩是用于保护消防员颈部和面部两侧,使之免受水及其他液体或辐射热伤害的防护层。

(二) 型号编制

消防头盔的型号编制方法如图 2-1-5 所示。

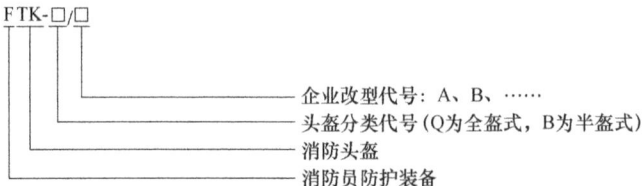

图 2-1-5 消防头盔的型号编制

示例:FTK-Q/A 表示 A 型全盔式消防头盔。

(三) 主要性能参数

消防头盔的主要性能参数见表 2-1-1。

表 2-1-1 消防头盔的主要性能参数

项目	性能指标
质量	全盔式头盔的质量(不包括披肩及附件)不应超过 1800g,半盔式头盔的质量(不包括披肩及附件)不应超过 1500g
冲击吸收性能	5kg 钢锤自 1m 高度自由下落冲击头盔,头模所受冲击力的最大值不超过 3780N

(续)

项目	性能指标
抗冲击加速度性能	头盔顶部的最大冲击加速度不应超过 $150g_n$，前部、侧部和后部的最大冲击加速度不应超过 $400g_n$。加速度超过 $200g_n$，其持续时间小于 3ms；超过 $150g_n$，其持续时间小于 6ms
盔壳耐燃烧性能	在辐射热通量 $(10±1)kW/m^2$ 的辐射热源下，火源对帽壳持续燃烧 15s 后，帽壳火焰应在 5s 内自熄，且不应有火焰烧透到帽壳内部的迹象
热稳定性能	头盔在 $(260±5)$ ℃环境中放置 5min 后，各部件不应有明显变形和损坏，不应被引燃或熔化
电绝缘性能	交流电 2200V，耐压 1min，帽壳泄漏电流不超过 3mA
侧向刚性	帽壳侧向加压 430N，帽壳最大变形不超过 40mm，卸载后变形不超过 15mm
下颌带抗拉强度	受 $(450±5)$ N 拉力，不发生断裂、滑脱，延伸长度不超过 20mm
跌落性能	头盔自 1.8m 高度自由落下，撞击混凝土基座，无明显缺损、开裂、变形

（四）操作使用

1. 佩戴

佩戴前检查消防头盔有无破损，结构是否牢固，照明灯灯架与头盔连接是否完好。佩戴时，将调节钮右旋至最大后将消防头盔戴于头部，旋转调节钮至头部感觉舒适，将快速插头插好，拉紧下颌带，粘紧带头与尼龙搭扣。

2. 使用注意事项

1）执勤用消防头盔可采用平放或悬挂方式存放，保持通风、干燥，应做到专人专用。

2）使用前，应检查消防头盔的帽壳、面罩有无裂痕、烧融等损伤。帽箍上的插脚是否插入帽壳的插槽内。披肩是否有碳化、撕破等损伤。如有损伤，应停止使用。

3）进入火场前，应竖起灭火防护服衣领，并与消防头盔的披肩重合，以保护颈部。

4）灭火救援时，必须戴牢头盔，放下防护面罩，避免消防头盔与火焰或高温炽热物体直接接触。

5）消防头盔不适用于化学污染、生物污染、核辐射等灾害现场的防护。

6）在易燃、易爆环境下使用时，应由水枪进行冷却保护，防止产生静电。

7）消防头盔应与阻燃头套配合使用。

二、抢险救援头盔

抢险救援头盔（图 2-1-6）是消防员在地震、建筑倒塌、交通事故等现场进行抢险救援作业时佩戴的用于头部防护的防护装备。抢险救援头盔采取多功能模块化滑轨设计，一般情况下指挥员头盔为红色，战斗员头盔为橘红色。

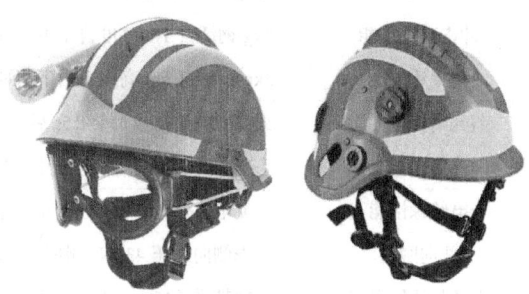

图 2-1-6 抢险救援头盔

（一）结构组成

抢险救援头盔的结构与消防头盔相似，由帽壳、帽箍、帽托、缓冲层、下颌带等组成，还可选配面罩及披肩等附件。有的头盔同时配有护目镜。其结构特点包括以下几个方面。

1）帽壳分为无帽檐式和有帽檐式。顶部设计成无筋或有筋结构，并可设计安装通信、照明等配件的结构。

2）头盔佩戴装置中帽托和缓冲层形状适体，帽箍能灵活方便地调节大小，接触头前额的部分具有透气、吸汗功能，佩戴舒适。

3）面罩颜色为无色或浅色透明，采用具有一定强度和刚性的耐热材料注塑制成。

4）披肩为装卸式，采用具有阻燃防水性能的纤维织物缝制而成。

5）下颏带可以灵活方便地调节长短，保证佩戴头盔稳定舒适，解脱方便。

（二）型号与规格

1. 型号

抢险救援头盔的型号编制方法如图 2-1-7 所示。

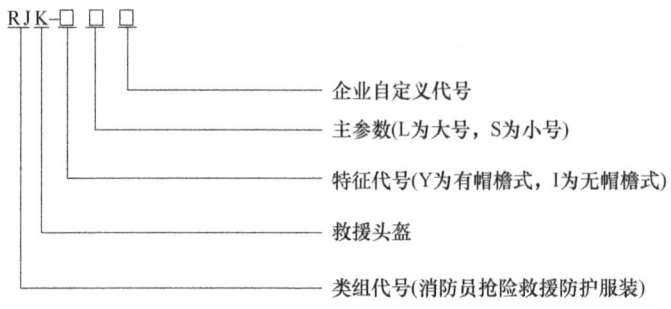

图 2-1-7　抢险救援头盔的型号编制

示例：RJK-YLA 表示 A 型大号有帽檐抢险救援头盔。

2. 规格

（1）帽壳尺寸　分大、小号两种。

（2）帽箍尺寸　调节范围小号为 510~570mm，大号为 560~640mm。

（3）下颏带　宽度大于 15mm，调节范围为 350~500mm。

（三）主要性能指标

抢险救援头盔的主要性能指标见表 2-1-2。

表 2-1-2　抢险救援头盔的主要性能指标

项目	性能指标
质量	整盔（不包括面罩及披肩）不应超过 800g
冲击吸收性能	5kg 钢锤自 1m 高度自由下落冲击头盔，头模所受冲击力的最大值不超过 3780N
耐穿透性能	3kg 钢锥自 1m 高度自由下落冲击头盔，钢锥不能触及头模
盔壳耐燃烧性能	火源对帽壳持续燃烧 15s 后，帽壳火焰应在 5s 内自熄，且不应有火焰烧透到帽壳内部的迹象
热稳定性能	头盔在（180±5）℃环境中放置 5min 后，各部件不应有明显变形和损坏，不应被引燃或熔化
电绝缘性能	交流电 2200V，耐压 1min，帽壳泄漏电流不超过 3mA
侧向刚性	帽壳侧向加压 430N，帽壳最大变形不超过 40mm，卸载后变形不超过 15mm
下颏带抗拉强度	下颏带受（450±5）N 拉力，不发生断裂、滑脱，延伸长度不大于 20mm

三、消防员灭火防护头套

消防员灭火防护头套（图 2-1-8）是消防员在灭火救援现场套在头部，与消防头盔和消防员呼吸防护装具配合使用，用于保护头部、侧面部以及颈部免受火焰烧伤或高温烫伤的防护装具。

消防员灭火防护头套通常采用阻燃材料针织制成，尺寸大小可以覆盖整个头部，头套一直延伸到肩部，头套前部和后部与防护服领口内重叠部分的长度不小于200mm，头套侧部与防护服领口内重叠部分长度不小于130mm。头套与空气呼吸器面罩配合协调，头套面部开口边缘与呼吸防护装具面罩边缘之间重叠部分的长度不小于10mm。头套应使用原色纤维针织物制作，不应使用后染色针织物。消防员灭火防护头套的主要性能指标见表2-1-3。

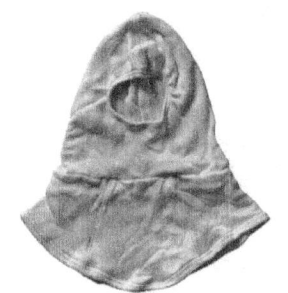

图 2-1-8　消防员灭火防护头套

表 2-1-3　消防员灭火防护头套的主要性能指标

项目	性能指标
质量	不应大于300g
阻燃性能	经过25次洗涤后，损毁长度不应大于100mm，续燃时间不应大于2s，且不应有熔融、滴落现象
热稳定性能	经（260±5）℃热稳定性能试验后，沿竖直向和横向尺寸变化率不应大于10%，试样表面应无明显变化
损毁长度	经、纬向均不大于100mm，且无熔融、滴落现象
氧指数（LOI）	不小于28%

四、消防护目镜

消防护目镜（图2-1-9）是消防员在进行各种消防作业时用于保护眼睛的防护装具，以防飞溅物进入眼内或冲击面部造成伤害。消防护目镜同时还具有防尘、防热、防紫外线辐射、防高强度冲击和防高速粒子冲击的功能。消防护目镜镜片内侧具有防霉涂层，外侧具有防刮涂层，并且具有较高的紫外线吸收率。

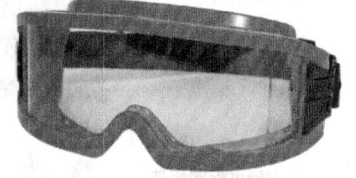

图 2-1-9　消防护目镜

五、消防员防护服

消防员防护服是用于保护消防员身体免受各种伤害的防护装备。通常防护服与其他防护装具（头盔、手套、靴子等）配合使用，共同组成消防员个人防护装备系统，统称为消防员防护服装。

（一）消防员灭火防护服

消防员灭火防护服适合消防员在灭火救援时使用，对消防员的上下躯干、头颈、手臂、腿进行热防护，阻止水向隔热层渗透，同时在大运动量活动时能够顺利排出汗气。

1. 结构组成

消防员灭火防护服分为作战款和指挥款两种（图2-1-10）。作战款背部设有风琴褶。指挥款上衣的衣长较作战款同型号服装长140mm，下摆衣兜为斜插兜，下摆后部设有开叉，其他结构与作战款相同。

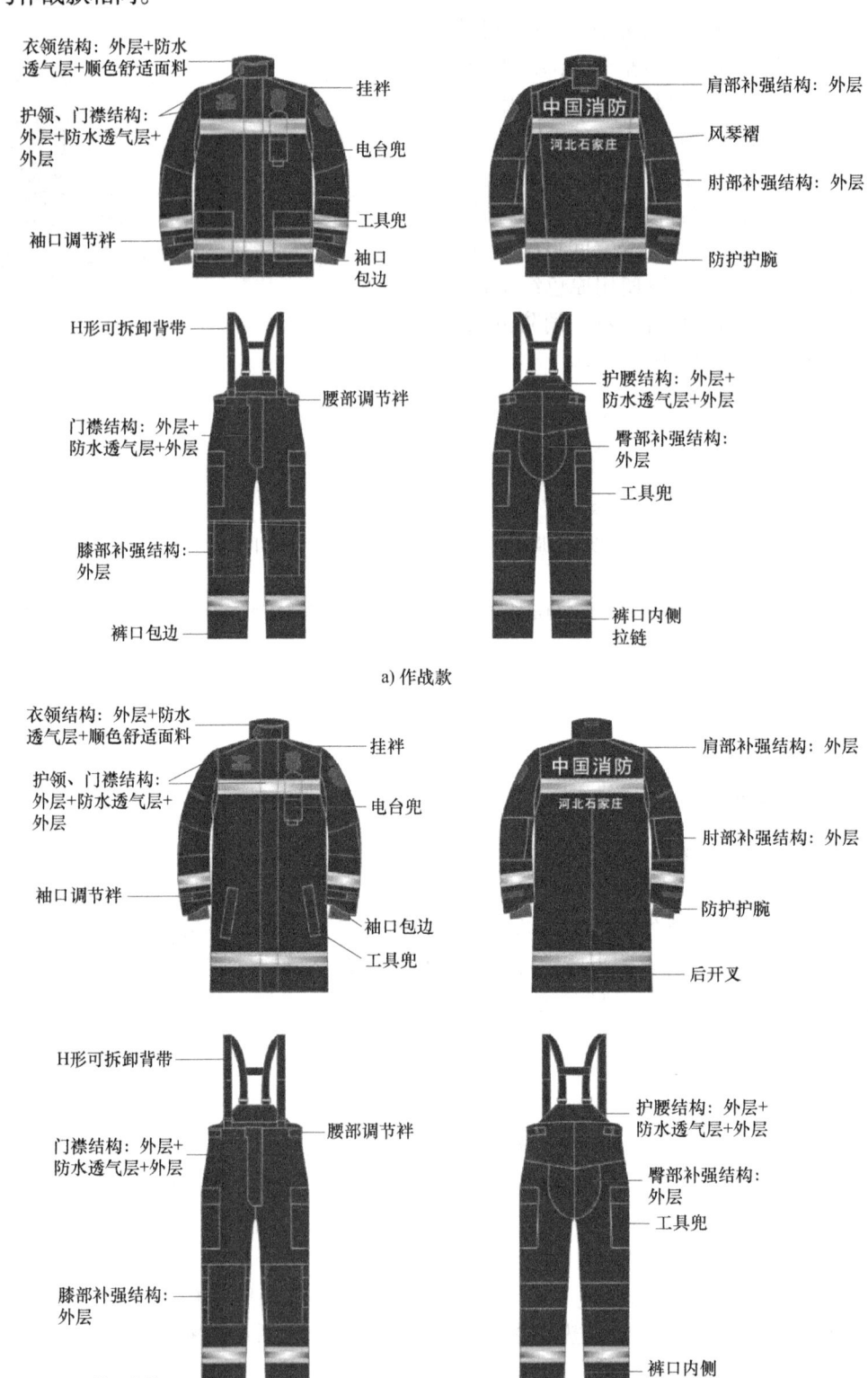

图 2-1-10 消防员灭火防护服款式标识规范

消防员灭火防护服为上下分体式结构，由防护上衣、防护裤子组成。消防员灭火防护服由外层、防水透气层、隔热层、舒适层等多层材料复合而成。

（1）主体结构 作战款上衣和裤子间重叠部分应不小于200mm。衣领为立领，前部设护领，衣领内侧采用顺色贴肤舒适面料。上衣在胸部、下摆、袖口各设1条360°环形反光标识带，裤子在小腿部各设1条360°环形反光标志带，反光标志带宽度为50.8mm，颜色为黄—银—黄。裤子裆部采用一体式设计。裤子配H型背带，背带应可调节长度，可拆卸。上衣前门襟拉链大小不小于8号。

（2）附属结构 上衣左胸外设电台立体口袋，门襟内侧设插袋，下摆设置外贴袋。大腿外侧各设工具袋1个。左上臂外侧设90mm×110mm盾牌型魔术贴并配盾牌型标识；盾牌型魔术贴上方设长57mm、斜边宽33mm的平行四边形魔术贴，并配平行四边形消防救援衔标识；袖口处采用圆弧形设计，外层本色布包边，设置收紧调节袢，并配置罗纹防护护腕，罗纹防护护腕开拇指孔，内部设置止水布。上衣门襟魔术贴为贯通式；上衣下摆设置止水布。裤脚口处采用圆弧形设计，内部设置止水布，内侧设置拉链，裤脚设耐磨材料补强处理。肩、肘、膝部采用耐磨层加厚处理；左右肩部设有两个挂袢。左胸电台立体口袋上方设长69mm、上宽52mm、下宽50mm的盾型魔术贴，并配盾型胸徽标识；右胸胸部反光带上方设长66mm、宽18mm的长方形魔术贴，并配长方形姓名牌标识；长方形魔术贴上方设长66mm、宽31mm的翼型魔术贴，并配翼型胸标标识。

（3）面料 外层一般采用芳纶纤维织物，具有永久阻燃性能，不受多次洗涤影响，耐磨性能好，强度高；防水透气层一般采用纯棉布复合聚四氟乙烯薄膜（PTFE），具有防水、透气功能；隔热层一般采用芳纶纤维无纺布或碳纤维毡，具有保暖、隔热、阻燃功能；舒适层一般采用纯棉面料或毛料制成，使用舒适。

2. 型号编制

消防员灭火防护服的型号编制方法如图2-1-11所示。

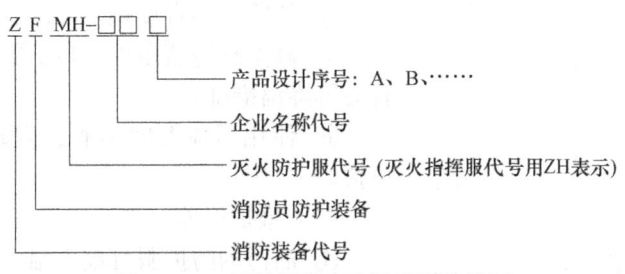

图2-1-11 消防员灭火防护服型号编制

示例：ZFMH表示消防员灭火防护服；ZFZH表示消防员灭火指挥服。

3. 主要性能指标

消防员灭火防护服的主要性能指标见表2-1-4。

表2-1-4 消防员灭火防护服的主要性能指标

项目	性能指标
质量	整套防护服的质量不应大于3.5kg
整体热防护性能	整体热防护性能值不应小于28.0，且无熔融、脆裂和收缩现象
色差	防护服的领与前身、袖与前身、袋与前身、左右前身及其他表面部位的色差不小于4级

(续)

项目	性能指标
阻燃性能	各层面料经过 25 次洗涤后，损毁长度不应大于 100mm，续燃时间不应大于 2s，且不应有熔融、滴落现象
热稳定性能	防护服的外层、防水透气层、隔热层材料，膝盖、肘部、救生拖拉带所用材料，肩部等外层加强材料，经（260±5）℃热稳定性能试验后，沿经、纬向尺寸变化率不应大于 10%，试样表面应无明显变化。舒适层的材料经（1800±5）℃干燥箱试验 5min 后取出，沿经、纬向尺寸变化率不大于 10%，试样表面无明显变化
缩水率	防护服的外层、防水透气层、隔热层、舒适层材料，经过 5 次洗涤后，沿经、纬向缩水率不大于 5%
表面抗湿性能	外层材料洗涤 5 次后，沾水等级不应小于 3 级
断裂强力	外层材料经、纬向干态断裂强力不应小于 650N，舒适层材料经、纬向干态断裂强力不应小于 300N，救生拖拉带所用的材料经、纬向干态断裂强力不应小于 7000N
撕破强力	外层材料经、纬向撕破强力不应小于 100N
接缝断裂强力	外层材料接缝断裂强力不应于 650N

4. 使用与维护

（1）使用要求

① 使用前应进行检查，如发现有损坏，不得使用。

② 进入火场前，应竖起衣领，并使之与头盔的披肩重合以保护颈部；袖口应与手套重合，袖口带有拇指搭扣的，进入火场时应将拇指穿过搭扣环；裤脚应套在灭火防护靴外，并与靴体形成部分重叠。

图 2-1-12 消防员隔热防护服

消防员隔热防护服

③ 灭火救援时，应扣紧灭火防护服的所有部件，如尼龙搭扣、纽扣、拉链、吊钩、衣领、护颈等。

④ 使用中不宜接触明火以及有锐角的坚硬物体。

⑤ 高温环境使用灭火防护服时易采用内置式冷却背心等降温措施。

⑥ 使用后应及时检查，发现破损应报废，及时更换。

（2）维护保养

① 沾污的防护服可放入温水中用肥皂水擦洗，再用清水漂净晾干，不允许用沸水浸泡或用火烘烤。洗涤过程中严禁使用含氯漂白剂，不能用含磷酸盐的洗衣液洗涤，以防损坏防水透气层。禁止熨烫灭火防护服。

② 应储存于通风、干燥、清洁的库房内，避免雨淋、受潮、曝晒，且不得与油、酸、碱及易燃、易爆物品或化学腐蚀性气体接触。

③ 在正常储存条件下，每一年检查一次，检查合格后方可投入使用，防护服使用后应用水冲洗干净，晾干储存。

④ 在正常保管条件下，储存期为两年。

（二）消防员隔热防护服

消防员隔热防护服（图 2-1-12）是消防员在靠近火焰或强热辐射区域进行

灭火救援时使用的，用来对其全身进行隔热防护的专用防护服。

1. 结构组成

消防员隔热防护服通常有分体式和连体式两种。隔热服的面料由不同材质的多层材料构成，按照功能分为外层、隔热层、舒适层。外层由金属铝箔复合阻燃织物材料制成，主要作用是阻挡辐射热和阻止隔热服燃烧；隔热层由阻燃粘胶或阻燃纤维毡制成，能够提供隔热保护；舒适层由阻燃纯棉布组成，使用舒适。

以消防救援队伍常见的分体式隔热服为例，主要由隔热头罩、隔热上衣、隔热裤、隔热手套、隔热脚盖组成。

（1）隔热头罩　隔热头罩是对消防员头部和颈部进行隔热保护的防护装具。它与隔热上衣多层面料之间有 200mm 以上的重叠部分，头罩前端和后端延伸到前胸和后背部。头罩设有腋下固定带。隔热头罩上面配有视窗，视窗采用无色或浅色透明的具有一定强度和刚性的耐热工程塑料注塑制成，视野宽，透光率好。

（2）隔热上衣　隔热上衣用于对上部躯干、颈部、手臂和手腕提供保护。它与隔热裤面料之间有不小于 200mm 的重叠部分。隔热上衣背部设有背囊，空气呼吸器的储气瓶放在背囊部位。隔热上衣袖口部位与隔热手套配合紧密，防止杂物进入衣内。

（3）隔热裤　隔热裤用于对下肢和腿部提供保护。隔热裤与隔热上衣有 200mm 以上的重叠部分，裤腿覆盖到灭火防护靴靴筒外部，防止杂物进入靴子中。

（4）隔热手套　隔热手套用于对消防员手部和腕部进行隔热保护，通常与消防手套配套使用。它与隔热上衣衣袖之间有 200mm 以上的重叠部分。

（5）隔热脚盖　隔热脚盖是穿戴在消防靴外，对消防员脚部和踝部进行隔热保护的防护装具。它与灭火防护靴配套使用，与隔热裤多层面料之间有 300mm 以上的重叠部分。

2. 型号编制

消防员隔热防护服的型号编制方法如图 2-1-13 所示。

示例：FGR-F/A 表示 A 型分体式消防员隔热防护服。

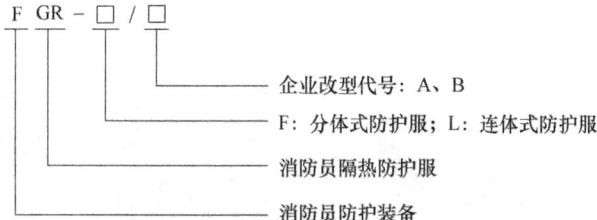

图 2-1-13　消防员隔热防护服的型号编制

3. 主要性能指标

消防员隔热防护服的主要性能指标见表 2-1-5。

表 2-1-5　消防员隔热防护服的主要性能指标

项目	性能指标
质量	整套防护服（包括隔热衣裤、隔热头罩、隔热手套和隔热脚盖）不应大于 6kg
整体热防护性能	整体热防护性能值不应小于 28.0，且无熔融、脆裂和收缩现象
阻燃性能	各层面料经过 25 次洗涤后，损毁长度不应大于 100mm，续燃时间不应大于 2s，且不应有熔融、滴落现象
热稳定性能	防护服的外层、隔热层经（260±6）℃热稳定性能试验后，沿经、纬向尺寸变化率不应大于 10%，试样表面应无明显变化
抗辐射热性能	内表面温升达到 24℃的时间不应小于 60s
断裂强力	外层材料经、纬向断裂强力不应小于 650N，舒适层材料经、纬向干态断裂强力不应小于 300N
撕破强力	外层材料经、纬向撕破强力不应小于 100N
接缝断裂强力	外层材料接缝断裂强力不应小于 650N

4. 使用与维护

（1）使用要求

① 使用前，应检查表面无破损、铝箔脱落、开线等现象；检查隔热服各部位配件是否牢固、可靠；检查拉链是否顺畅灵活，背带是否有弹力，钮扣、粘胶是否完好，隔热头罩视窗是否清晰。

② 使用时首先应佩戴好防护头盔、防护手套、防护靴和空气呼吸器，然后使用消防员隔热防护服，并将隔热头罩、隔热手套、隔热脚盖分别穿戴在防护头盔、防护手套和防护靴的外部，将正压式消防空气呼吸器储气瓶放在背囊中。

③ 在灭火战斗中，使用消防员隔热防护服不得进入火焰区或与火焰直接接触。

（2）维护保养　使用后，要用软刷蘸中性洗涤剂，刷洗表面残留污物，然后用清水冲洗干净，严禁用水浸泡和捶击。洗净后宜挂在通风处自然干燥，严禁烘烤。隔热服要放在干燥通风处，防止受潮和污染，储存和使用期不宜超过三年。

（三）消防员避火防护服

消防员避火防护服（图2-1-14）是消防员进入火场，短时间穿越火区或短时间在火焰区进行灭火战斗和抢险救援时，为保护自身免遭火焰和强辐射热的伤害而穿着的防护服装。

消防员避火防护服

1. 结构组成

消防员避火防护服采用分体式结构，由头罩、带呼吸器背囊的防护上衣、防护裤、防护手套和防护靴五个部分组成。头罩上配有镀金视窗，宽大明亮且反射辐射热效果好，内置防护头盔，用于防砸，还设有护胸布和腋下固定带。防护上衣后背上设有背囊，用于内置正压式消防空气呼吸器，保护其不被火焰烧烤。防护裤采用背带式，使用方便，不易脱落，裤腿应覆盖靴筒外部。防护手套为大拇指和四指合并的二指式。防护靴底部具有耐高温和防刺穿功能。

消防员避火防护服的结构按照功能分为防火层、耐火隔热层、防水层、阻燃隔热层和舒适层。防火层的面料主要成分为具有极高热稳定性和强度的二氧化硅（含量大于96%）；耐火隔热层面料主要成分为氧化纤维毡；防水层面料为阻燃纯棉复合铝箔布，不仅具有防水和抗高温热蒸汽的功能，还具有抵御辐射热的作用；阻燃隔热层面料为阻燃黏胶毡，隔热效果较好；舒适层面料为阻燃纯棉布，使用舒适，并对阻燃隔热层有一定的支撑作用。

图2-1-14　消防员避火防护服

2. 主要性能指标

消防员避火防护服的主要性能指标见表2-1-6。

表2-1-6　消防员避火防护服的主要性能指标

项目	性能指标
整体抗热性能	人体模型着装在模拟火场温度1000℃条件下，30s后其表面温升不超过13℃
阻燃性能	续燃时间不大于1s；阴燃时间不大于2s；损毁长度不大于20mm

(续)

项目	性能指标
隔热性能	在温度为1000℃的火焰上燃烧30s后，其内表面温升不超过25℃
抗辐射热性能	在13.6kW/m² 辐射热通量辐照120s后，其内表面温升不超过25℃
外层面料撕破强力	经、纬向撕破强力不小于32N

3. 使用与维护

（1）使用要求

① 使用前应认真检查有无破损，如服装破损严禁使用。

② 先穿防护裤，再穿防护靴，裤管套在靴筒外。佩戴好正压式消防空气呼吸器，穿防护上衣。戴好头盔和头罩，系好固定带。戴上手套后扎紧袖口。

③ 使用该服装必须佩戴空气呼吸器以及通信器材，以保证在高温状态下的正常呼吸和通信联系。

④ 消防员使用该服装在进行长时间消防作业时，必须用水枪、水炮进行保护。

⑤ 避火服只能用于近火或短时间穿越火焰区作业，不宜长时间穿避火服进入火焰区进行灭火救援作业。

（2）维护保养　使用后可用干棉纱将防护服表面烟垢和熏迹擦净，其他污垢可用软毛刷蘸中性洗涤剂刷洗，并用清水冲洗干净，严禁用水浸泡或捶击，洗净后悬挂在通风处，自然干燥。镀金视窗应用软布擦拭干净，并覆盖一层PVC膜保护以备再用。应存放在干燥通风处，防止受潮和污染。

（四）消防员抢险救援防护服

消防员抢险救援防护服（图2-1-15）是消防员在进行抢险救援作业时使用的专用防护服，用来对其躯干、颈部、手臂、手腕和腿部提供保护，但不包括头部、手部、踝部和脚部。消防员抢险救援防护服按气候环境分为夏季款式和冬季款式。

1. 结构组成

（1）夏款主体结构　夏季抢险救援防护服为单层结构，上下分体式结构。夏季服装为衬衫式上衣配长裤设计，上衣和裤子的重叠部分不应小于150mm，上衣采用收腰设计，衬衫式圆弧形下摆，前下摆应能够束入裤腰，且弯腰时后下摆不得滑出裤腰，前后衣长差量30~50mm；衣领为立领，竖起时，能够覆盖颈部，衣门襟使用拉链闭合；前胸设V字形50.8mm（2英寸）宽反光标志带，后背设水平50.8mm（2英寸）宽反光标志带，袖口和脚口设环绕50.8mm（2英寸）宽反光标志带。

（2）夏款附属结构　上衣左胸设置两条挂袢，胸前设置贴袋，大腿两侧设置立体贴袋；左上臂外侧设90mm×110mm盾牌型魔术贴并配盾牌型标识；盾牌型魔术贴上方设长57mm、斜边宽33mm的平行四边形魔术贴，并配平行四边形消防救援衔标识，左胸电台立体口袋上方设长69mm、上宽52mm、下宽50mm的盾型魔术贴，并配盾型胸徽标识，右胸胸部反光带上方设长66mm、宽18mm的长方形魔术贴，并配长方形姓名牌标识；长方形魔术贴上方设长66mm、宽31mm的翼型魔术贴，并配翼型胸标标识；袖口方便穿戴救援手套，腋下有透气设计；裤腰设置防滑腰衬，裤腰两侧装橡筋收紧；裤脚口设粘扣带收紧，方便穿脱救援靴；行军帽为棒球帽款式，后部采用卡扣调节袢，头部围度520~640mm；腰带为插口式腰带，规格为长1300mm、宽50mm、厚2.8mm；肩、肘、膝、臀、裆部加厚处理提高耐磨性；左右肩部设有两个挂袢。

图 2-1-15　消防员抢险救援防护服款式标识规范

（3）冬款主体结构　冬季服装为夹克式上衣配长裤设计，上衣和裤子经拉链连接可实现一体功能；衣领为立领，并设置小护领，衣领竖起时，能够覆盖颈部，门襟使用拉链闭合；前胸设V字形黄—银—黄反光标志带，后背设水平黄—银—黄反光标志带，袖口和脚口设环绕黄—银—黄反光标志带。

（4）冬款附属结构　上衣左胸设置两条挂袢，底摆设置立体贴袋，大腿两侧设置立体贴袋；标识魔术贴、袖口、裤脚口、行军帽、腰带、补强处理同夏款；左右肩部设有两个挂袢。

2. 型号编制

消防员抢险救援防护服的型号编制方法如图2-1-16所示。

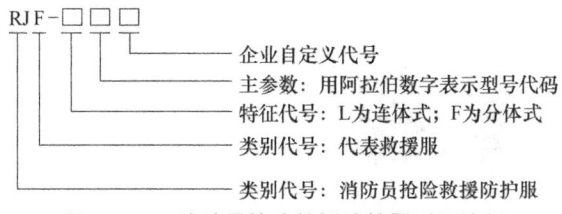

图2-1-16　消防员抢险救援防护服型号编制

示例：RJF-F1A表示A型1号分体式消防员抢险救援防护服。

3. 主要性能指标

消防员抢险救援防护服的主要性能指标见表2-1-7。

表2-1-7　消防员抢险救援防护服的主要性能指标

项目	性能指标
质量	整套防护服的质量不应大于3.0kg
阻燃性能	各层面料经过25次洗涤后，损毁长度不应大于100mm，续燃时间不应大于2s，且不应有熔融、滴落现象
热稳定性能	经（180±5）℃热稳定性能试验后，沿经、纬向尺寸变化率不应大于5%，试样表面应无明显变化
防静电性能	整套防护服的带电量不应大于0.6μC

4. 使用与维护

1）使用前应检查其表面是否有损伤，接缝部位是否有脱线、开缝等损伤。应与防护头盔、防护手套、防护靴等防护服装配合使用。

2）使用后应及时清洗、擦净、晾干。清洗时不要硬刷或用强碱，以免影响防水性能。晾干时不能在加热设备上烘烤。

3）应储存在干燥、通风的仓库中。储存和使用期不宜超过3年。

（五）消防员化学防护服

消防员化学防护服（图2-1-17）是消防员在处置化学事件时使用的防护服装。消防员化学防护服不适用于灭火以及处置涉及放射性物品、液化气体、低温液体危险物品和爆炸性气体的事故。根据化学品的危险程度不同，消防员化学防护服可分为气密型防护（一级）和液体喷溅致密型防护（二级）两个等级。一级消防员化学防护服是消防员在处置气态化学品事件中使用的化学防护服装。二级消防员化学防护服是消防员在处置挥发性固态、液态化学品事件中使用的化学防护服装。

一级化学防护服装

1. 结构组成

一级消防员化学防护服是全密封连体式结构，由带大视窗的连体头罩、化学防护服、正压式消防空气呼吸器背囊、化学防护靴、化学防护手套、密封拉链、超压排气阀和通风系统等组成，同正压式消防空气呼吸器、冷却装置、消防员呼救器及通信器材等设备配合使用。一级消防员化学防护服的颜色为黄色。

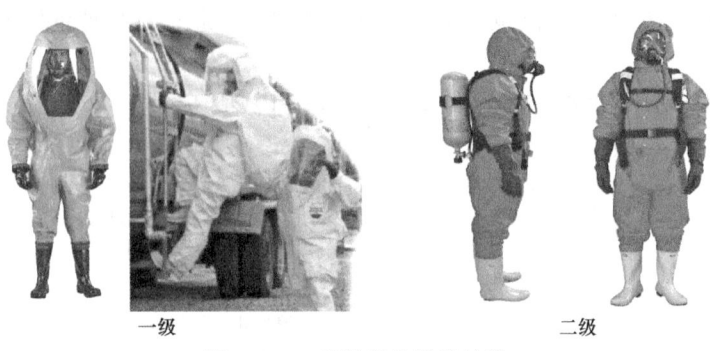

一级　　　　　　　　二级

图 2-1-17　消防员化学防护服

二级消防员化学防护服是连体式结构，一般由化学防护头罩、化学防护服、化学防护手套等构成，与外置正压式消防空气呼吸器配合使用。二级消防员化学防护服的颜色为红色。

2. 型号编制

消防员化学防护服的型号编制方法如图 2-1-18 所示。

示例：RHF-Ⅰ 表示一级消防员化学防护服。

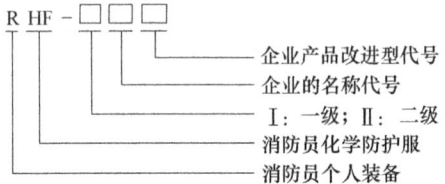

图 2-1-18　消防员化学防护服的型号编制

3. 主要性能指标

消防员化学防护服的主要性能指标见表 2-1-8。

表 2-1-8　消防员化学防护服主要性能指标

项目	性能指标	
	气密型（一级）化学防护服	液体喷溅致密型（二级）化学防护服
质量	≤ 8kg	≤ 5kg
整体气密性能	≤ 300Pa	—
贴条黏附强度	≥ 0.78kN/m	
整体抗水渗漏性能	—	20min 后无渗漏现象
耐热老化性能	经 125℃ ×24h 后，不粘不脆	经 125℃ ×24h 后，不粘不脆
阻燃性能	有焰燃烧时间 ≤ 10s；无焰燃烧时间 ≤ 10s；损毁长度 ≤ 10cm	有焰燃烧时间 ≤ 10s；无焰燃烧时间 ≤ 10s；损毁长度 ≤ 10cm
抗化学品渗透时间	耐二甲基硫酸盐溶液、氨气、氯气、氰氯化物、羰基氯化物、氢氰化物渗透平均渗透时间 ≥ 60min	耐二甲基硫酸盐溶液渗透平均渗透时间 ≥ 60min
耐穿刺力	化学防护手套耐刺穿力 ≥ 22N；化学防护靴靴底耐穿刺力 ≥ 1100N	化学防护手套耐刺穿力 ≥ 22N；化学防护靴靴底耐穿刺力 ≥ 900N
耐电绝缘性能	化学防护靴的击穿电压 ≥ 5000V，且泄漏电流 <3mA	

4. 使用与维护

（1）一级消防员化学防护服

1）穿戴方法。

① 佩戴好正压式消防空气呼吸器压缩气瓶，系好腰带并调整好压力表管子位置，不开气源，把空气呼吸器面罩吊挂在脖子上，调整好对讲机和呼救器。

② 打开一级消防员化学防护服密封拉链，先伸入右脚，再伸入左脚，将防护服拉至半腰，带上空气呼吸器面罩，打开空气呼吸器。

③ 辅助人员提起服装，着装者穿上双袖，然后戴好头罩。由辅助人员拉上密封拉链，并把密封拉链外保护层的尼龙搭扣搭好。

2）脱卸方法。根据服装使用过程中接触污染物质的情况，脱卸前由辅助人员进行必要的清理和冲洗。

① 着装人员先把双臂从袖子中抽出，交叉在前胸。

② 由辅助人员把密封拉链拉开，把防护服从头部脱到腰部（注意：脱卸过程中化学防护服外表面始终不要与着装人员接触），脱下空气呼吸器的面罩，关闭气瓶，脱开分配阀管路，卸下声控对讲装置、消防呼救器、消防头盔和压缩空气瓶。把化学防护服拉至脚筒，着装者双脚脱离化学防护服。

脱卸后，须对化学防护服进行检查和彻底清洗，然后晾干，待下次使用。

3）维护保养。每次使用后，用清水冲洗，并根据污染情况，可用棉布蘸肥皂水或0.5%~1%碳酸钠水溶液轻轻擦洗，再用清水冲净；洗净后，服装应放在阴凉通风处晾干，不允许日晒。宜倒置悬挂，储存在温度 –10~+40℃、通风良好的库房中；距热源不小于1m；避免日光直接照射；不能受压及接触腐蚀性化学物质和各种油类。

（2）二级消防员化学防护服

1）使用方法。

① 先撑开服装的颈口、胸襟，两脚伸进裤子内，将裤子提至腰部，再将两臂伸进两袖，并将内袖口环套在拇指上。

② 在面罩外面戴上头罩，拉上拉链，将拉链门襟内侧的胶条粘在前胸，保证防护服开口密封，接口处无渗透。

③ 戴上化学防护手套，将内袖压在手套里。

2）维护保养。同一级消防员化学防护服。

（六）其他防护服装

1. 消防员防蜂服

消防员防蜂服（图2-1-19）是消防员在执行蜂类处置任务时为保护自身安全使用的防护服装。防蜂服重量较大，与消防员化学防护服相近，可以作为化学防护训练服，代替化学防护服进行日常的防化训练。防蜂服采用连体式结构，面料为涂塑复合织物，配有头罩、手套和靴子。

2. 防静电服

防静电服是消防员在易燃易爆事故现场进行抢险救援作业时使用的防止静电积聚的防护服装。防静电服通常采用单层连体式，上衣为"三紧式"（即紧领口、紧下摆和紧袖口）结构，下裤为直筒裤。使用时必须与防静电鞋配套使用，不允许在易燃易爆场所穿脱，禁止在防静电服上附加或佩戴任何金属物件，并应保持防静电服清洁。

3. 特级化学防护服

特级化学防护服（图 2-1-20）是在化学灾害现场或生化恐怖袭击现场处置生化毒剂时使用的全身防护服装，可配套穿戴空气呼吸器。特级化学防护服能够全面防护各种有毒有害的液态、气态、烟态、固态化学物质、生物毒剂、军事毒气等，对军用芥子气、沙林等的防护时间 ≥ 1h。特级化学防护服可替代一级消防员化学防护服使用。

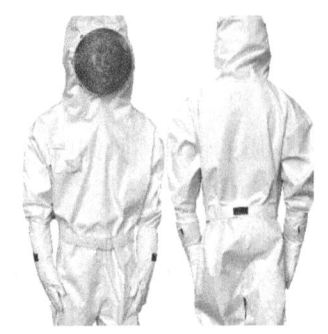

图 2-1-19　消防员防蜂服　　　　　　图 2-1-20　特级化学防护服

4. 消防阻燃毛衣

消防阻燃毛衣是消防员在秋冬季灭火救援时使用的具有阻燃性能并起一定防护、保暖作用的专用毛衣，也具有一定的隔热性能。阻燃毛衣为长袖款或是背心款，采用永久性阻燃材料针织制成，具有阻燃、保暖、轻便、舒适等特点。肩部和肘部贴合有厚实牢固的阻燃材料，以增强阻燃毛衣的耐磨性和强度。

5. 消防员降温背心

消防员降温背心是为降低消防员热应激，通过蓄冷剂预先蓄冷、逐步释放方式吸收消防员人体产生的生理热及环境渗透热的一种个人防护装备。降温背心由外层、隔冷层、舒适层等组成，各层材料具有良好的阻燃性能，遇火炭化，离火自熄，使用时间 ≥ 4h。

六、消防员防护手套

消防员防护手套是用于消防员手部保护的防护装备，按防护要求分为消防手套、消防员抢险救援手套、消防员化学防护手套和消防耐高温手套。

（一）消防手套

消防手套（图 2-1-21）是消防员在执行灭火救援任务时用于对手、腕部进行防护的装具。消防手套不适合在高风险场合下进行特殊消防作业时使用，也不适用于化学、生物、电气以及电磁、核辐射等危险场所。消防手套按照性能高低被分为一、二、三类。

图 2-1-21　消防手套

1. 结构组成

消防手套为五指分离式结构，由外层、防水层、隔热层、衬里等部分组合制成，同时还带有防割保护皮、松紧调节带和反光标志带。

2. 使用与维护

1）佩戴消防手套，应使手套口和灭火防护服袖口形成部分重合。

2）佩戴消防手套进入火场前应将松紧调节带拉紧。

3）灭火救援过程中，消防手套应避免与火焰或高温炽热物体直接接触。

4）消防手套可采用水洗，使用中性洗涤剂，洗涤后晾干或用烘干机烘干。若采用烘干机烘干，烘干温度不宜超过60℃。

5）消防手套应放置于通风干燥的室内，尽量避免长时间曝晒，严禁与化学危险品共同存放；整箱存放时，纸箱应放置于木板或货架上，以防地面潮湿。

（二）消防员抢险救援手套

消防员抢险救援手套（图2-1-22）是消防员在抢险救援作业时用于对手和腕部提供保护的专用防护手套。它不适合在灭火作业时使用，也不适用于化学、生物、电气以及电磁、核辐射等危险场所。消防员抢险救援手套的主体颜色为橘红色和黄色，主要材质为牛皮和芳纶双面针织布。

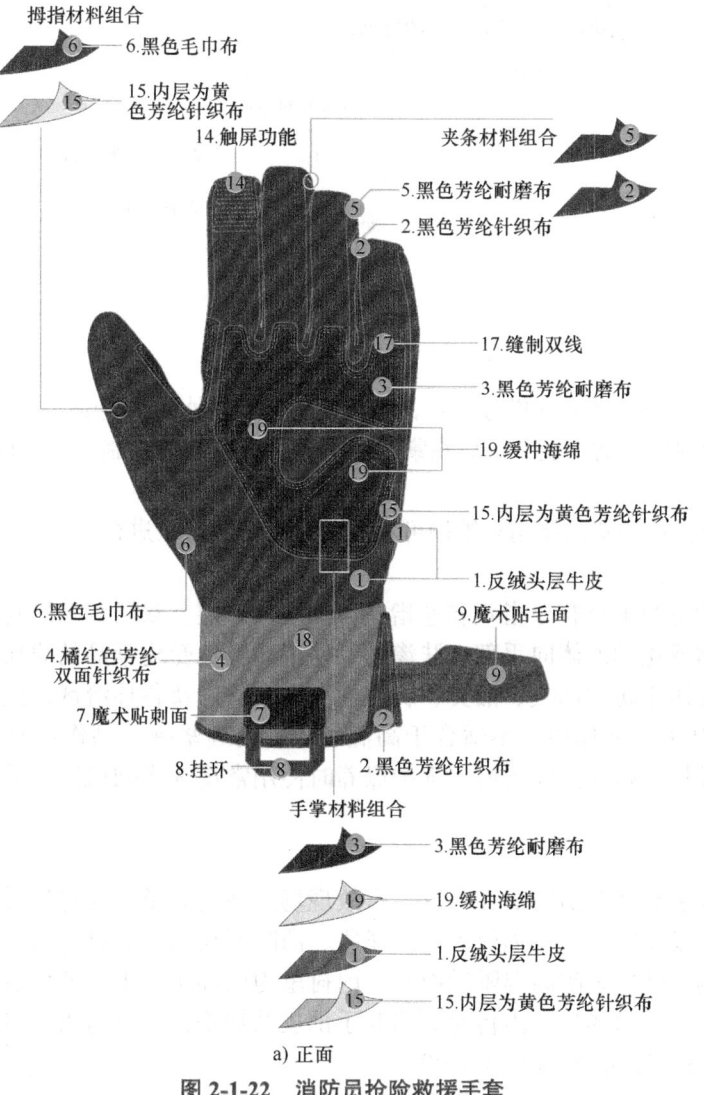

a）正面

图2-1-22 消防员抢险救援手套

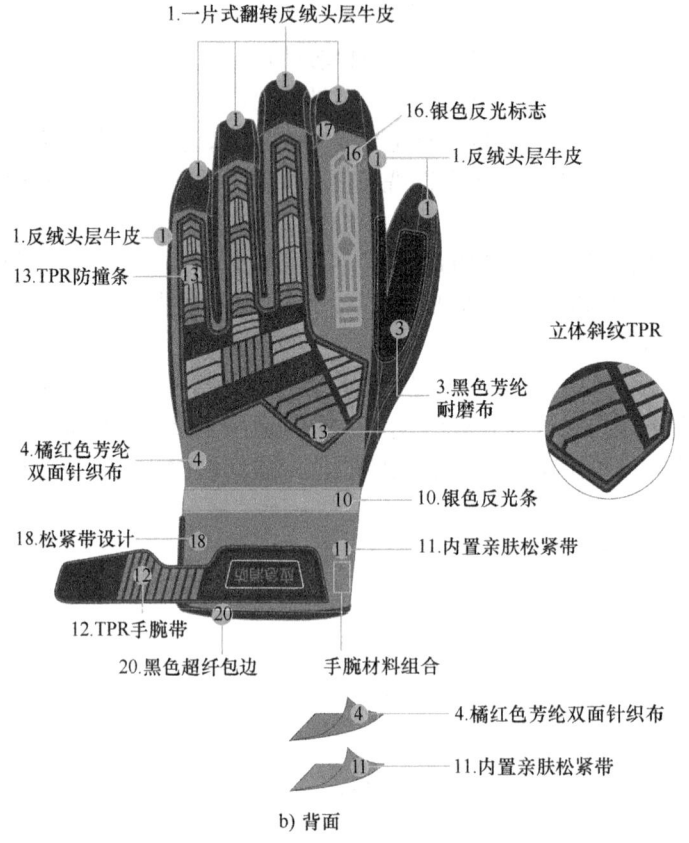

b) 背面

图 2-1-22 消防员抢险救援手套（续）

1. 结构组成

消防员抢险救援手套为五指分离式，主要由外层、防水层和舒适层等多层织物复合而成。为了增强外层材料的耐磨性能，可以在掌心、手指及手背部位缝制上一层皮革。

2. 使用与维护

消防员抢险救援手套的使用和维护可参照消防手套的要求进行。

（三）消防员化学防护手套

消防员化学防护手套有分指式和连指式，结构有单层、双层和多层复合，手套表面材料能阻止化学气体或化学液体向手部皮肤渗透，使消防员免受化学品的烧伤、灼伤。消防员化学防护手套主要用于防护油类、酸类、腐蚀性介质、酒精及各种溶剂，允许间歇地深入最高 150℃、最低 -25℃ 的液体中，不适合于高温场合、处理坚硬物品作业时使用，也不适用于电气、电磁以及核辐射等危险场所。维护保养时使用常规洗涤剂机洗或手洗并远离紫外线和臭氧。

（四）消防耐高温手套

消防耐高温手套适合消防员在火灾、事故现场处理高温及坚硬物件时使用，不适用于化学、生物、电气以及电磁、核辐射等危险场所。消防耐高温手套有分指式和连指式，一般为双层或三层结构，外层为耐高温阻燃面料，内衬里为全棉布。手套外层耐高温阻燃材料隔绝大部分热量，防止高温热量向内传递而引起手部皮肤烧伤，具有防火、隔热、耐高温和防切割、防刺穿性能；耐接触热温度 ≥ 600℃。

七、消防员防护靴

消防员防护靴是消防员进行消防作业时用于保护脚部和小腿部免受伤害的防护装备。消防员防护靴可分为消防员灭火防护靴、消防员抢险救援防护靴、消防员化学防护靴三种。

（一）消防员灭火防护靴

消防员灭火防护靴（图2-1-23）是消防员进行消防作业时用于保护脚部和小腿部免受水浸、外力损伤和热辐射的防护装备，主要有消防员灭火防护胶靴和消防员灭火防护皮靴。

1. 结构组成

消防员灭火防护靴（橡胶）由靴帮和靴底构成，主体颜色为黑色和黄色，主要材质为耐高温阻燃耐酸碱橡胶。靴帮由外到里分为帮面、防切割层和隔热舒适层三层结构。靴底由上到下分为隔热舒适层、防穿刺层和靴大底三层结构。灭火防护皮靴靴帮材料为头层阻燃防水牛皮，外底材料应为阻燃橡胶，包头为铝质防砸包头，靴底防穿刺层采用复合纤维防穿刺材料。

图2-1-23 消防员灭火防护靴

2. 使用与维护

1）使用前应检查消防员灭火防护靴是否完好，例如，靴面是否有破损、靴底是否有被刺穿的痕迹等。

2）使用中应尽量避免消防员灭火防护靴与火焰、熔融物以及尖锐物等直接接触，防止损坏。

3）消防员灭火防护胶靴适用于一般火场、事故现场进行灭火救援作业，严禁用于电压高于4000V和有强腐蚀性液体、气体存在的化学事故现场，有强渗透性军用毒剂、生物病毒存在的事故现场，以及带电的事故现场等。

4）每次使用后应用清水冲洗，洗净后放在阴凉、通风处晾干，不允许直接日晒。

5）消防员灭火防护皮靴的适用范围与消防员灭火防护胶靴相同，灭火防护皮靴连续使用时间不应超过7小时，有刮伤和皮面脱落现象要缩短连续使用时间，防止靴面产生吸水现象。

（二）消防员抢险救援防护靴

消防员抢险救援防护靴（图2-1-24）是消防员在抢险救援作业时用于保护脚部、踝部和小腿部的防护装备，不适用于灭火作业或处置放射性物质、生物物质及危险化学物品作业。

图2-1-24 消防员抢险救援防护靴

消防员抢险救援防护靴可分为中帮型和低帮型，内侧设有快速穿脱功能拉链，主体颜色为黑色。消防员抢险救援防护靴由外底、带舒适层的靴帮、带防刺穿层的内底和保护靴头等部分组成。靴底由橡胶外底、聚氨酯绝缘层、底板、无纺布软底层、海绵层和衬里层等组成，具有阻燃、隔热、耐高温、防滑、抗刺穿、耐高压等功能。靴帮由衬里层、线布层、阻燃防水牛皮层等组成，具有阻燃、耐高温、抗辐射热、保暖、抗切割等功能。靴头由衬里层、复合层、铝制防砸包头、橡胶衬条、线布层和阻燃防水牛皮层等组成，具有防砸和防切割的功能。

（三）消防员化学防护靴

消防员化学防护靴通常与消防员化学防护服配套使用，适用于处置一般化学事件。消防员化学防护靴由靴头、靴帮、靴底三部分组成。靴头、靴底结构与消防员灭火防护胶靴相似，其中靴头内设置有钢包头层，靴底设置有钢中底层。靴底抗刺穿力不低于1100N，击穿电压不小于5kV，且泄漏电流小于3mA。消防员化学防护靴不能在灭火、涉及放射性物品、液化气体、低温液体危险物品、爆炸性气体、生化毒剂等的事故现场使用，并应根据事故现场状况选用更专业的防护靴。

【思考题】

1. 消防头盔的作用是什么？由哪些部分组成？
2. 消防员灭火防护服的作用是什么？主要组成结构有哪些？
3. 简述一级消防员化学防护服和二级消防员化学防护服的区别。

单元二　消防员呼吸保护器具

消防员呼吸保护器具是在浓烟、毒气、刺激性气体或严重缺氧的火灾现场，消防员进行消防作业时佩戴的，用于保护呼吸系统免受伤害的个人防护装备。

一、消防员呼吸保护器具分类

（一）根据对人体呼出气体的处理方式分类

（1）开放式呼吸器　对供给气体仅呼吸一次，人体呼出的废气经单向开启的呼气阀排入大气中。这类呼吸器有空气呼吸器和过滤式防毒面罩（包括消防过滤式综合防毒面具、动力送风过滤式呼吸器等）。

（2）密闭式呼吸器　对供给气体呼出后并不废弃或基本不废弃，而在呼吸器内部经过密闭循环系统加以处理，吸收二氧化碳，补充氧气，再供人体呼吸。这类呼吸器有压缩氧气呼吸器和化学氧气呼吸器。

（二）根据人体吸入气体的来源分类

（1）过滤式防毒面具　吸入气体来自大气。

（2）自给式呼吸器　供给气体由呼吸器本身提供，如氧气呼吸器和空气呼吸器。

二、三种呼吸保护器具的优缺点比较

目前我国消防救援队伍配备使用的呼吸保护器具主要有消防过滤式综合防毒面具、正压式消防空气呼吸器、正压式消防氧气呼吸器三种。这三种呼吸器的主要优缺点如下。

（1）消防过滤式综合防毒面具　消防过滤式综合防毒面具结构简单、重量轻、携带使用方便，对佩戴者有一定的呼吸保护作用。其不足之处是使用时外界的一氧化碳浓度不能大于2%，氧气浓度不能低于18%；呼吸阻力大；一种滤毒罐只能过滤一种或几种毒气，其选择性强。因此，在火场环境中遇到一氧化碳浓度高、烟雾浓重、严重缺氧或不能正确判断火场中毒气成分时，其使用安全性就存在一定的问题。

（2）正压式消防空气呼吸器　正压式消防空气呼吸器适用范围广，结构简单，空气气源经济方便，呼吸阻力小，空气新鲜，流量充足，呼吸舒畅，佩戴舒适，大多数人都能适应；操作使用和维护保养简便；视野开阔，面罩内始终保持正压，毒气不易进入面罩，使用更加安全。正压式消防空气呼吸器是目前消防救援队伍应用较广泛的呼吸防护装备。其不足之处主要是佩戴使用时间较短。

（3）正压式消防氧气呼吸器　正压式消防氧气呼吸器的气源是纯氧，故气瓶体积小，重量轻，便于携带，且有效使用时间长。其不足之处是结构复杂，维修保养技术要求高；部分人员对高浓度氧（含量大于21%）呼吸适应性差；泄漏氧气有助燃作用，安全性差；再生后的氧气温度高，使用受到环境温度限制，一般不超过60℃；氧气来源不易，成本高。正压式消防氧气呼吸器常用于高原、地下建筑、隧道及高层建筑等场所长时间作业时的呼吸保护。

【思考题】

1. 消防员呼吸保护器具分为哪些类型？
2. 简述三种呼吸保护器具的优缺点。

单元三　正压式消防空气呼吸器

一、结构组成

以某一型号的正压式消防空气呼吸器（后简称空气呼吸器）为例，空气呼吸器由气瓶总成、减压器总成、供气阀总成、面罩总成和背托总成5部分组成，如图2-3-1所示。

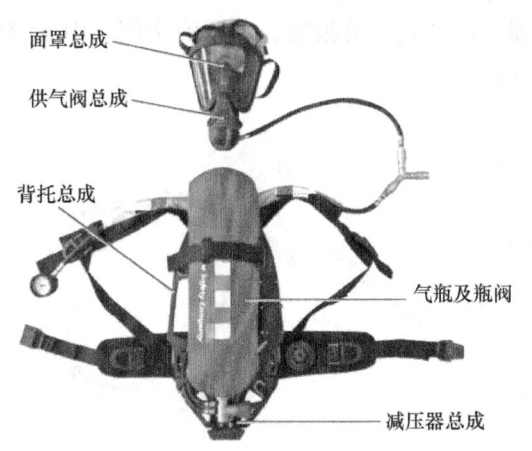

图 2-3-1　正压式消防空气呼吸器的结构组成

(一) 气瓶总成

气瓶总成是用来储存高压压缩空气的装置,它由气瓶、瓶阀和气瓶保护套构成(图 2-3-2)。

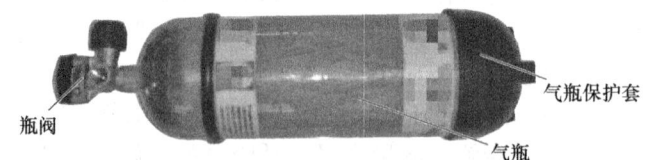

图 2-3-2 气瓶总成

气瓶普遍使用碳纤维复合材料,由铝合金内胆(密封作用)、碳纤维(承压作用)、玻璃纤维(定型作用)、环氧树脂(保护碳纤维和玻璃纤维并使瓶体表面光洁美观)四层结构组成,如图 2-3-3 所示。气瓶额定储气压力均为 30MPa。瓶阀连接在气瓶上,用于控制气瓶内压缩空气的进出。带压力显示的瓶阀(图 2-3-4),压力表位于瓶阀下方,双面显示,可以随时了解气量。

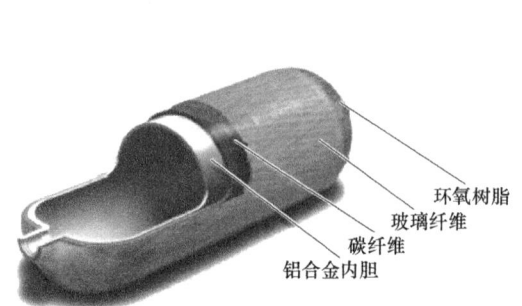

图 2-3-3 碳纤维气瓶结构

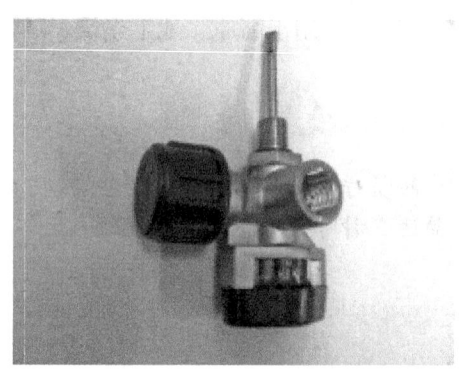

图 2-3-4 带压力显示的瓶阀

瓶阀上装有过压保护膜片,当气瓶内压力超过额定压力 30% 左右(37~45MPa)时,瓶阀上的过压保护膜片会爆破,气瓶会安全卸压,保证气瓶使用安全。

(二) 减压器总成

减压器总成是将气瓶内高压清洁的气体减压后,输出 0.7MPa 左右的中压气体,再经中压导气管输送至供气阀以供人体呼吸的装置。

减压器总成由减压器、压力表、警报器、中压安全阀、中压导气管、高压导气管和他救接头组成,如图 2-3-5 所示。

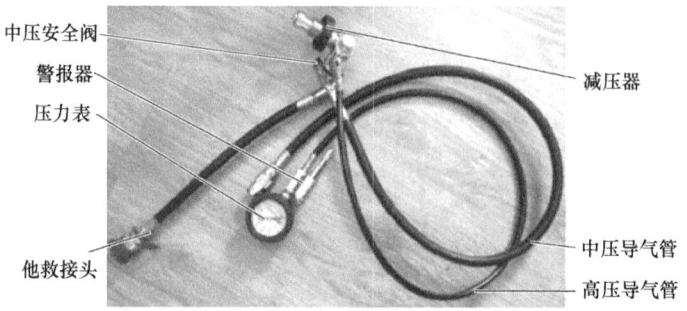

图 2-3-5 减压器总成

1. 减压器

减压器的工作原理如图 2-3-6 所示，它通过压力调节弹簧的压力和中压腔 B 的气体压力平衡来控制活塞上下移动，从而带动阀杆运动，使得阀杆与阀座的间隙减小或增大，控制进入中压腔的空气量，保证其输出压力为 0.7MPa 左右。

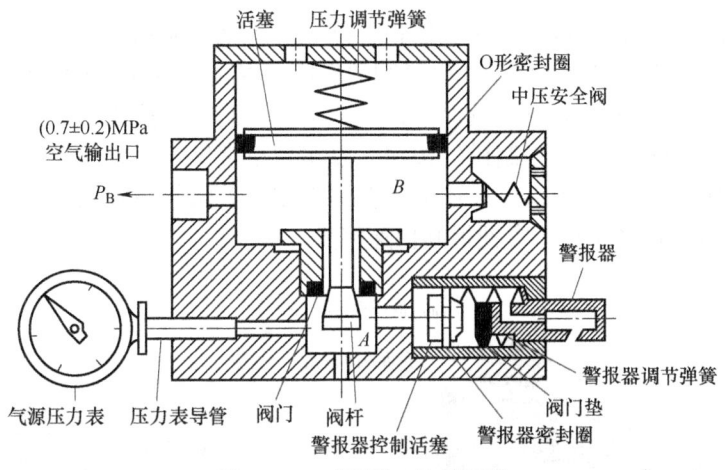

图 2-3-6 减压器工作原理图

如图 2-3-6 所示，中压腔 B 和减压器输出端及中压安全阀相通；高压腔 A 和气体输入端、压力表导管及警报器相通。

2. 中压安全阀

当减压器失去对高压空气的减压作用（如减压弹簧或膜片、阀片损坏）时，中压安全阀开启，高压空气经中压安全阀泄压后再保持较低压力输出，避免高压空气直接输出，发生意外。要求当中压腔 B 内压力为 (1.0 ± 0.2) MPa 时，中压安全阀开启。当中压腔 B 压力恢复正常时，阀门关闭并保持气密。

3. 警报器

当气瓶内压力下降至 (5.5 ± 0.5) MPa 时，警报器发出声响警报。警报器有两种结构：一种直接安装在减压器上，称为后置警报器；另一种与压力表一同置于使用者的胸前，称为前置警报器。

空气呼吸器的使用时间可按如下公式计算：

$$标称使用时间 = \frac{气瓶容积（L）\times 气瓶工作压力（MPa）}{30L/min \times 0.1MPa}$$

式中，30L/min 是指我国有关行业中等劳动强度每分钟消耗的空气量。

实际使用时间会受到多种因素的影响而与标称使用时间有所不同，对于不同使用者和不同的使用情况，气体消耗量是不同的，工作强度越大，气瓶内的气体消耗就越快。

4. 压力表

压力表的作用是实时显示气瓶内的空气压力，便于使用者估计剩余作业时间。

5. 中压导气管

中压导气管是阻燃胶管，一端连接供气阀，另一端连接减压器中压输出端。

6. 高压导气管

高压导气管的作用是将气瓶内的空气输送至压力表，其一端连接压力表，另一端连接减压器高压输出端。

7. 他救接头

中压导气管上有一快速插头，可快速将供气阀与减压器相连接。必要时，只需另加一套供气阀面罩总成即可供两人同时使用，实现紧急救援的目的。

（三）供气阀总成

供气阀总成主要由接面罩低压供气插口、外壳、手动强制供气按钮、手动关闭按钮、中压供气导管等组成，如图 2-3-7 所示。供气阀的作用是将减压器输出的中压气体再次减压至人体适宜呼吸的压力，实现按需供气及保持正压。手动强制供气按钮的作用是：一旦手动关闭按钮未被吸开，可以按下手动强制供气按钮，以实现正常供气；另外当使用者感到供气不足时，按下此按钮可以实现足量供气；还可以在不工作时关闭气瓶开关，通过按压强制供气按钮排除中压供气导管内的余压，方便拆卸快速接头。

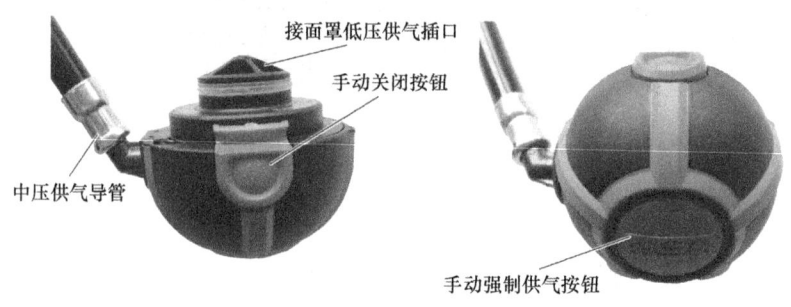

图 2-3-7　供气阀

（四）面罩总成

面罩总成是用来罩住脸部，形成有效密封，防止有毒有害气体进入人体呼吸系统的装置。面罩总成主要由视窗镜片、头网、面罩接口、头带、密封胶体、呼气阀、口鼻罩、吸气阀、挂带、面框、传声器等组成，如图 2-3-8 所示。

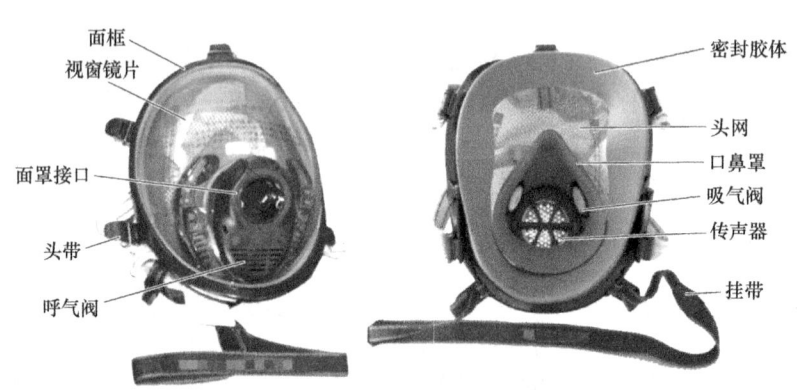

图 2-3-8　面罩总成

（1）面框　面框由高强度阻燃塑料注塑而成，用于固定视窗镜片及密封胶体。

（2）视窗镜片　视窗镜片由高强度聚碳酸酯材料注塑而成，外表面经硬化处理，可承受高强度冲击不破裂，内表面经防雾处理，有效避免内部起雾。

（3）面罩接口　面罩接口是面罩与供气阀相连接的接口，应保证气密性。

（4）呼气阀　使用者呼气时，面罩内压力升高克服呼气阀的弹簧力，阀门打开，使人体呼出的气体排入大气。

（5）密封胶体　密封胶体用于保证面罩与使用者脸部的密封，其设计应符合我国成年人的脸型特征，确保柔软舒适、贴合紧密、无明显压痛感。

（6）口鼻罩　口鼻罩与使用者的口鼻良好吻合，进一步提高密封性，有效降低面罩内的二氧化碳浓度，防止视窗起雾。

（7）吸气阀　当使用者吸气时，吸气阀开启，新鲜空气进入口鼻罩；当使用者呼气时，吸气阀关闭，使用者呼出的气体由呼气阀排入大气。吸气阀丢失，易导致面罩结雾。

（8）传声器　传声器为金属机械膜片，用于将面罩内部的声音传递到外界。

（五）背托总成

背托总成是用来支撑、安装气瓶总成和减压器总成，并保持整套装具与人体良好佩戴的装置。背托总成由背架体、肩带、腰带、腰垫、固定气瓶的瓶箍带组成。

二、型号及规格

（一）型号编制

空气呼吸器的型号编制如图 2-3-9 所示。

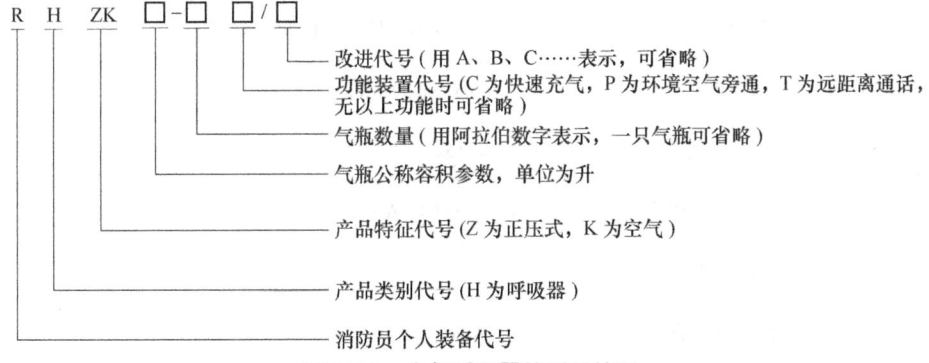

图 2-3-9　空气呼吸器的型号编制

示例：RHZK 6.8 表示气瓶数量为一只，气瓶的公称容积为 6.8L 的空气呼吸器。

（二）规格

空气呼吸器的气瓶公称容积有 3L、4.7L、6.8L、8L、9L、12L 这 6 种规格。

三、主要性能参数

空气呼吸器的主要性能参数见表 2-3-1。

表 2-3-1　空气呼吸器的主要性能参数

序号	项目		技术参数
1	产品结构		符合《正压式消防空气呼吸器》（XF 124—2013）的要求
2	材料要求	背具、背具带、带扣和气瓶防护套阻燃性能	不熔融，续燃时间不大于 5s
		全面罩、中压导气管和供气阀阻燃性能	续燃时间不大于 5s

(续)

序号	项目		技术参数
3	整机气密性		1min 内压力下降 ≤ 2MPa
4	佩戴质量		≤ 18kg（气瓶压力 30MPa 时）
5	呼吸阻力	气瓶压力为 2~30MPa 时	以呼吸频率 40 次/min，呼吸流量 100L/min 呼吸，全面罩内始终保持正压，吸气阻力 ≤ 500Pa，呼气阻力 ≤ 1000Pa
		气瓶压力为 1~2MPa 时	以呼吸频率 25 次/min，呼吸流量 50L/min 呼吸，全面罩内始终保持正压，吸气阻力 ≤ 500Pa，呼气阻力 ≤ 700Pa
6	耐高温性能		在 60℃环境中 12h 内各零部件无异常变形、粘着和脱胶等现象。以呼吸频率 40 次/min，呼吸流量 50L/min 呼吸，全面罩内保持正压，呼气阻力 ≤ 1000Pa
7	耐低温性能		在 −30℃环境中 12h 内各零部件无异常收缩、开裂和发脆等现象。以呼吸频率 25 次/min，呼吸流量 50L/min 呼吸，全面罩内保持正压，呼气阻力 ≤ 1000Pa
8	静态压力		≤ 500 Pa，且不大于排气阀开启压力
9	警报器性能	警报压力	（5.5 ± 0.5）MPa
		警报器连续声响时间	≥ 15s
		警报器发声强度	≥ 90dB（A）
		警报器平均耗气量	≤ 5L/min
10	面罩性能	面罩总视野保留率	≥ 70%
		面罩双目视野保留率	≥ 55%
		面罩下方视野	≥ 35°
		吸入气体中二氧化碳含量	≤ 1%
11	气瓶		工作压力 30MPa，爆破压力 >120MPa
12	气瓶瓶阀		开启方向为逆时针，设有防止意外关闭装置，安全膜片爆破压力 37~45MPa

四、工作原理

空气呼吸器的工作原理如图 2-3-10 所示。打开瓶阀，高压空气通过瓶阀进入减压器，同时压力表显示气瓶内的空气压力读数。高压空气经一级减压后输出 0.6~0.9MPa 的中压气体，再经中压导气管送至供气阀。供气阀将中压气体按照佩戴者的吸气量，进行二次减压，减压后的气体进入面罩，供佩戴者呼吸使用。呼气时打开面罩上的呼气阀，将呼出的气体排出面罩外。当气瓶压力降低至（5.5 ± 0.5）MPa 时，警报器发出警报。

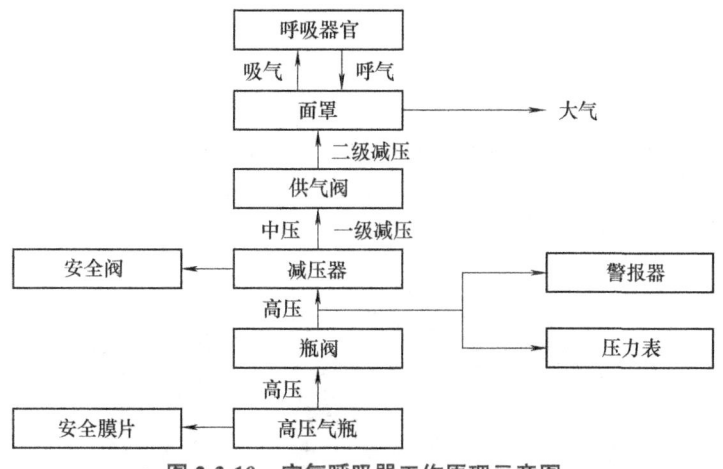

图 2-3-10 空气呼吸器工作原理示意图

五、操作使用

（一）使用前检查

1. 检查气瓶压力及系统气密性

将供气阀面罩总成节气开关切换到大气状态，用手握住瓶阀手轮，逆时针旋转 2 圈以上，打开瓶阀，30s 后，观察压力表读数，空气压力应不小于 28MPa。顺时针关闭瓶阀（图 2-3-11）；如为不带压力显示的瓶阀，需用手沿瓶体方向推进手轮并旋转方能关闭。继续观察压力表读数 1min，如果压力降低不超过 0.5MPa，且不继续降低，则系统气密性良好。

2. 检查余气警报器

气密性检查完毕后，用左手的手心将供气阀的出口堵住，右手按下供气阀上的手动强制供气按钮，左手手心与供气阀出口打开一小缝慢慢排气，观察压力表的变化（图 2-3-12）。当压力下降到约 6.5MPa 时，应减小排气量，注意观察压力表，同时注意警报哨声响。当气瓶内压力下降到（5.5±0.5）MPa 时，警报器开始起鸣报警。

图 2-3-11 瓶阀开关

图 2-3-12 检查余气警报器

3. 检查瓶箍带是否收紧

用手沿气瓶轴向上下拨动瓶箍带，瓶箍带不易在气瓶上移动，说明瓶箍带已收紧。

（二）佩戴使用

1. 佩戴装具

使气瓶的瓶底靠近自己，让背带的左右肩带套在两手之间，两手握住背板的左右把手。将呼吸器举过头顶，两手向后向下弯曲，使左右肩带落在肩膀上，将瓶阀向下背上气瓶（图 2-3-13），通过拉肩带上的自由端调节气瓶的上下位置和松紧，直到感觉舒适为止。插好腰带，调整松紧至合适（图 2-3-14）。

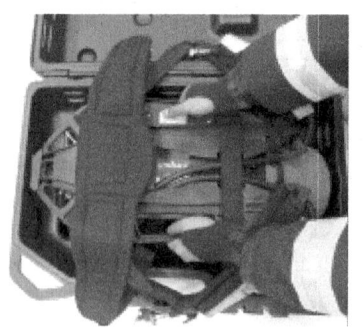

图 2-3-13　佩戴装具

图 2-3-14　调整肩带和腰带

2. 佩戴面罩并检查面罩的气密性

（1）佩戴面罩　拿出面罩，将面罩的头带放松，将面罩的颈带挂在脖子上。套上面罩，使下颌放入面罩的下颌承口中。拉上头带，使头带的中心处于头顶中心位置，调整头带至合适位置。首先收紧下颌处头带，然后调整太阳穴处头带，最后调整顶部头带（图 2-3-15）。

图 2-3-15　佩戴面罩

（2）检查面罩的气密性　用手心将面罩的进气口堵住，深吸一口气，如感到面罩有向脸部吸紧的现象，且面罩内无任何气流流动，说明面罩和脸部是密封的（图 2-3-16）。如面罩和脸部不密封，必须重新调整至密封后才能继续使用（胡须会影响气密性，头发夹在面罩中也会影响气密性）。

3. 使用空气呼吸器

将瓶阀重新打开至少 2 圈，将供气阀与面罩连接牢固，深吸一口气将供气阀打开（图 2-3-17），且吸气和呼气都应舒畅，无不适感觉。在使用过程中，应随时观察压力表，注意警报器发出的报警信号，当听到报警声时必须立即撤回到安全场所。当使用带他救接口的呼吸器时，将他救接口上的安全盖取下，将带他救接头供气阀的中压导气管插入他救接口中。

图 2-3-16　检查面罩的气密性

图 2-3-17　使用空气呼吸器

（三）脱卸呼吸器

脱卸工作应在安全场所并且停止工作情况下进行。

1）脱开供气阀。按下面罩供气阀上方的按钮关闭供气阀，拉动供气阀脱离面罩。

2）卸下面罩。用食指向外拨动面罩头带上的不锈钢带扣，使头带松开，抓住面罩上的进气口向外拉，脱开面罩，取下并放好面罩。

3）关闭瓶阀。

4）压下腰带扣背面的按钮，松开腰带。松开肩带，脱卸整套呼吸器。

5）按压供气阀上的手动强制供气按钮，将系统内的余气排尽。

（四）更换气瓶充气

系统泄压后，松开气瓶带扳手。转动减压器手轮，脱开气瓶。取下气瓶充气，将充气完成的气瓶重新安装，并用气瓶带固定好（图 2-3-18）。

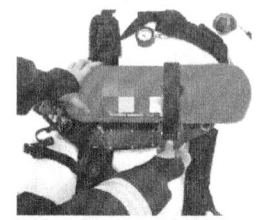 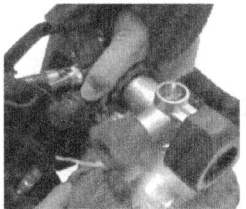  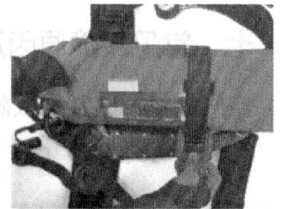

图 2-3-18　更换气瓶

（五）使用后处理

1）检查空气呼吸器有无磨损或老化的橡胶件、磨损或松弛的头罩织带或损坏件。

2）在温水（最高温度 50℃）中加入中性肥皂液或清洁剂后，用海绵或软布将面罩擦洗，然后用净水冲洗干净。用海绵或软布蘸制造商推荐的消毒剂擦洗面罩，进行消毒。

3）消毒后，用饮用水彻底擦洗面罩。除无线气压指示（HUD）部件外，其他部分可先用流水冲，然后晃动面罩，甩干残留水分，最后用干净的软布擦干或晾干；也可以用不超过 60℃ 的干燥空气吹干。面罩彻底干燥后再存放。用湿海绵或软布将空气呼吸器的其他部件擦洗干净。

4）污染严重的情况下，背带（包括金属件）可用清水或温和的洗涤剂进行机洗，温度不要超过 40℃，洗涤时，插扣等应插好。洗完后，悬挂在阴凉通风处自然晾干。

5）按执勤前的准备工作要求，对空气呼吸器进行检测。检测的项目包括：整机气密性能、动态呼吸阻力、静态压力、警报器性能。

六、维护保养

（一）定期检查

对于备用的正压式消防空气呼吸器，必须每周进行检查，确保空气呼吸器在需要使用时能正常工作。如果发现有任何故障，必须将其单独存放，并做好标记以便进行修理。检查内容如下。

1）目检各部件是否完整及连接是否正确，整套空气呼吸器有无磨损或老化的橡胶件，有无磨损或松弛的织带和损坏的零部件。

2）检查气瓶最近的水压试验日期，确认该气瓶是否在有效使用期内；如果已超过使用期限，应立即停止使用该气瓶并做好标记，由被授权人员进行水压测试，测试合格后方可再使用。

3）检查气瓶上是否有物理损伤，如凹痕、凸起、划痕或裂纹等，是否有高温或过火对气瓶造成的热损伤，是否有酸或其他腐蚀性化学物品形成的化学损伤痕迹；若发现以上情况，则不应再使用该气瓶，而应完全放空气瓶内的压缩空气，并做好标记，等待被授权人员处理。

（二）定期测试

至少每年由被授权人员对空气呼吸器进行一次整机校验，在使用频率高或使用条件比较恶劣时，则应缩短定期测试的时间间隔。

与空气呼吸器配套使用的气瓶，必须通过由国家质量技术监督局授权的检验机构进行定期的检验与评定。性能测试的项目包括整机气密性能、动态呼吸阻力、静态压力、警报器性能、减压器性能、安全阀性能。

七、常见故障原因及排除方法

空气呼吸器的常见故障原因及排除方法见表 2-3-2。

表 2-3-2 空气呼吸器的常见故障原因及排除方法

故障现象	原因分析	排除方法
戴上面罩时面罩内有持续的气流	冲泄阀处于打开状态	关闭冲泄阀
	脸和面罩之间密封处泄漏	重新佩戴，并调节面罩带子

（续）

故障现象	原因分析	排除方法
吸气时没有空气或阻力过大	瓶阀未开足	完全打开瓶阀
	中压导气管阻塞	送生产厂家修理
	面罩故障	用一只已知功能正常的面罩来更换被测面罩，如果吸气时仍发生过量阻力则面罩没有故障，而应更换减压器
	减压器故障	用一只功能正常的减压器来更换被测减压器，如果吸气时仍存在过量阻力则减压器没有故障，而应更换面罩
面罩泄漏	面罩戴在脸上调节不当	重新戴上面罩，并调节带子
	节气开关处泄漏	送生产厂家修理
	面罩与密封圈之间泄漏	更换面罩总成
呼吸时阻力过大	呼气阀发黏	检查并清洁呼气阀总成
气瓶关闭时，气瓶内空气流失	阀座或安全装置或瓶颈处泄漏	带气状态下将可能泄漏的部位浸入水槽以确定泄漏部位，然后放空气瓶内的剩余空气，在授权维修人员指导下维修
系统泄漏	减压器和瓶阀接口处泄漏	检查连接处平面是否有异物，O形圈是否完好，并在减压器沟槽内
	中压导气管与减压器连接处泄漏	旋下螺纹接头，检查接头上橡胶垫圈是否完好；如有切开或老化则更换橡胶垫圈
	快速接头处泄漏	检查供气阀软管上的插头是否有擦伤、变形等，如有则更换供气阀，若插头完好，则是插座泄漏，应更换新的中压导气管
	压力表、中压安全阀与减压器连接处泄漏	从减压器上取下安全阀罩，用开口扳手拧紧安全阀和压力表连接处的螺母
	压力表和压力表管泄漏	卸下压力表进行检修，同时用粘胶布封住接口，防止灰尘进入
	减压器外泄漏	从背架上卸下减压器总成进行检修
警报器报警压力不正常	警报器故障	从减压器组件上卸下压力表，送生产厂家检修
压力平视显示装置不正常	接收显示器或侦测发射模组故障	将压力表同减压器一起，送生产厂家检修
远距离通话装置不正常	耳机或通信装置故障或者连接器连接松动	将连接器拔下重新连接；如果问题没有解决，将装置拆下送生产厂家检修

【思考题】

1. 空气呼吸器由哪些部件组成？各部件的作用是什么？
2. 简述空气呼吸器的工作原理。
3. 综述空气呼吸器的使用方法。

单元四　长管空气呼吸器

一、结构组成

长管空气呼吸器由车架总成、气瓶总成、减压器总成、导气长管、供气阀总成、面罩总成和应急转换逃生装置总成七大部分组成，如图 2-4-1 所示。

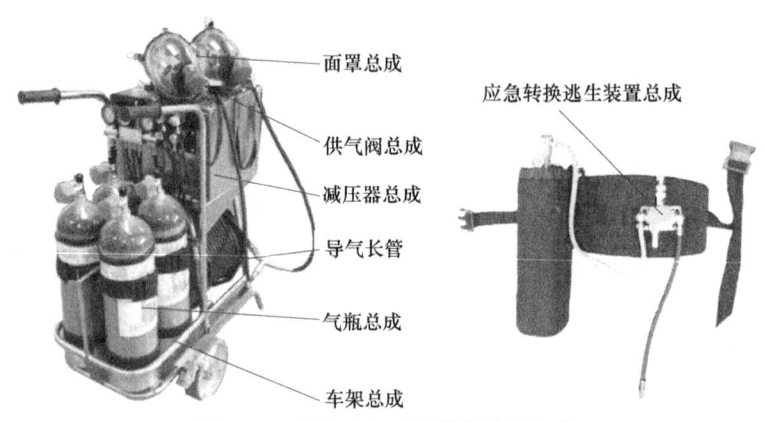

图 2-4-1　长管空气呼吸器的结构组成

（一）车架总成

车架总成由推车式行走机构和导气长管缠绕装置等组成，气瓶总成、减压器总成、导气长管等都安装固定在车架上。行走机构带有制动装置，可防止在 30° 以下斜坡停放时发生滑动。

（二）气瓶总成

气瓶总成由气瓶和瓶阀等组成，瓶阀上装有安全膜片，当气瓶内压力过高（37~45MPa）时爆破泄压。长管空气呼吸器的气瓶可以分只或分组工作，可按需更换气瓶。

（三）减压器总成

减压器是长管空气呼吸器的核心部件，它将气瓶内的高压气体减压到中压气体，克服导气长管的压力损失，将中压气体输送到远端供气阀。

（四）导气长管

导气长管用于将减压器减压后的中压气体输送到远端供气阀，供使用者呼吸。

（五）供气阀总成

供气阀总成由节气开关、应急冲泄阀、插板、凸形接口、密封垫圈组成。其功能是通过调节供气压力，来满足佩戴者不同的吸气需求量。

（六）面罩总成

面罩总成由颈带、传声器、吸气阀、头带、扣环组件、口鼻罩、凹形接口、头罩组件等组成。

（七）应急转换逃生装置总成

应急转换逃生装置总成包括应急气瓶、自动转换器、腰带等部件。当长管空气呼吸器出现故障，导气长管内的气压降至（0.3±0.1）MPa 时，转换器能自动转换到应急气瓶供气，并发出警报，提示使用者及时撤离工作现场。

二、型号及规格

（一）型号编制

长管空气呼吸器的型号编制如图 2-4-2 所示。

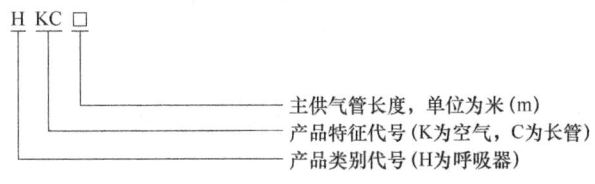

图 2-4-2　长管空气呼吸器的型号编制

示例：HKC 30 表示主供气管长度为 30m 的长管空气呼吸器。

（二）规格

长管空气呼吸器按照主供气管长度划分为 30m、60m 两种规格。

三、工作原理

长管空气呼吸器的工作原理如图 2-4-3 所示。打开车架上一只（组）气瓶的瓶阀，高压空气进入气源分配器，经减压器一级减压后，通过导气长管送至 Y 型快插接头，分两路进入不同使用者的供气阀。供气阀将中压气体按照使用者的吸气量，进行二级减压，减压后的气体进入面罩，供使用者呼吸使用。人体呼出的气体经面罩上的呼气阀排至大气。

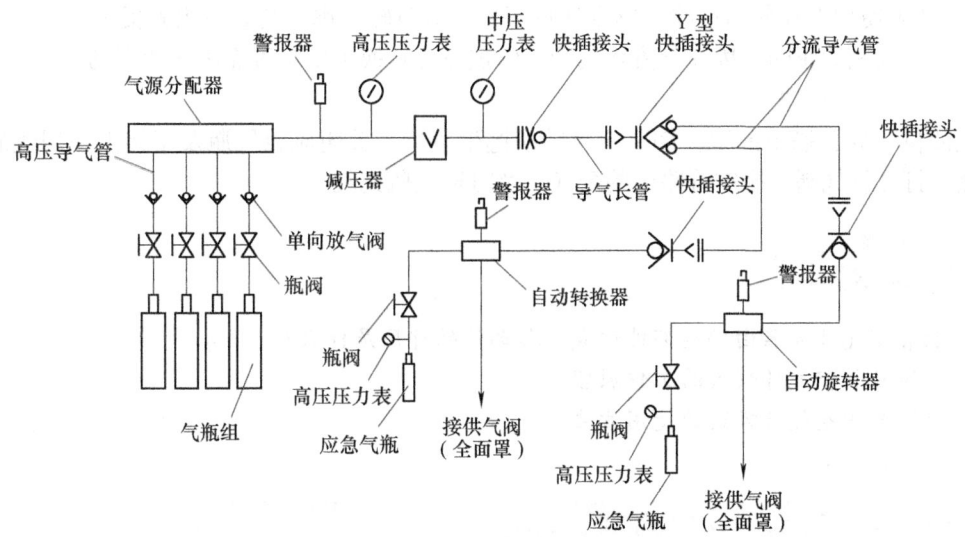

图 2-4-3　长管空气呼吸器工作原理流程图

当导气长管内的气压降至（0.3±0.1）MPa 时，转换装置将气源自动转换到应急供气装置，并发出报警提示，使用者应立即打开应急气瓶的瓶阀，并拔开分流导气管，撤离工作场所。当余气警报器报警后，监护人员应及时打开备用气瓶并更换先前用的气瓶，保证车架上使用的气瓶始终处于充满状态。

四、长管空气呼吸器的使用

（一）使用前检查

1）检查气瓶压力及系统气密性。检查方法同空气呼吸器。

2）检查警报器。检查方法同空气呼吸器。

3）检查应急转换逃生装置。打开车架上一只（组）气瓶的瓶阀和应急气瓶的瓶阀，待整个系统充满气后关闭车架上一只（组）气瓶的瓶阀（模拟气源断开）。打开供气阀，缓慢释放系统中的余气，待应急转换逃生装置发出报警声时，打开应急气瓶的瓶阀，拨开分流导气管，供气阀应持续供气，否则应暂停使用，并做好标记等待修理。

4）检查所有快插接头的连接是否牢固。用力拽拉接头两端，不能有脱落的现象出现。

5）检查供气阀与面罩的连接是否牢固。

（二）操作使用

车架上的气瓶应分只或分组使用，严禁同时打开车架上的所有气瓶。

1）使用者佩戴好装具，经监护人员检查完整后方可进入作业现场。如两人同时使用，应等两人全部佩戴好后一同进入，并注意保持距离和方向，防止发生相互牵拉导气长管而出现意外。

2）使用过程中，应注意避免导气长管与尖锐器物或腐蚀性介质接触摩擦，以免划破或腐蚀胶管而造成空气泄漏。

3）作业时，监护人员应通过通信系统经常询问使用者的呼吸和作业情况，使用者应定时向监护人员提供自己的情况。另外，监护人员还必须监视气源供应情况，监视高、中压压力表的指示值是否正常或警报器是否报警。

4）当余气警报器报警时，应由监护人员及时打开备用气瓶瓶阀，关闭在用气瓶瓶阀，泄压后更换气瓶。使用过程中发现异常情况，应立即通知使用者迅速撤离作业现场。

5）如果使用者在使用过程中感觉呼吸不畅或应急转换逃生装置发出警报声时，应立即自行打开应急气瓶的瓶阀，拨开分流导气管，佩戴应急转换逃生装置撤离作业现场。

（三）使用后处理

关闭供气阀，摘下面罩，卸下应急转换逃生装置，关闭应急气瓶及车架上在用气瓶的瓶阀，然后打开供气阀，排空管路中的余气，及时给气瓶充气。

【思考题】

1. 长管空气呼吸器由哪些部件组成？各部件的作用是什么？
2. 简述长管空气呼吸器的工作原理。
3. 简述长管空气呼吸器的使用方法。

单元五　正压式消防氧气呼吸器

一、结构组成

正压式消防氧气呼吸器主要由供氧系统、正压呼吸循环系统、安全报警系统及壳体背带系统四部分组成，各系统的组成如图 2-5-1 所示。

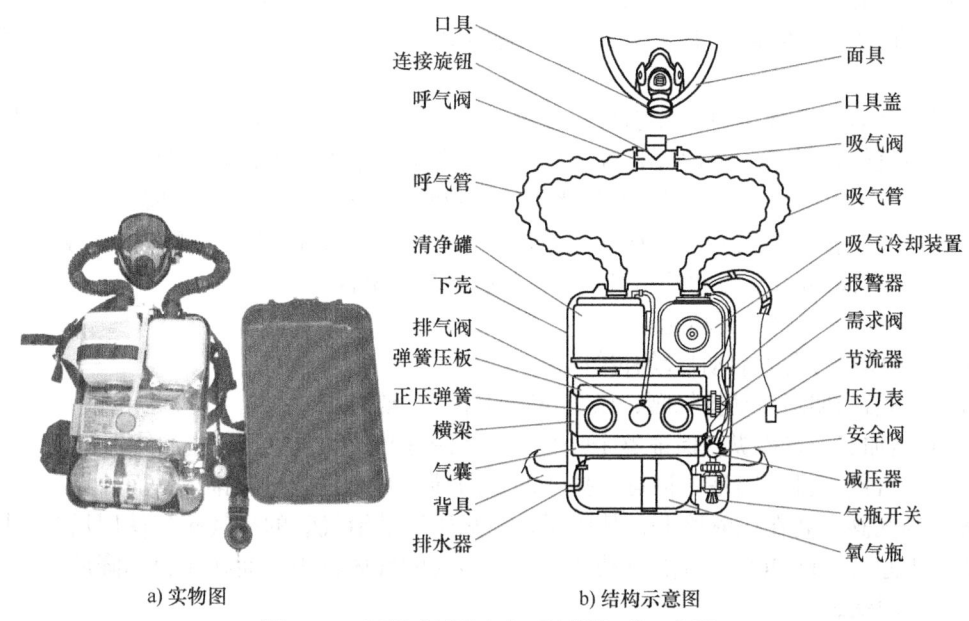

图 2-5-1　正压式消防氧气呼吸器组成示意图

（一）供氧系统

供氧系统由氧气瓶及气瓶开关、减压器、自动补给阀、手动补给阀、定量孔等部件通过管路连接而成。

1. 氧气瓶

氧气瓶包括瓶体（铝合金内胆碳纤维全缠绕）、瓶阀、压力表。氧气瓶额定工作压力 20MPa，氧气贮量不小于 440L。瓶阀是高压截止阀，用于供应和截断氧气。瓶阀上设有防爆膜片，氧气超压（25~30MPa）时，防爆膜片自动破裂泄压。通过压力表可以随时了解氧气瓶中的贮氧量。

2. 减压器

减压器的作用是把高压减为中压，并连续不断地通过定量孔供给氧气。

3. 自动补给阀和手动补给阀

当使用者进行重体力劳动时，代谢氧需求量超过 1.8L/min，定量孔供氧不能满足吸气需求时，组装在减压器上的自动补给阀（也称需求阀）在气囊内压力降至 50~250Pa 时，开始动作，以 ≥ 80L/min 的流量向气囊供氧。

手动补给阀用于应急情况，当供氧系统发生故障或使用者感到呼吸气体不足时，可以按手动补给阀按钮，使高压气体通过气路排入低压导管。

4. 定量孔

定量孔提供 1.4~1.8L/min 的恒定氧流量，在 1.6L/min 的流量下，供给的氧气为人们休息时需氧量的 4~6 倍。

（二）正压呼吸循环系统

正压呼吸循环系统由面罩、呼吸阀、呼气软管、清净罐（CO_2 吸收罐）、呼吸舱、排气阀、连接软管、冷却罐、吸气软管等组成。

1. 面罩

面罩具有宽的密封面贴合大部分脸部，并配有传声器、保明片和防雾剂等。面罩在使用之前必须将视窗里面涂上防雾剂，以最大限度地增加镜架的防雾性能，保明片与视窗应贴合紧密。

2. 呼吸舱

呼吸舱共有五个连接口，分别与冷却罐、减压器（2个接口）、清净罐、排水阀相接。呼吸舱为呼吸气体提供了一个贮气装置，它可以使自动补给器动作，自动排气阀动作并使呼出的空气与氧气瓶内供给的氧气混合及储水等。呼吸舱由膜片、排气阀等组成。

（1）膜片 由于吸气和呼气所引起的呼吸舱容积变化是通过挠性膜片的运动来实现的。它是实现正压自动补给氧气和排出多余气体的机械控制机构。

膜片具有以下 3 种主要功能。

① 在重体力劳动时启动自动补给阀。

② 在不活动期间启动排气阀，以防止呼吸循环系统过压。

③ 它由加载弹簧操纵，保证整个呼吸循环系统在呼气、吸气过程中始终保持正压。

（2）排气阀 排气阀是一种自动排气的单向导气阀，只能向外排气，而外界气体不能进入气囊。排气阀安装在气囊壁上，其作用是当减压器供给气囊的氧气超过使用量时，即在气囊内的压力超过 400~700Pa 时能自动开启，将多余的气体排出；而在压力回降后，自动恢复为正常的关闭状态。

3. 清净罐

呼出的气体从面罩通过呼气软管返回呼吸舱，与呼吸舱定量孔（1.4~1.8L/min 的流量）的供氧混合后送入清净罐进行化学反应，除去二氧化碳，重新通过吸气管供人呼吸。清净罐中的吸收剂属一次性物品，用一次必须更换，否则二氧化碳无法被清除。

4. 冷却罐

由于吸收二氧化碳的化学反应为放热反应，因此进入气囊的气体温度比较高。经过过滤吸收的气体在进入吸气软管前，还要通过内置式冷却罐，以保证呼吸的舒适性。蓝冰作为冷却介质，在周围温度为 25℃ 的条件下，可使用 4h。蓝冰罐在使用前须放入冰箱，在 -15℃ 下冷冻 8~10h；使用时从冰箱内取出。

（三）安全报警系统

安全报警系统由安全阀、报警器、压力表、氧气自动截流器等组成。

1. 安全阀

一旦由于某种不正常的情况使减压器膛室压力超过允许值时，安全阀自动开启，使减压器泄压。

2. 报警器

报警器具有余压报警和提示报警功能。当氧气瓶瓶阀打开或关闭时报警器会发出短促提示报警声。当氧气瓶内氧气存量剩下贮气量的 25%〔(5±1)MPa〕时，报警器以大于 70dB 的声强鸣响约 30~60s；当报警器鸣响时，氧气瓶最多还有一个小时可供使用。

3. 压力表

压力表量程 25MPa。压力表受氧气自动截流器的影响，压力指示在打开瓶阀 1~2min 后才能达到满压。

4. 氧气自动截流器

氧气自动截流器的作用是限制通过压力表的氧气流量，如果压力表管路被切断，可以将来自气源的氧气自动截止，限制外泄的氧气量，以便完全撤离危险区。

（四）壳体背带系统

壳体背带系统由上下壳体、背带、胸带、腰带及锁定销等组成。

二、主要性能参数

正压式消防氧气呼吸器的主要性能参数见表 2-5-1。

表 2-5-1 正压式消防氧气呼吸器的主要性能参数

项目		性能指标
质量		60 型≤ 12kg，120 型≤ 14kg，180 型≤ 15kg，240 型≤ 16kg
氧气瓶额定压力		20MPa
吸气温度	额定防护时间内	≤ 38℃
	重型劳动下	≤ 42℃
吸气中氧气浓度		≥ 21%
吸气中二氧化碳浓度	额定防护时间内	≤ 2%
	重型劳动下	≤ 1%
定量供氧量		≥ 1.4L/min
自动补给供氧量		≥ 80L
手动补给供氧量		≥ 80L

三、工作原理

如图 2-5-2 所示为正压式消防氧气呼吸器工作原理流程图，其工作原理如下。

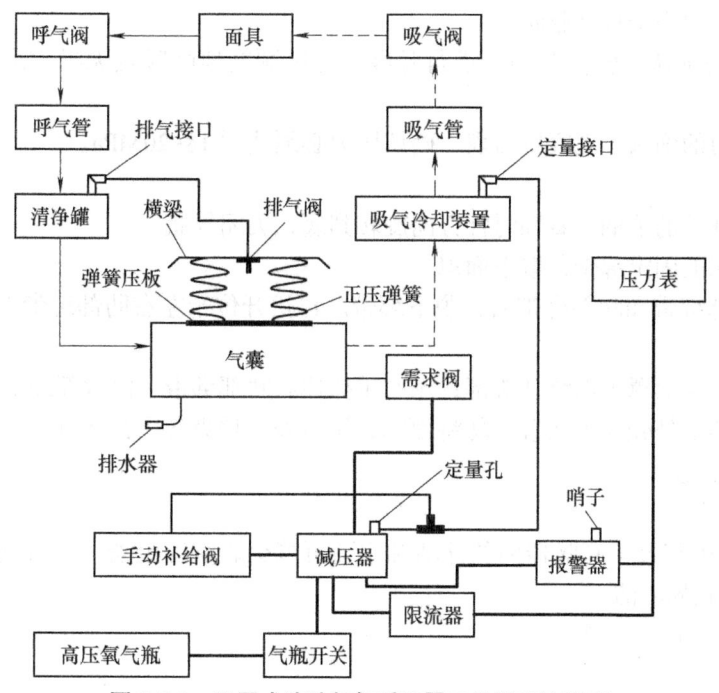

图 2-5-2 正压式消防氧气呼吸器工作原理流程图

当打开氧气瓶后，高压气体通过减压器减压变为中压气体。中压气体一路通过需求阀，另一路气体通过定量孔流入低压系统内。当人体处于中等劳动强度时，通过定量孔供氧来满足人体对氧气的需求。随着人体劳动强度的增大，当气囊内压力达到需求阀开启压力时，弹簧压板接触需求阀，使需求阀开启，中压气体通过需求阀向气囊内充氧，以满足人体对氧气的需求。系统内的正压形成，是依靠正压弹簧压板压缩气囊及需求阀的有效供氧，使呼吸系统内始终保持正压。

气囊内的低压气体通过吸气冷却装置、吸气管、吸气阀到面罩；人从面罩呼出的气体通过呼气阀、呼气管、清净罐到气囊；当呼出的气体逐渐增多时，正压弹簧被压缩。同时，弹簧压板位置逐渐上升。当呼吸系统内压力达到 400~700Pa 时，排气阀阀片被弹簧压板顶开。此时，排气阀开始排气；当人的呼吸量为 10~50L/min 时，呼吸压力始终由需求阀、排气阀两者自动调节。

四、使用方法

（一）使用前准备工作

（1）目镜的防雾措施　面罩的目镜内侧喷涂与产品配套的防雾液，确认哈气不会产生雾状积水后佩戴。

（2）安装冷却剂　将呼吸器上外壳打开，取下吸气冷却装置的橡胶盖。由冰盒中取出蓝冰块，放入吸气冷却装置内。将橡胶盖扣合入冰盒桶的槽内，用手将盖四周压平，再将上外壳扣合上。

（二）佩戴使用

1）背上氧气呼吸器并调整肩带，连接胸带和腰带。

2）佩戴面罩并检查面罩的气密性，用手掌捂住面罩接口处，深吸气并屏住呼吸 5s，应感到面罩始终向脸部贴紧。

3）连接面罩。将吸气软管与面罩吸气端连接，呼气软管与面罩呼气端连接。

4）逆时针方向完全打开瓶阀。

5）呼吸感的确认。轻微及用力进行呼吸，能够顺畅地呼吸且无异常声响则表示呼吸感良好。

6）氧气压力的确认。观察压力表，确认压力必须达到 18~20MPa。

（三）终止使用

1）将气瓶开关的手柄沿着顺时针方向旋转到底，关闭气瓶。

2）松开面罩的固定绑带，取下面罩。

3）松开腰部绑带和胸部绑带后，脱下绑带。再松开位于左右肋部绑带上的夹子，取下肩部背带。

4）用左手握住面罩下部绕开头部；用右手抓住右肋部绑带，由背部卸下呼吸器。

5）将呼吸器上外壳向下放置。勿将面罩、压力表、呼吸管压在下方。

五、维护保养

在使用过程中积聚于呼吸器内的汗渍和水渍可能会影响呼吸器的正常功能。使用后必须对呼吸器进行彻底的清洁。

（一）部件的拆卸及维护

1. 各个部件的拆卸

取下呼吸器面罩，卸下呼吸管、正压弹簧、气囊、清净罐、高压氧气瓶。

2. 各个部件的维护

（1）面罩、呼吸管、气囊的清洁

① 将面罩、呼吸管、气囊依次放入装有清水的容器内进行清洁。

② 将内外面的水微微甩干后，放置于通风良好的阴暗处自然阴干。不要将其放置于阳光直射场所进行干燥，否则会加速橡胶部件的老化。使用暖风进行强制干燥时，暖风的温度严禁超过 40℃。

（2）面罩的消毒

使用蘸有消毒液的软布，擦拭面罩与脸颊的接触部位。

（3）呼吸器本体的清洁

① 用布垫住吸气冷却装置下方与气囊连接部位，将呼吸器本体直立放置，用软布擦拭吸气冷却装置内部的水封。

② 用软布擦拭附着于呼吸器本体的污垢和水分。

③ 用软布擦拭吸气冷却装置冰盒内侧和橡胶盖上的水分。

④ 将其置于通风良好的阴暗处自然干燥。

（二）部件的检查与组装

1. 清净罐

在清净罐内填充新氢氧化钙，然后安装填装口盖。将填充完成的清净罐立即安装至呼吸器本体。在铭牌上标明氢氧化钙填装日期以及在呼吸器上的安装日期。

2. 气囊

将气囊依次与需求阀、吸气冷却装置、清净罐、排水器进行连接。连接螺母时必须保持垂直旋入，不得倾斜。

3. 呼吸管

检查口具上的 O 形圈是否有伤痕或异物附着现象。

4. 蓝冰的冷冻

将蓝冰放在低于 -18℃ 的冰柜中速冻，冷却 15~20h，将冷却剂全部冰冻。

六、常见故障原因及排除

正压式氧气呼吸器的常见故障原因及排除方法见表 2-5-2。

表 2-5-2 正压式氧气呼吸器的常见故障原因及排除方法

故障现象	原因分析	排除方法
高、中压系统不气密	1. 需求阀、定量孔、减压器各连接处未拧紧 2. 压力表、限流器、中压导管、高压导管、减压器等连接处松动 3. 减压器与氧气瓶连接处的 O 形圈受损 4. 高、中压部件受损	1. 拧紧连接处 2. 更换泄漏处尼龙垫或 O 形圈 3. 更换受损部件
低压系统不气密	1. 各连接螺母未拧紧 2. 连接处的 O 形圈受损或粘有异物 3. 排气阀片处粘有异物 4. 低压部件受损	1. 拧紧连接处螺母 2. 清洗或更换泄漏处 O 形圈 3. 清洗排气阀片 4. 修补或更换受损部件

(续)

故障现象	原因分析	排除方法
定量供氧量超出范围	1. 定量孔堵塞 2. 需求阀漏气 3. 手动补给阀漏气 4. 减压器中压值不在规定范围内	1. 清洗定量孔 2. 维修需求阀门 3. 维修手动补给阀 4. 调整中压值或更换部件
排气压力超出范围	1. 气囊位置不正 2. 正压弹簧弹力变化 3. 呼吸校验仪充气泵没关闭	1. 装正气囊 2. 更换正压弹簧 3. 关闭充气泵,打开氧气瓶
余气警报器无响声或响声不停	1. 活塞卡死 2. O 形圈、阀垫漏气	清理活塞或更换 O 形圈及阀垫
压力表指针不动作	1. 限流器内定量孔堵塞 2. 压力表受损	更换部件

【思考题】

1. 正压式消防氧气呼吸器由哪些部件组成?各部件的作用是什么?
2. 简述正压式消防氧气呼吸器的工作原理。
3. 简述正压式消防氧气呼吸器的使用方法。

单元六　消防用防坠落装备

一、消防安全绳

消防安全绳是消防员在灭火救援或日常训练中用于承载人的绳索。消防安全绳按设计负载和直径不同可分为轻型安全绳、通用型安全绳、应急自救安全绳三类;按延伸率大小不同可分为动力绳和静力绳。

（一）结构组成

消防安全绳（图 2-6-1）由原纤维制成。消防安全绳为连续的夹心绳结构,主承重部分由连续纤维制成,整绳粗细均匀,结构一致。消防安全绳的长度可根据需要裁制,但不宜小于 10m。两端裹以透明套管,其中一端采用绳环结构,用细绳扎缝,缝合长度为轻型安全绳 50mm 以上,通用型安全绳 100mm 以上,并在扎缝处热封,外裹透明套管。

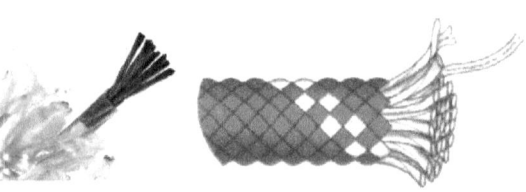

图 2-6-1　消防安全绳

（二）主要技术性能

消防安全绳的主要技术性能见表 2-6-1。

表 2-6-1　消防安全绳的主要技术性能

项目	性能指标	
	轻型安全绳	通用安全绳
绳索直径	9.5~12.5mm	12.5~16.0mm
最小破断强度	≤ 20kN	≤ 40kN
延伸率	承重达到最小破断强度的 10% 时，安全绳的延伸率应为 1%~10%	
耐高温性能	置于（204±5）℃的干燥箱内 5min 后，安全绳不出现熔融、焦化现象	

（三）使用与维护

1. 使用方法

1）应保护消防安全绳不被磨损，在使用中尽可能避免接触尖锐、粗糙或可能对消防安全绳造成划伤的物体。

2）使用时如必须经过墙角、窗框、建筑外沿等凸出部位，应使用绳索护套或便携式固定装置、墙角护轮等设备，以避免绳体与建筑构件直接接触。

3）不应将消防安全绳暴露于明火或高温环境。

4）使用前后应仔细检查整根绳索外层有无明显破损、高温灼伤，有无被化学品侵蚀，内芯有无明显变形；如出现上述问题，或消防安全绳已承受过剧烈冲击、坠落冲击，该消防安全绳应立即报废。消防安全绳至使用年限后应立即报废。

2. 维护保养

1）洗涤。可放入 40℃以下的温水用中性洗涤液或专用洗绳剂轻轻擦洗，再用清水漂洗干净，然后于阴凉处晾干。不得浸入热水中，不得日光曝晒或用火烘烤，不可使用硬质毛刷刷洗，不得使用热吹风机吹干。禁止使用酸、溶剂等化学物质进行清洗。

2）储存。应保持清洁干燥，防止潮湿腐烂。如长期存放，要置于干燥、通风的库房内，不得接触高温、明火、强酸和尖锐的坚硬物体，不得曝晒。

二、消防安全腰带

消防安全腰带（图 2-6-2）是一种紧扣于腰部的带有必要金属零件的织带，用于承受人体重量以保护其安全，适用于消防员登梯作业和逃生自救。消防安全腰带由织带、内带扣、外带扣、环扣和两个拉环等零部件构成。消防安全腰带的设计负荷为 1.33kN，其质量不超过 0.85kg。消防安全腰带为一整根、无接缝的织带，其宽度为 40~70mm。

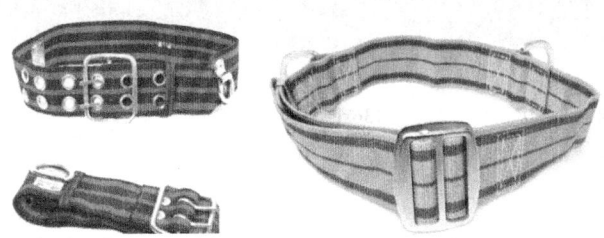

图 2-6-2　消防安全腰带

三、消防安全吊带

消防安全吊带是一种围于躯干的带有必要金属零件的织带，用于承受人体重量以保护其安全。其承重织带宽度介于 40~70mm 之间。消防安全带按其型式结构与用途可分为半身型安全吊带和全身型安全吊带。

（一）分类

1. 半身型安全吊带

半身型安全吊带（图 2-6-3）设计负荷为 1.33kN，固定于腰部、大腿或臀部以下部位。半身型安全吊带的腰部前方和后方部位各设有一个承载连接部件。

2. 全身型安全吊带

全身型安全吊带（图 2-6-4）设计负荷为 2.67 kN，固定于腰部、大腿或臀部以下部位和上身肩部、胸部等部位。全身型安全吊带的腰部前方、后方和胸剑骨部位各设有一个承载连接部件，背部设有承载连接部件。

图 2-6-3　半身型安全吊带

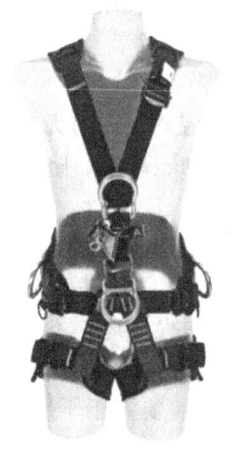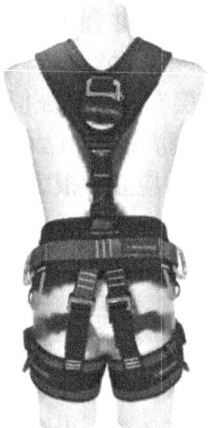

图 2-6-4　全身型安全吊带

（二）主要技术性能

消防安全吊带的主要技术性能见表 2-6-2。

表 2-6-2　消防安全吊带的主要技术性能

项目	性能指标	
	半身型安全吊带	全身型安全吊带
设计负荷	1.33kN	2.67kN
正立方向静负荷性能	136kg ± 1kg	136kg ± 1kg
倒立方向静负荷性能	—	10kN
水平方向静负荷性能	—	10 kN
抗冲击性能	136kg ± 1kg 人体模型升至与固定点水平距离不超过 300mm、冲击距离为 1m 的位置，然后将其无初速释放，安全带不从人体模型上松脱，且不出现影响其安全性能的明显损伤	
耐高温性能	置于（204 ± 5）℃的干燥箱内 5min 后，安全带的织带和缝线不出现熔融、焦化现象	

（三）使用与维护

1. 使用方法

1）使用消防安全吊带前必须进行专业的训练，熟练安全吊带的操作方法。

2）为了保持器材状态良好，做到专人专用。

3）使用前后应检查消防安全吊带，确认其安全状况；若出现影响强度机能的破损，要立即停止使用。

4）不能将消防安全吊带暴露于明火或高温环境。

2. 检查程序

每次使用后都应对消防安全吊带进行检查，检查方法如下：

1）检查织带是否有割口或磨损的地方，是否有变软和变硬的地方，是否褪色以及是否有熔融纤维。

2）检查缝线是否有磨损和断开，缝合处是否牢固。

3）检查金属部件有无变形、磨损，是否有锐边。

如出现上述问题，或已承受过剧烈冲击、坠落冲击，该消防安全吊带应报废。消防安全吊带的使用寿命与使用频率有关，以下情况会缩短产品寿命：不适当的存放；不适当的使用；作业任务中造成冲击；机械磨损；与酸碱等化学物质接触，与尿液、驱蚊液、血液等接触；暴露于高温环境。

3. 维护保养

消防安全吊带可放入 40℃以下的温水中用中性洗涤液或专用洗绳剂轻轻擦洗，再用清水漂洗干净，然后于阴凉地方晾干。不得浸入热水中，不得日光曝晒或用火烘烤，不可使用硬质毛刷刷洗，不得使用热吹风机吹干。禁止使用酸、溶剂等化学物质进行清洗。

消防安全吊带应储存在干燥、通风的环境，避免与腐蚀性气体及过冷或过热的环境接触，不得接触高温、明火、强酸和尖锐的坚硬物体，不得曝晒。

四、消防防坠落辅助设备

消防防坠落辅助设备是与安全绳和安全吊带、安全腰带配套使用的承载部件的统称，包括安全钩、上升器、下降器、抓绳器、便携式固定装置、滑轮装置等。

（1）安全钩　安全钩是消防员高空作业时重要的安全保护装具之一，是一种带有手锁或自锁开口的金属承载连接部件，通常为 O 形、D 形或梨形，如图 2-6-5 所示，用于装备中间或装备与固定点之间的连接。

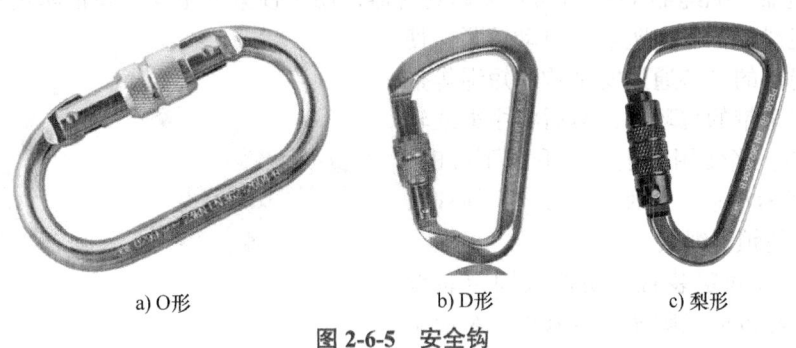

a) O形　　　b) D形　　　c) 梨形

图 2-6-5　安全钩

安全钩的性能通常用长轴、短轴的破断强度评价。在开口闭合状态时，轻型安全钩长轴的破断强度不小于22kN，通用型安全钩长轴的破断强度不小于40kN。在开口打开状态时，轻型安全钩长、短轴的破断强度均不小于7kN，通用型安全钩长、短轴的破断强度均不小于11kN。

（2）上升器　上升器是让使用者可沿固定绳索攀爬的摩阻式或机械式装置，如图2-6-6所示，主要用于有上升攀登情况的高空救援作业以及提升重物等作业。上升器按操作方法不同分为手式、胸式和脚式3类。上升器可与下降器、抓绳器、安全钩以及安全绳等组合成多种上升系统。使用上升器时，应选择直径匹配的绳索，将绳索正确安装，扣紧绳索。连接孔与脚蹬等连接，手式和脚式上升器同时使用时，手式多用左手，脚式多用右脚。

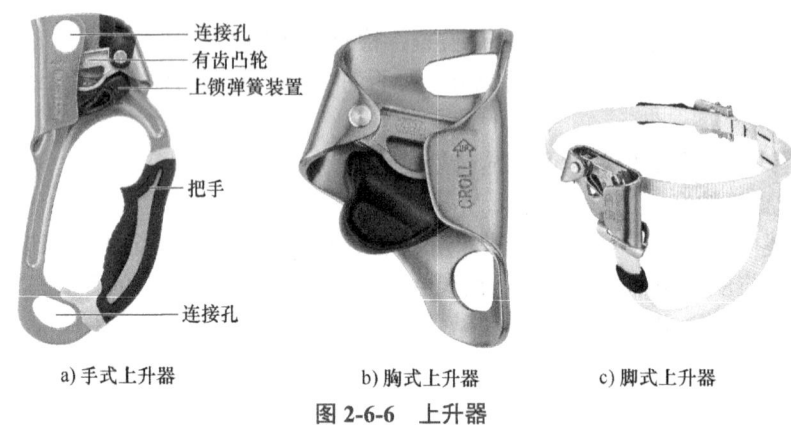

图2-6-6　上升器

（3）下降器　下降器（图2-6-7）是让使用者可沿固定绳索进行可控式下降的摩擦式或机械式装置，适用于逃生或带人下降、悬空作业等。

图2-6-7　下降器

（4）抓绳器　抓绳器（图2-6-8）又称制动器，用于锁紧安全绳，将消防员空中定位，或者用于安全绳滑动，发生坠落时自动锁紧。使用时，将抓绳器的扣环通过安全钩和短绳等连接到佩戴者安全带的拉环上，然后将主绳或辅绳穿进抓绳器。当使用者正常上升或下降时，抓绳器会沿绳索滑动；当使用者突然下坠时，扣环会带动棘轮锁紧绳索。

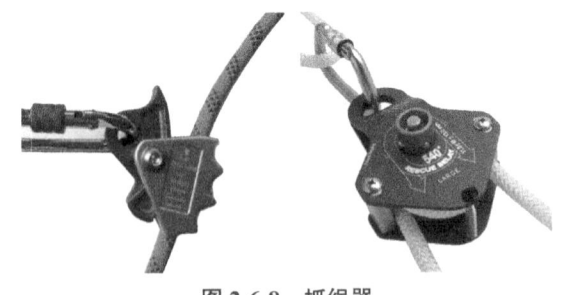

图2-6-8　抓绳器

（5）便携式固定装置　便携式固定装置（图2-6-9）主要包括三脚架、四脚架、A形架和悬臂等多种形式，其腿脚带有橡胶垫，长度可调节，适用于高空作业和井下作业时的支撑固定。

（6）滑轮装置　滑轮装置是改变绳索运动方向或减少牵拉负载的机械装置，适用于高空及井下救援作业。

（7）多用途智能升降器　多用途智能升降器（图 2-6-10）是一种由特殊的轮系传动、高能量密度电池、电机驱动的机电一体化装置，是一种沿着绳子做快速可控运动的便携式升降器。多用途智能升降器用于受时间、空间、动力限制难以架设传统提升装置、高深环境下的负载升降，其特点是装置与负载一同沿绳索受控上下运动。

图 2-6-9　便携式固定装置

图 2-6-10　多用途智能升降器

【思考题】

1. 简述轻型安全绳和通用型安全绳的区别。
2. 消防安全吊带分为哪些类型？其主要区别有哪些？

单元七　其他佩戴式消防员防护装备

一、佩戴式防爆照明灯

佩戴式防爆照明灯是消防员在各种易燃易爆场所进行消防作业时使用的固定佩戴于消防员身体某一部位的消防员照明灯具。佩戴式防爆照明灯根据佩戴方式不同主要可分为头戴式、肩挎式、腰挂式、吊挂式等。

（一）便携式强光防爆工作灯

便携式强光防爆工作灯（图 2-7-1）适用于消防员在各种事故现场（包括易燃易爆场所）进行消防作业时，在对光通量、光穿透力有较高要求的情况下作移动照明使用，此外还可用于水下消防作业，主要由灯头、腰带夹、电池盒等部件组成。

（二）固态微型强光防爆电筒

固态微型强光防爆电筒（图 2-7-2）由灯头、壳体和灯尾等部件组成，体积小、重量轻且防爆性能优良，适用于各种事故现场进行消防作业时（包括各种易燃易爆场所）作移动照明和信号指示使用。

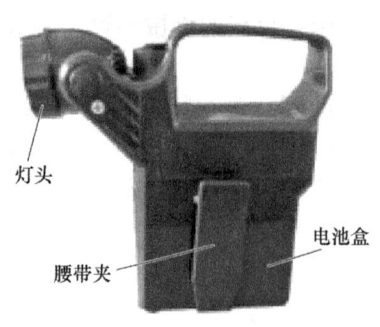
图 2-7-1　便携式强光防爆工作灯

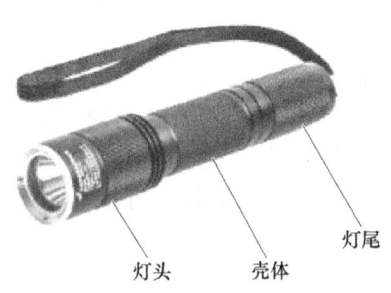
图 2-7-2　固态微型强光防爆电筒

（三）使用方法

1）使用前将专用充电器的插头插入充电孔内进行充电，有些电筒可能支持 USB 充电，可直接插入计算机或其他 USB 电源适配器。充电时，电筒上的充电指示灯会亮起，通常为红色。当充电指示灯变为绿色或按照说明书指示的充电完成状态时，表明电筒已充满电，此时可拔掉充电器。

2）通过开关按钮控制灯的亮灭，按住开关按钮约 0.2s，头灯亮，再次按下开关按钮，则灯熄灭。

3）持续按住开关按钮，灯光明暗交替闪烁，可做信号联络或指示使用。

（四）维护保养及注意事项

1）使用过程中，严禁撞击、抛甩灯具。

2）若不慎将头灯掉进水或水性溶液里时，需及时取出并擦拭干净。

3）维修头灯必须由专业人员在安全场所进行。

消防员呼救器

二、消防员呼救器

消防员呼救器（图 2-7-3）是消防员在执行灭火救援任务时佩戴的、具有方位指示和呼救功能的型号装置。

（一）结构组成

消防员呼救器包括壳体、橡胶按键、发音腔、压电晶体蜂鸣片、驱动通信电路、LED 光源和电池等。

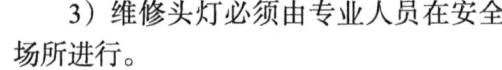
图 2-7-3　消防员呼救器

（二）主要技术性能

消防员呼救器的主要技术性能见表 2-7-1。

表 2-7-1　消防员呼救器的主要技术性能

项目	性能指标
允许静止时间	(30±2) s
预报警时间	(15±2) s
质量	≤ 300g（包括电池）
连续工作时间	连续开机时间 ≥ 24h
	连续报警时间 ≥ 24min

（三）功能特点

（1）预报警功能　当静止时间超过允许静止时间（30s）时，发出快速的断续预报警声响信号。在预报警期间，呼救器工作方位发生变化或呼救器作速率不小于5m/s的平面匀速运动时，预报警声响信号立即解除。

（2）自动报警功能　当静止时间超过允许静止时间和预报警时间（15s）之和时，发出连续报警声响信号和方位指示频闪光信号。在报警期间，报警声响信号和方位指示频闪光信号只能手动消除。

（3）手动报警功能　在手动报警期间，报警声响信号和方位指示频闪光信号不受呼救器工作方位变化或运动速率变化的影响。

（4）通信功能　呼救器能发射信号至接收端予以识别，且能接收并识别来自接收终端发射的信号。

（5）方位灯指示功能　方位灯亮度不小于300cd/m^2，可视距离大于1500m。一些新型的呼救器采用红色LED作为光源，亮度高，信号强，可视距离可达到4800m以上，浓烟浓雾穿透能力可达300~500m。

（四）使用与维护

1. 使用方法

1）呼救器后盖配有锯齿夹子，可夹在消防员的腰带、背带等部位。

2）按下电源开关，呼救器处于自动工作状态，呼救器方位灯频闪。

3）呼救器处于自动工作状态时，若低压指示灯闪亮，则表示电池电压不足（正常电量的80%），应在执行完本次任务后及时更换电池或使用专用充电器充电。

2. 维护保养及注意事项

1）呼救器防爆结构设计为本质安全型，必须由专业人员负责维修。

2）呼救器所使用的电池不得用任何其他形式的电池代替。

3）呼救器尽量放置在干燥无腐蚀性气体的地方，放置时间过长，应及时检查，更换电池或充电。

4）呼救器可在雨淋和防爆环境下使用，外壳破损、有裂痕时不得进入救援现场。

5）严禁在易燃易爆场所对电池充电；不得在爆炸性气体环境中拆卸和更换电池。

6）发现壳体后盖密封圈漏水，应立即打开后盖，清理完积水，晾干，用密封胶均匀涂上后，拧紧螺钉。

7）发现呼救器前壳体内进水，可能是压电晶体蜂鸣腔四侧漏水，应立即打开后盖，清理完积水晾干，在厂家指导下维修检验后方可使用。

8）火场归队后及时擦干水渍，经常测试呼救器性能以防失灵。

三、消防员呼救器后场接收装置

消防员呼救器后场接收装置（图2-7-4）在消防员呼救器基本功能的基础上，增加了无线收发功能，并具有实时跟踪抢险救援者现场呼救报警信号功能。该装置具备群组无线收发、相互传递声光报警和显示报警位号，与空气呼吸器配套计时报警和后场接收显示等功能。

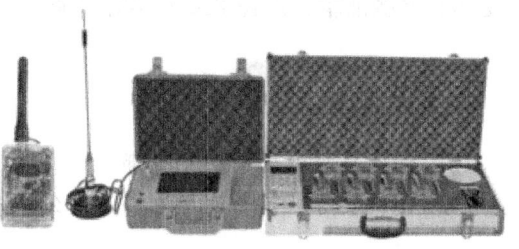

图 2-7-4　消防员呼救器后场接收装置

四、消防腰斧

消防腰斧（图 2-7-5）是消防员随身佩戴的在灭火救援时用于手动破拆非带电障碍物的火场破拆工具，具有平砍、尖劈、撬门窗和木楼板、弯折门窗金属栅条等功能。消防员在攀登爬高时可借助腰斧尖刃防止滑跌。

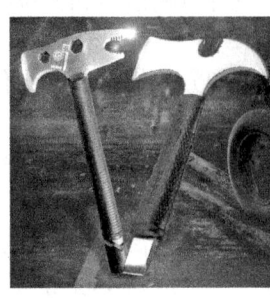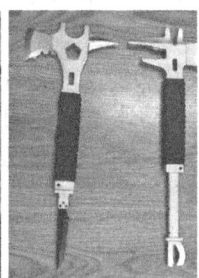

图 2-7-5　消防腰斧

（一）结构组成

消防腰斧由斧头、斧柄和橡胶柄套构成，按加工成型方式不同分为组装式和一体式。平刃、尖刃、柄刃和撬口用于砍、劈、折、弯、撬等消防作业。

（二）使用与维护

1. 使用方法

1) 腰斧发放使用前应进行外观检查，注意查看是否有缺陷和潜在的损伤，如发现有变形、裂缝或橡胶柄套损坏时，应停止使用。

2) 消防员佩戴腰斧时，位置要正确，以防各刃口损坏防护服和其他个人装备或戳伤皮肉。

3) 在进行砍劈等破拆作业时，尽可能使刃口所在平面与被砍劈物垂直，以防刃口崩裂或卷缺。

4) 不能用腰斧砍劈带电电线或带电设备。

5) 禁止腰斧与腐蚀性物体接触。

2. 维护保养

1) 腰斧受一般性沾污时，可先用肥皂水擦洗，再用水清洗后晾干。当腰斧受油漆或柏油等沾污时，应先用四氯化碳擦去污垢，再按以上方法清洗，切忌用汽油或石蜡油等进行擦洗，以免橡胶柄套损坏。

2) 腰斧应贮存在阴凉、干燥的场所，使其不受机械或化学损伤，特别是橡胶柄套应避免受热和接触油脂、松香水或酸类等物质。

【思考题】

1. 消防员呼救器的功能有哪些？
2. 消防员呼救器的使用方法是什么？

模块三

>>> 灭火剂与灭火器

单元一 水

一、水的物理性质

水有三种状态：气态、液态和固态，其中液态水在消防领域应用最为广泛。

（一）水的密度

在常温常压下，水为无色透明的液体。水的密度随温度的变化而变化，在4℃时其密度最大，为1g/cm³。在温度由4℃降低到0℃的过程中，水的密度随温度的降低而减小。当温度继续下降，液态水变成固态冰时，密度减小为0.9g/cm³，体积膨胀明显。所以，严寒的冬季，消防车辆的管道、消防水枪等器材中的水要及时放净，必要时要采取保暖措施，以防止结冰对器材造成损坏。

（二）水的热容量和汽化热

水的热容（比热）比任何其他液体都大；1g水温度升高1℃需要吸收4.1868J的热量。水的汽化热也很大，1g水在100℃时变成同温度的蒸汽需要吸收2256.6852J的热量。

（三）水的导电性

水的导电性能主要与水的纯度和水流形式有关。纯净的水是电的不良导体，电阻率很大，约18.3MΩ·cm。在消防中使用的水都是取自自然界或者经过初步净化的水，因而含有一定的杂质。随着水中杂质含量的增加，特别是电解质含量的增加，水的电阻率迅速下降，导电能力大大增强。另外，对同一种类型的水，水流越分散，导电能力越差。

由于水能导电，因此在一般情况下，不能用密集水流（例如直流水）来扑救电气设备火灾，只有在电气设备断电后才可以用密集水流来灭火。

（四）水的表面张力与润湿现象

1. 水的表面张力

当一个系统处于稳定状态时，应有最小的位能，所以液体表面的分子有尽量挤入液体内部的趋势，以便使液面缩小，从而减小系统位能。因为液体具有尽可能缩小其表面的趋势，所以在宏观上，液体表面好像拉紧的弹性膜，处在沿着表面并使表面有收缩趋势的张力作用之下,这种力叫液体的表面张力,如图 3-1-1 所示。

用水灭火时,为充分发挥水的灭火作用,使水能尽量展开,扩大其比表面积,增加其与燃烧物的接触面,灭火用水的表面张力越小越好。泡沫液的主要功能之一就是降低水的表面张力。

2. 水的润湿现象

在固体和液体的界面上,厚度等于分子作用半径的一薄层液体叫附着层。附着层内部的分子同时受到液体分子和固体分子的吸引。液体分子和固体分子之间的相互吸引力称为附着力,液体分子之间的相互吸引力称为内聚力。附着力大于内聚力,则液体能润湿固体;附着力小于内聚力,则液体不能润湿固体,如图 3-1-2 所示。

图 3-1-1 水的表面张力现象

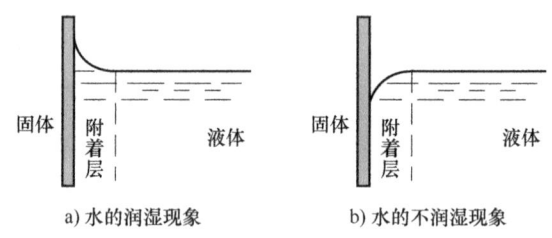

a) 水的润湿现象　　b) 水的不润湿现象

图 3-1-2 水的润湿与不润湿现象

能被水润湿的固体物质,起火时用水扑救效果良好。这是因为一方面水容易在固体表面形成一层水膜,把固体和空气隔离开来;另一方面,水容易浸湿固体,改变其燃烧性能,使之难以燃烧。不能被水润湿的固体物质,起火时用水扑救效果较差。如果在水中添加润湿剂,使不能被水润湿的物质变成能够被水润湿的物质,就能显著提高水的灭火效果。

(五)水与其他液体的相溶性

有些液体能够与水相互溶解,我们称之为水溶性液体,如乙醇、乙醚等。有些液体不能与水相互溶解,我们称之为非水溶性液体,如汽油、煤油、柴油、苯等。

对水溶性可燃液体火灾,可以通过混合冲淡的方法,使火灾得到控制或扑灭。对非水溶性可燃液体火灾,当可燃液体密度大于水时,可用水来扑救(例如可以用水扑救二硫化碳火灾),这时水在液面形成一个覆盖层,把可燃液体与空气隔离开来。但当可燃液体密度小于水时,由于它可漂浮在水面上随水流散,给灭火带来不少困难,因此不能直接用密集水流(例如直流水)扑救,但如扑救方法选择得当(例如使用喷雾水),仍能控制和扑灭火灾;如扑救方法不当,反而会助长火势,造成火灾蔓延。

二、水的化学性质

(一)热稳定性

水分子具有非常高的热稳定性,一般情况下不会分解。但是水在遇高温物体后,会迅速发生汽化,体积骤然增大,在密闭空间内会因压力猛增而造成物理性爆炸。

当水蒸气被加热到极高的温度(2000℃以上)时,水蒸气将发生分解,生成氢气和氧气,其中氢气是可燃气体,氧气是助燃气体。两者按化学当量配比,在有限空间内,极易生成气体爆炸混合物。这种混合物如遇明火,会发生剧烈的化学爆炸,这种爆炸波及范围广,破坏力大,如不采取有效防范措施,会产生严重后果。

（二）与其他物质的反应

在常温或高温下，水能与许多物质发生化学反应并伴有热量、可燃气体或腐蚀、有害气体产生，有时甚至发生燃烧爆炸。因此，在消防救援工作中，了解在灭火时可能涉及的水的化学反应，明确在哪些场所绝对禁止用水灭火，对消防救援人员来说至关重要。

1. 与碱金属的反应

碱金属是指在元素周期表中第ⅠA族的六个金属元素：锂、钠、钾、铷、铯、钫。其中，锂、钠和钾等碱金属在工业上应用较多，是消防员在扑救活泼金属火灾时常遇到的几种物质。水与碱金属在常温下即可反应，结果是水中的氢被碱金属置换出来。

$$2Li+2H_2O=2LiOH+H_2\uparrow$$
$$2Na+2H_2O=2NaOH+H_2\uparrow$$
$$2K+2H_2O=2KOH+H_2\uparrow$$

锂与水的化学反应较其他碱金属与水的反应要慢很多，但锂在高温时，遇水则反应剧烈，所产生的氢有可能引起爆炸。在常温下，钠和钾与水反应时要比锂剧烈得多，反应生成的热量可使金属熔化，暴露出更大的表面积，进而与水进一步反应，产生更多氢气，氢气燃烧甚至发生爆炸。

2. 与金属粉末的反应

水与镁、锆、钛、铝、锌等金属的粉末在常温下即可发生缓慢的化学反应。反应过程中，水中的氢被金属置换，同时放出热量，热量的积蓄容易使产生的氢自燃，从而引起金属粉末的燃烧。水也能与燃烧着的镁、铝、锆、钛、锌发生剧烈的化学反应，并释放出氢气和热量。

$$Mg+2H_2O=Mg(OH)_2+H_2\uparrow$$
$$Zn+2H_2O=Zn(OH)_2+H_2\uparrow$$
$$2Al+3H_2O=Al_2O_3+3H_2\uparrow$$

3. 与金属氢化物的反应

水与氢化锂、氢化钠、氢化铝等金属氢化物接触时，会发生类似于碱金属的强烈反应，生成氧化物或氢氧化物以及氢气并放出热量。反应过程十分强烈，释放热量很高，释放出的氢几乎能立即起火。

$$LiH+H_2O=LiOH+H_2\uparrow$$
$$NaH+H_2O=NaOH+H_2\uparrow$$

4. 与碳及金属碳化物的反应

水遇到灼热燃烧的碳会产生一氧化碳和氢气，水遇到碳化钙、碳化铍、碳化铝、碳化镁等金属碳化物时会发生水解反应，产生易燃的炔烃或烷烃，并释放出大量热，这些反应所释放的热量，足以引燃水解所产生的各种气体。

$$CaC_2+2H_2O=Ca(OH)_2+C_2H_2\uparrow$$

5. 与金属有机化合物反应

水可与乙基钠 C_2H_5Na、三甲基铝 $Al(CH_3)_3$ 等金属有机化合物发生反应，使之分解为金属的氢氧化物或氧化物，以及易燃的乙烷或甲烷。这些金属有机化合物在燃烧时，如与水接触，反应尤为剧烈，往往引起爆炸。

$$C_2H_5Na+H_2O=NaOH+C_2H_6\uparrow$$

6. 与过氧化物的反应

水与活泼金属的过氧化物反应生成过氧化氢或氧气，同时释放出大量热，反应放出的热，可使反应进一步加剧,反应放出的氧能助燃,因此向碱金属过氧化物冲入大量水流,往往会引起爆炸反应。

7. 与金属磷化物的反应

水可使磷化钙、磷化铝等金属磷化物发生水解,产生易燃、剧毒的磷化氢。

8. 与金属硅化物的反应

硅化镁、硅化铁等物质与水反应能生成四氢化硅,四氢化硅在空气中能自燃。

9. 与金属硫化物的反应

硫化钠、连二亚硫酸钠(保险粉)等物质与水反应剧烈,并释放出大量热。

10. 与金属氰化物反应

氰化钾、氢化钠等金属氰化物与水反应能生成易燃、剧毒的氰化物。

遇水燃烧物质起火时,不能用水、泡沫灭火剂来扑救,可用干砂、7150灭火剂来扑救。

三、水的灭火作用

水的灭火作用主要在以下五个方面。

(一)冷却作用

冷却是水的主要灭火作用,水的热容量和汽化热很大。水的比热为4.18J/(g·℃),汽化潜热为2256.6852J/g,是一种很好的吸热物质。若将1kg常温的水(20℃),喷洒到火源处,使水温升到100℃,则能吸收334.4kJ热量;若再将其汽化,变成100℃的水蒸气,又能吸收2257kJ的热量。因而当水与炽热的燃烧物接触时,在被加热和汽化的过程中,就会大量吸收燃烧物的热量。

(二)窒息作用

水遇到炽热的燃烧物而汽化,产生大量水蒸气。1kg水汽化后可生成1700L水蒸气。水变成水蒸气后,体积急剧增大,大量水蒸气的产生将排挤和阻止空气进入燃烧区,从而降低燃烧区内氧气的含量。在一定情况下,当空气中的水蒸气体积含量达35%时,燃烧就会停止。1kg水变成水蒸气时的抑燃空间达5m^3,有良好的窒息灭火作用。

(三)对水溶性可燃液体的稀释作用

水溶性可燃液体发生火灾时,在允许用水扑救的条件下,水与可燃液体混合后,可降低它的浓度和燃烧区内可燃蒸汽的浓度,使燃烧强度减弱。当水溶性可燃液体的浓度降到可燃浓度以下时,燃烧即自行停止。

(四)水力冲击作用

在机械力的作用下,直流水枪喷射出的密集水流,具有强大的冲击力和动能。高压水流强烈地冲击燃烧物和火焰,可以冲散燃烧物,使燃烧强度显著减弱,也可以冲断火焰,使之熄灭。

(五)乳化作用

将两种互不溶解的液体放在同一容器中进行搅拌时,一种液体会以微滴的形式分散到另一种液体中,这种作用称为乳化。对于非水溶性可燃液体的初起火灾,在未形成热波之前,用滴状水或雾状水进行灭火时,能在可燃液体表面形成一层以可燃液体为连续相的"油包水"型乳液。尽管乳液的稳定性较差,但由于水的连续施加,仍能形成一个乳化层。对于某些黏性液体(如重燃料油),乳化作用可使其表面形成一层含水的油沫,这些泡沫状的含水油沫可以阻止可燃蒸汽的产生。由于水的乳化作用,液体表面受到冷却,可燃蒸汽产生的速度下降,火灾就会被扑灭。

水的灭火作用是多方面的，灭火时，往往不是一种作用的单独结果，而是几种作用的综合结果。在不同情况下，各种灭火作用在灭火之中的地位可能不同，但在一般情况下，冷却是水的主要灭火作用。

四、水流形态及在灭火中的应用

水作为灭火剂，应用于不同的消防设备有不同的形态。水在灭火时的形态主要由喷嘴的结构、水的压力或流速等决定。水的形态不同，灭火效果也不同。常见的水流形态主要有以下几种。

（1）直流水　通过水泵加压并由直流水枪喷出的密集水流称为直流水。直流水能喷射到较远的地方，冲击到燃烧物质内部，摧毁正在分解燃烧的物质，阻止分解物的扩散和隔离燃烧区，使燃烧迅速停止。

（2）开花水（滴状水）　通过水泵的加压并由开花水枪、水幕喷头等喷出的滴状水流称为开花水。开花水有较好的分散性，水滴的直径在 0.1~6mm 范围内。

（3）喷雾水（雾状水）　通过水泵加压并由喷雾水枪喷出的雾状水流称为喷雾水。喷雾水灭火的优点是降温速度快，灭火效率高，水渍损失小，大量微小的水滴有利于吸附烟尘，并使其沉降。但与直流水和开花水相比，喷雾水射程较近，不能远距离使用；对纤维物质渗透性差，灭火速度慢，阴燃部分不易冷却，使用时要注意防止复燃。

（4）水蒸气　水蒸气能冲淡燃烧区的可燃气体，降低空气中氧的含量，有良好的窒息灭火作用。实验表明，对于汽油、煤油、柴油和原油等可燃液体，当燃烧区的水蒸气浓度达到 35% 以上时，燃烧就会停止。利用水蒸气扑救高温设备火灾时，不会引起高温设备的热胀冷缩的应力和变形，因而不会造成高温设备的破坏。

（5）细水雾　细水雾是指水经过高压（或中压）泵或气动装置加压后，以高速喷射、机械撞击、超声波震动、静电粉碎等原理，使用特殊喷嘴产生的微粒状水流形式。

细水雾灭火效能高，反应速度快，还有一定的穿透性，可以解决全淹没和遮挡的问题，不会对环境及保护对象造成危害，避免了气体灭火系统灭火时灭火剂与燃烧物发生链式反应而产生对人员有害气体的问题。细水雾可局部应用，独立保护某一部分，又可作为全淹没系统，保护整个空间，尤其可用于水源匮乏的地区及部分禁止用水的场所。

【思考题】

1. 为什么水的灭火利用率很低？润湿对灭火有哪些帮助？
2. 水的灭火作用主要体现在哪几个方面？

单元二　泡沫灭火剂

能够与水混溶，并可通过化学反应或机械方法产生泡沫进行灭火的药剂，称为泡沫灭火剂。泡沫灭火剂一般由发泡剂、泡沫稳定剂、降粘剂、抗冻剂、助溶剂、防腐剂及水组成。

一、分类

（1）按发泡机理分类　泡沫灭火剂按照发泡机理不同可分为两大类，即化学泡沫灭火剂和空气（机械）泡沫灭火剂。

（2）按发泡倍数和泡沫产生装置分类　混合液产生的泡沫体积与混合液体积的比值称为发泡倍数。泡沫灭火剂按照发泡倍数和泡沫产生装置不同可分为高倍数、中倍数、低倍数泡沫灭火剂和压缩空气泡沫灭火剂。发泡倍数低于20的泡沫灭火剂称为低倍数泡沫灭火剂，发泡倍数为20~200的泡沫灭火剂称为中倍数泡沫灭火剂，发泡倍数高于200的泡沫灭火剂称为高倍数泡沫灭火剂。

（3）按发泡基分类　泡沫灭火剂按发泡基的类型不同可分为蛋白泡沫灭火剂和合成泡沫灭火剂。蛋白泡沫灭火剂以动物毛发、蹄脚水解产物为发泡剂；合成泡沫灭火剂以化学合成的碳氢表面活性剂为发泡剂。

二、灭火机理和性能指标

（一）泡沫灭火剂的灭火机理

（1）隔离　灭火泡沫在燃烧物表面形成的泡沫覆盖层，可使燃烧物表面与空气隔离。

（2）封闭　泡沫层封闭了燃烧物表面，可以遮断火焰对燃烧物的热辐射，阻止燃烧物的蒸发或热解挥发，使可燃气体难以进入燃烧区。

（3）冷却　泡沫析出的液体对燃烧表面有冷却作用。

（4）稀释　泡沫受热蒸发产生的水蒸气有稀释燃烧区氧气浓度的作用。

（二）泡沫灭火剂的性能指标

（1）抗冻结、融化性能　抗冻结、融化性能好的泡沫液，经过冷冻实验后无分层、非均相和沉淀现象。

（2）pH值　pH值是衡量泡沫液中氢离子浓度的一个指标。pH值过低或过高，则泡沫液呈较强的酸性或碱性，对容器的腐蚀性较大，不利于长期贮存。

（3）沉淀物含量　除去沉降物的泡沫液与水按规定的比例制成混合液时，所产生的不溶固体的含量。

（4）流动性　流动性是衡量泡沫在无外力的作用下在平面上扩散性能的指标。

（5）扩散系数　扩散系数是衡量泡沫液在另一种液体表面上扩散能力的参数。

（6）混合比　混合比是指灭火时泡沫液与水混合的体积百分数。低倍数泡沫灭火剂通常使用两种混合比，即3%和6%。高倍数泡沫灭火剂的混合比一般为1.5%~6%。

（7）发泡倍数　对于低倍数泡沫灭火剂，发泡倍数在6~8范围内较好。用于液下喷射灭火时，则采用发泡倍数为2~4倍的泡沫灭火剂。高倍数泡沫灭火剂的发泡倍数一般在500~1000倍之间。采用较低的发泡倍数时，泡沫的含水量大，流动性好，适于扑救露天的大面积油类火灾；采用较高的发泡倍数时，单位时间的发泡量大，适于迅速扑救有限空间内的火灾。

（8）25%析液时间和50%析液时间　从开始生成泡沫，到泡沫中析出1/4质量的液体所需的时间，称为25%析液时间；从开始生成泡沫，到泡沫中析出1/2质量液体所需的时间则为50%析液时间。

（9）灭火时间　灭火时间是指向着火的燃料表面供给泡沫开始，至火焰全部被扑灭的时间。在同样的灭火条件下，灭火时间越短，则说明泡沫的性能越好。

（10）抗烧时间　抗烧时间是指自点燃抗烧罐至一定燃料表面被引燃所需的时间。抗烧时间是衡量蛋白泡沫耐热性能的技术指标。

三、常用泡沫灭火剂

（一）蛋白泡沫灭火剂（P）

蛋白泡沫灭火剂分为动物蛋白和植物蛋白两种，按其与水的体积混合比不同通常分为3%P型（3∶97）和6%P型（6∶94）两种，如图3-2-1所示。

蛋白泡沫灭火剂的主要优点是稳定性好，具有很长的25%析液时间，具有较好的覆盖和封闭作用；生产原料易得，生产工艺简单，成本低，对水质等要求不高，可以大规模生产。它的缺点是流动性较差，灭火速度较慢；抵抗油类污染的能力低，不能以液下喷射的方式扑救油罐火灾；不能与干粉灭火剂联合使用（其泡沫与干粉接触时，很快就会被破坏）；有异味，易沉淀，储存期短。

蛋白泡沫灭火剂主要用于扑救A类火灾和部分B类火灾。

图3-2-1　蛋白泡沫灭火剂

（二）氟蛋白泡沫灭火剂（FP）

氟蛋白泡沫灭火剂是以蛋白泡沫为基料，添加少量氟碳表面活性剂制成的低倍数泡沫灭火剂。氟碳表面活性剂是氟蛋白泡沫灭火剂中主要的增效剂，其主要作用是大幅度降低泡沫灭火剂或其与水的混合液的表面张力，提高泡沫液的疏油能力和流动性。氟蛋白泡沫灭火剂按其与水的体积混合比不同通常分为3%FP型和6%FP型两种，如图3-2-2所示。

氟蛋白泡沫灭火剂的灭火原理与蛋白泡沫灭火剂基本相同，但氟碳表面活性剂的作用，使它的灭火性能大大提高。

（1）表面张力和界面张力显著降低　实验表明，蛋白泡沫灭火剂按规定混合比配制的水溶液，其表面张力为4.6Pa左右；而氟蛋白泡沫灭火剂按规定配制的水溶液，其表面张力仅为2.2Pa左右。同时氟碳表面活性剂还能降低灭火剂水溶液与油液之间的界面张力。

（2）泡沫的流动性能好，灭火速度快　实验表明，蛋白泡沫灭火剂的临界剪切应力为20mN/m，而氟蛋白泡沫灭火剂的临界剪切应力仅为10mN/m，因而氟蛋白泡沫灭火剂的流动性比蛋白泡沫好得多。即使由于机械作用而使泡沫层破裂或断开时，也因它有良好的流动性而能自行愈合，所以它具有良好的自封能力。

图3-2-2　氟蛋白泡沫灭火剂

（3）可以液下喷射　由于氟碳表面活性剂分子中的氟碳链既有疏水性，又有很强的疏油性，因此氟蛋白泡沫灭火剂既可以在泡沫和油的交界上形成水膜，也能把油滴包于泡沫中，阻止油的蒸发，降低含油泡沫的燃烧性，可以液下喷射的方式扑救大型油罐火灾。

（4）可与干粉联用　氟碳表面活性剂的作用，使氟蛋白泡沫灭火剂具有抵抗干粉破坏的能力，可与各种干粉灭火剂联用。

（三）水成膜泡沫灭火剂（AFFF）

水成膜泡沫灭火剂又称"轻水"泡沫灭火剂，它以合成表面活性剂为发泡基，添加了氟碳表面活性剂、碳氢表面活性剂、稳定剂以及其他添加剂。其溶剂为乙二醇丁醚、二乙二醇醚等，含量为15%~40%。水成膜泡沫灭火剂对氟碳表面活性剂和其他组分有助溶作用，并可增强泡沫的性能，适当降低泡沫液的凝固点。水成膜泡沫灭火剂中还含有0.1%~0.5%的聚氧化乙烯，用以改善泡沫的抗复燃能力和自封能力。水成膜泡沫灭火剂按其与水的体积混合比通常分为AFFF3%型和AFFF6%型两种，如图3-2-3所示。

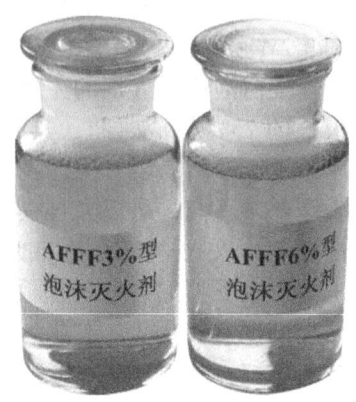

图3-2-3　水成膜泡沫灭火剂

1. 水成膜泡沫灭火剂的特点

（1）优点　水成膜泡沫灭火剂具有极好的流动性，它在油面上堆积的厚度仅为蛋白泡沫灭火剂的1/3时，就能迅速扩散，再加上水膜的作用，更能迅速扑灭火焰；应用方式多，水成膜泡沫灭火剂可与各种干粉联用，也可采用液下喷射的方式扑救油罐火灾。

（2）缺点　25%析液时间很短，仅为蛋白泡沫灭火剂或氟蛋白泡沫灭火剂的1/2左右，因而泡沫不够稳定，容易消失；抗烧时间很短，仅为蛋白泡沫灭火剂或氟蛋白泡沫灭火剂的40%左右，因而对油面的封闭时间短，防止复燃和隔离热液面的性能较差。

2. 水成膜泡沫灭火剂的灭火机理

水成膜泡沫灭火剂在扑救油品火灾时的灭火作用，是依靠泡沫和水膜的双重作用，其中泡沫起主导作用。当把水成膜泡沫灭火剂喷射到燃油表面时，泡沫一面在油面上展开，一面析出液体，在油面上形成一层水膜；水膜与泡沫层共同抑制燃油的蒸发，使燃油与空气隔绝，并使泡沫迅速向尚在燃烧的区域扩散进行覆盖灭火。

3. 水成膜泡沫灭火剂的应用

水成膜泡沫灭火剂主要用于扑救B类火灾中的一般非水溶性可燃、易燃液体的火灾；具有良好的流动性和封闭性，不仅可用于扑灭静止的平面火，对流淌火也有效。

水成膜泡沫具有很低的表面张力和优良的扩散性能与渗透性，对固体物质火灾有很好的灭火效果。对橡胶、塑料及其他聚合物材料在火灾时融化形成A、B类火灾共存的情况，使用水成膜泡沫灭火剂可取得理想的灭火效果。

石油产品泄漏或溢流时，可覆盖水成膜泡沫灭火剂防止火灾发生，也可采用液下喷射方法扑救油罐火灾；在跑道喷洒水成膜泡沫灭火剂，可以防止飞机迫降时机身摩擦起火。

水成膜泡沫灭火剂不能用于扑救碱金属、轻金属以及其他遇水反应物质的火灾，不能用于扑救常温常压下以气态形式存在的物质火灾，不能用于扑救带电设备的火灾。

（四）抗醇性泡沫灭火剂（AR）

水溶性可燃液体，例如醇、酯、醚、醛、酮、有机酸和胺等，由于其分子极性较强，能大量吸收泡沫中的水分，使泡沫很快破坏而不起灭火作用，因此不能用蛋白泡沫灭火剂、氟蛋白泡沫灭火剂和水成膜泡沫灭火剂来扑救，而必须用抗醇性泡沫灭火剂来扑救。目前，按其使用的原料和性能特点不同，抗醇性泡沫灭火剂主要有两种类型：抗醇性水成膜泡沫灭火剂（AFFF/AR）和抗醇性氟蛋白泡沫灭火剂（FP/AR）。

抗醇性泡沫灭火剂主要应用于扑救乙醇、甲醇、丙酮、醋酸乙酯等一般水溶性可燃液体的火灾；不宜用于扑救低沸点的醛、醚以及有机酸、胺类等液体的火灾。它虽然也可以扑救一般油类火灾和固体火灾，但因价格较贵，一般不予采用。

（五）高倍数泡沫灭火剂（G）

以复合表面活性剂为基料，发泡倍数达数百乃至上千的泡沫灭火剂称为高倍数泡沫灭火剂，按其与水的体积混合比不同通常可分为 3%G 型和 6%G 型两种，如图 3-2-4 所示。

高倍数泡沫灭火剂的特点是气泡直径大，一般为 5~15mm；发泡倍数高，可高达 1000 倍以上；发泡量大，大型高倍数泡沫产生器可在 1min 内产生 1000m^3 以上的泡沫。

基于上述特点，高倍数泡沫灭火剂可以迅速充满着火的空间，使燃烧物与空气隔绝，火焰窒息。尽管高倍数泡沫灭火剂的热稳定性较差，泡沫易被火焰破坏，但因大量泡沫不断补充，破坏作用微不足道，故仍可迅速覆盖可燃物，扑灭大火。

图 3-2-4　高倍数泡沫灭火剂

高倍数泡沫灭火剂灭火的主要特点：灭火强度大、速度快；水渍损失少，容易恢复工作；产品成本低；无毒，无腐蚀性。

高倍数泡沫灭火剂主要适用于非水溶性可燃液体火灾和一般固体物质火灾，特别适用于汽车库、可燃液体机房、洞室油库、飞机库、船舶舱室、地下建筑、煤矿坑道等有限空间的火灾，也适用于扑救油池火灾和可燃液体泄漏造成的流散液体火灾。

高倍数泡沫灭火剂由于密度小，流动性较好，因此在产生泡沫的气流作用下，通过适当的管道可以被输送到一定的高度或较远的地方去灭火。

采用高倍数泡沫灭火剂灭火时，要注意进入高倍数泡沫产生器的气体不得含有燃烧产物和酸性气体，否则泡沫容易被破坏。

（六）A 类泡沫灭火剂

A 类泡沫灭火剂（图 3-2-5）是专门为扑救 A 类火灾而研制的一种低混合比的泡沫灭火剂，也叫 A 类泡沫浓缩液或 A 类泡沫液。A 类泡沫灭火剂主要是以碳氢化合物为基础的表面活性剂，淡黄色、微甜，pH 值为 6.0~9.5。使用时，A 类泡沫灭火剂可以通过自动压缩空气泡沫灭火系统中的相应器材，与水按一定比例混合

图 3-2-5　A 类泡沫灭火剂

后形成泡沫混合液，泡沫混合液再同压缩空气按一定比例，在管路或水带中混合，发生充分的扰动而产生细小、均匀的灭火泡沫，即 A 类泡沫。A 类泡沫灭火剂与水的混合比一般小于

1%。按照性能不同，A 类泡沫灭火剂可分为两类，其中 MJAP 型 A 类泡沫灭火剂适用于扑救 A 类火灾及进行隔热防护，MJABP 型 A 类泡沫灭火剂除了适用于扑救 A 类火灾及进行隔热防护外，还适用于扑灭非水溶性液体火灾。

在灭火过程中，A 类泡沫灭火剂除了具有水的灭火功能外，还可以在 A 类燃料上形成绝缘层隔离燃料与氧气，起到阻燃和隔热作用，并保护未燃烧的燃料或刚刚被扑灭的表面，以免出现引燃或复燃。

四、泡沫灭火剂的贮存与检查

（一）泡沫灭火剂的贮存要求

（1）包装容器要耐腐蚀　各类泡沫灭火剂应根据其腐蚀率的大小，分别选用铁桶和塑料桶（高密度聚乙烯）包装。抗溶性泡沫灭火剂有较强的碱性，对金属的腐蚀性较强，应采用塑料桶包装；若必须用金属容器包装时，桶壁应进行防腐处理。其他各类泡沫灭火剂的腐蚀性较小，可用铁桶包装，包装桶内壁也应加以适当的防腐处理。

（2）贮存环境和温度要适宜　泡沫灭火剂应贮存在阴凉、干燥的地方，不能置于露天曝晒。环境温度上限一般为 40℃，下限按其流动点上推 2.5℃。

（3）盛装要保持密封　容器应尽量装满药剂，并密封好。蛋白泡沫灭火剂和氟蛋白泡沫灭火剂如长期与空气接触，会受大气中氧的作用而老化变质；而作为泡沫稳定剂的二价铁盐也会被氧化成为高价铁盐而失去其稳定作用。水成膜泡沫灭火剂、高倍数泡沫灭火剂等合成泡沫灭火剂如长期敞口贮存，其中的溶剂会部分挥发，使各组成分的比例发生变化而变质。

（4）切忌互相混合　不同类型的泡沫灭火剂，或者同一类型而不同工艺制成的泡沫灭火剂不能混合。因为互相混合会导致其表面、界面性能恶化，产生沉淀、混浊等现象，使泡沫性能显著降低。此外，泡沫灭火剂也不能与其他类型的灭火剂以及油、醇、酸、碱等类物质混合。

（5）密切注意储存时间　按《泡沫灭火剂》（GB 15308—2006）的规定或生产厂提出的储存条件要求储存，泡沫液的储存期为：蛋白泡沫灭火剂和氟蛋白泡沫灭火剂 2 年；水成膜泡沫灭火剂 8 年；抗醇性泡沫灭火剂 2 年；高倍数泡沫灭火剂 3 年；A 类泡沫灭火剂 3 年。储存期内，产品的性能应符合相应标准的要求，超过储存期的产品，每年应进行灭火性能检验，以确定产品是否有效。

（6）低倍数泡沫灭火剂包装标识符合统型要求　《低倍数泡沫灭火剂包装标识统型要求》对水成膜泡沫灭火剂、蛋白泡沫灭火剂、氟蛋白泡沫灭火剂、抗醇性水成膜泡沫灭火剂和抗醇性氟蛋白泡沫灭火剂 5 种低倍数泡沫灭火剂的包装标识进行统型，如图 3-2-6 所示。

图 3-2-6　低倍数泡沫灭火剂包装标识统型

图 3-2-6　低倍数泡沫灭火剂包装标识统型（续）

（二）泡沫灭火剂的检查方法

1）新出厂的泡沫灭火剂，其性能指标应符合国家消防救援局或各生产厂家规定标准的要求。检查贮存环境是否符合要求，包装容器是否密封，有无严重腐蚀。

2）对超过贮存期的泡沫灭火剂应每年抽样送有关单位分析检验。测定其发泡倍数、25%析液时间和灭火时间，以确定有无明显变质。若有明显变质，应停止使用；变质不严重的可继续使用，但要加大混合比或泡沫供给强度，其加大范围视具体情况而定。

【思考题】

1. 泡沫灭火剂按照不同标准分为哪些类型？
2. 简述泡沫的灭火原理。氟蛋白泡沫灭火剂与蛋白泡沫灭火剂相比有何优点？

3. 简述水成膜泡沫灭火剂的优缺点。
4. 简述泡沫灭火剂的储存要求。

单元三 干粉灭火剂

一、分类

一般把干粉灭火剂分为普通干粉灭火剂、超细干粉灭火剂和金属火灾干粉灭火剂。

（1）普通干粉灭火剂　普通干粉灭火剂以具有灭火效能的无机盐为基料，添加改进其物理性能的添加剂（防潮剂、防结块剂、流动促进剂等）经粉碎、混合而制成。普通干粉灭火剂按灭火性能不同又分为BC干粉灭火剂和ABC类干粉灭火剂（图3-3-1），其中ABC类干粉灭火剂又称为多用灭火剂。BC干粉灭火剂主要用于扑救可燃液体火灾、可燃气体火灾以及带电设备的火灾；ABC类干粉灭火剂不仅适用于扑救可燃液体、可燃气体和带电设备的火灾，还适于扑救一般固体物质火灾。

（2）超细干粉灭火剂　超细干粉灭火剂是指90%粒径不大于20μm的固体粉末灭火剂。

超细干粉灭火剂按灭火性能不同分为BC超细干粉灭火剂和ABC超细干粉灭火剂。BC超细干粉灭火剂是指能扑救B类、C类和带电设备火灾的超细干粉灭火剂，ABC超细干粉灭火剂是指能扑灭A类、B类、C类和带电设备火灾的超细干粉灭火剂。

超细干粉灭火剂对大气环境无不良影响，不会破坏臭氧层，也不会产生温室效应，对人体无毒无害。

（3）金属火灾干粉灭火剂　随着航空工业、原子能工业的发展，钠、钾等碱金属和镁、铝、钛等轻金属以及铀、钚等放射性元素的生产量和使用量越来越大，这类金属都属于可燃烧的金属。金属及其合金（混合物）燃烧时，本身的温度很高，放出大量热，有时还会伴随着爆炸。扑救这类火灾时，必须用专用的金属火灾灭火剂。用于扑救金属火灾的粉末灭火剂为金属火灾干粉灭火剂，又称D类干粉灭火剂。

金属火灾（D类）干粉灭火剂有多种类型，按可扑救的金属材料火灾不同，分为单一型和复合型。图3-3-2所示为D类干粉灭火系统。

a) BC干粉灭火剂

b) ABC类干粉灭火剂

图3-3-1　普通干粉灭火剂

图3-3-2　D类干粉灭火系统

二、干粉灭火剂的特点

1）灭火效率高、灭火速度快，但抗复燃性差。
2）有优良的电绝缘性能，可扑救带电设备火灾。
3）对人畜无毒或低毒，对呼吸道有刺激。
4）适用范围大，具有耐候性，抗低温性能好。
5）灭火时不需要水，适用于缺水地区。
6）贮存期长，长期贮存不变质。
7）灭火时的喷射角度及手法影响灭火效果，需专门培训。

三、灭火机理

（一）对有焰燃烧的灭火作用

（1）对燃烧的抑制作用　燃烧反应是一种链锁反应。以烃类为例，燃料在高温火焰或其他形式能量的作用下，吸收了活化能而被活化，产生大量的活性基团，但在氧的作用下又被氧化成为不活性物（水和二氧化碳等）。其过程大体为：

$$RH = R \cdot + H \cdot$$
$$H \cdot + O_2 = OH \cdot + O \cdot$$
$$OH \cdot + RH = H_2O + R \cdot$$
$$O \cdot + RH = R \cdot + OH \cdot$$

这些反应式中的 $OH \cdot$ 和 $H \cdot$ 是维护燃烧链锁反应的活性基团。它们与燃料分子作用，不断生成新的活性基团和氧化物，同时放出大量热，维持燃烧链锁反应的继续进行。

当把干粉射向燃烧物时，粉粒便与火焰中的活性基团接触而把它瞬时吸附在自己的表面，并发生如下反应：

$$M + OH \cdot = MOH$$
$$MOH + H \cdot = M + H_2O$$

上面反应式中，M 代表干粉中的灭火组分。火焰中这些活泼的 $OH \cdot$ 和 $H \cdot$ 在粉粒表面结合形成不活泼的水。所以，借助粉粒的作用，可以消耗火焰中的活性基团 $OH \cdot$ 和 $H \cdot$。粉粒的这种灭火作用称为抑制作用。试验表明：碱金属的盐类对燃烧的抑制作用随碱金属原子序数的增加而增加，即：锂盐＜钠盐＜钾盐＜铷盐＜铯盐。

（2）其他灭火作用　使用干粉灭火时，悬浮的粉雾包围了火焰，可以减小火焰对周围物体的热辐射；同时粉末受高温的作用，放出结晶水或发生分解，可吸收部分热量，且分解生成的不活泼气体发挥其灭火作用。

（二）对一般固体物质表面燃烧的灭火作用

以磷酸铵盐为基料的干粉灭火剂不仅可以扑灭有焰燃烧，而且还能扑灭一般固体物质的表面燃烧。以磷酸二氢铵为例，其粉粒落到灼热的燃烧物表面时，发生一系列化学反应，反应生成的偏磷酸和聚磷酸盐在固体表面的高温下被熔化并形成一个玻璃状覆盖层，它能渗透到燃烧物表面的细孔中。这层玻璃状覆盖层将固体表面与周围空气中的氧隔开，使燃烧窒息。被熔化的偏磷酸和聚磷酸盐渗入燃烧物细孔的深度并不大，但这个深度对扑灭一般固体物质的表面燃烧是足够的，它具有阻止复燃的作用。

另外，磷酸二氢铵、硫酸铵等化合物还具有导致碳化的作用。它们遇热分解会产生一种酸性物质，可使木材主要成分木质素和纤维素脱水碳化。碳化层是热的不良导体，附着于着火固体表面可使燃烧过程变得缓慢。

（三）超细干粉灭火剂的灭火原理

由于超细干粉灭火剂和普通干粉灭火剂的组分基本相同，因此其灭火机理也大致相同。与普通干粉灭火剂不同的是，超细干粉灭火剂颗粒细，粒子比表面积大，活性高，捕获自由基能力强，抑制燃烧进行的化学反应充分，灭火效能急剧升高。另外，超细干粉灭火剂粒径小，可以绕过障碍物进入细小的空隙，喷射后粒子在空气中有较长的悬浮时间，易形成均匀分散、悬浮于空气中相对稳定的气溶胶，更适用于以全淹没方式灭火。

四、贮存要求和检查方法

（一）贮存要求

1) 干粉灭火剂应用塑料袋包装，外层应加保护包装。

2) 干粉灭火剂应放在通风干燥处，在40℃以下的环境中贮存。干粉的堆垛不宜过高，以免压实结块。

3) 对储存的干粉灭火剂定期进行检查，观察包装是否密封，干粉有无结块现象以及含水率是否符合标准要求。

（二）检查方法

1) 出厂的干粉灭火剂应进行全面质量检查，其性能应符合国家标准或各厂自定标准的要求。

2) 对贮存的干粉，应定期检查其包装是否密封，是否吸潮结块。如发现吸潮，应烘干后再继续贮存。

3) 对于超过有效期的干粉，在灌装之前应送有关部门进行鉴定，以确定能否继续使用。

【思考题】

1. 干粉灭火剂有哪些分类方式？
2. 简述干粉灭火剂的特点。
3. 简述干粉灭火剂的灭火原理。
4. 干粉灭火剂适用于哪些火灾扑救？
5. 简述干粉灭火剂的贮存要求。

单元四　气体及其他灭火剂

一、二氧化碳灭火剂

二氧化碳是一种不燃烧、不助燃的气体。它易于液化，便于装罐和贮存，制造方便，是一种应用比较广泛的灭火剂。近几年来，由于卤代烷灭火剂的使用限制，二氧化碳灭火剂的应用有扩大的趋势。如图3-4-1所示为二氧化碳灭火设备。

（一）特点

常温常压下，纯净的二氧化碳是一种无色、无味、不导电的气体。二氧化碳灭火剂化学性质稳定，与绝大多数物质不发生反应，同时具有不导电、清洁、不沾污物品、没有水渍损失、不会给使用场所带来二次污染等优点。二氧化碳灭火剂的缺点是贮气钢瓶压力高、灭火浓度大，膨胀时能产生静电放电，有可能引起着火等。

（二）灭火原理

二氧化碳的灭火作用主要是窒息作用。在常压下，液态的二氧化碳立即汽化。将二氧化碳施放到起火空间，由于二氧化碳气体具有较高的密度，因此大量二氧化碳气体会包围在燃烧物的周围或分布在被保护的密封空间中，可以降低燃烧物周围或空间内空气中的氧含量。当氧气的含量低于12%或二氧化碳的浓度达到30%~35%时，绝大多数燃烧都会熄灭，从而对燃烧起到窒息作用。1kg液态二氧化碳在常温常

图 3-4-1　二氧化碳灭火设备

压下能生成的二氧化碳气体足以使 1m³ 空间范围内的火焰熄灭。燃烧能否因窒息而熄灭，取决于空间的氧含量和燃烧物的性质，即充入空间的二氧化碳气体能否将空间中的大气氧含量降低到维持可燃物燃烧的极限氧含量以下。

二氧化碳由液态变成气态时，1kg 二氧化碳将吸收 577.4kJ 热量，但是这些热量并非完全来自燃烧区，而是有相当大的部分来自二氧化碳本身，因为当二氧化碳汽化时有 30% 的二氧化碳凝结成雪花状的固体而放出热量。因此，二氧化碳灭火时的冷却作用不大。

（三）应用范围

1. 二氧化碳适于扑救的火灾

（1）电气设备火灾（600V以下）　如可燃油浸电力变压器室、充装可燃油的高压电容器室、多油开关室、发电机房等。

（2）精密仪器、贵重设备火灾　如通信机房、大中型电子计算机房、电视发射塔的微波室、贵重设备室等。

（3）图书档案火灾　如图书馆、档案库、文物资料室等。

2. 二氧化碳不适于扑救的火灾

（1）自己能供氧的化学药品　如硝酸纤维、火药等。

（2）活泼金属及其氢化物　如锂、钠、钾、镁、铝、锑、钛、镉、铀、钚等。

（3）能自燃分解的化学物品　如某些过氧化物、联氨等。

（4）内部阴燃的纤维物。

二、七氟丙烷灭火剂

七氟丙烷（HFC-227ea）是一种洁净气体灭火剂。HFC-227ea 灭火剂是以物理灭火方式为主的气体灭火剂，分子式为 CF_3CHFCF_3，其化学名称为七氟丙烷。如图 3-4-2 所示为七氟丙

烷灭火装置。

（一）灭火原理及特点

七氟丙烷主要依靠在火场中释放游离基，通过化学抑制作用中止燃烧反应。另外，七氟丙烷在汽化阶段吸热，还能迅速冷却火场温度。七氟丙烷的特点如下。

（1）环保　七氟丙烷为无色无味气体，不含溴和氯元素，对大气中臭氧层无破坏，在大气中存留的时间较短。

（2）安全　七氟丙烷是国际公认的对人体无害的灭火药剂。

（3）高效　七氟丙烷灭火速度快，通常在 10s 内能完全扑灭火灾。

（4）洁净　七氟丙烷是不导电介质，且不含水性物质，不会对电气设备、磁带资料等造成损害；不含有固体粉尘、油渍，液态储存，气态释放。喷放后可自然排出或由通风系统迅速排除，现场无残留物、无污染，处理方便。

图 3-4-2　七氟丙烷灭火装置

（二）适用范围

1）无自动喷水灭火系统或使用水系统会造成损失的场所。

2）药剂喷放后清洗残留物有困难的场所。

3）可扑灭 A、B、C 各类火灾，能安全有效地使用在有人的场所。

4）药剂存放空间有限，需用少量灭火剂即可达到灭火效果的场所。

5）易燃和可燃液体火灾，如烃类、醇类、苯类及其他有机溶剂类的火灾。

6）灭火前应能切断气源的气体火灾。

7）可燃固体的表面火灾。

8）防护对象为电气设备，需使用非导电性灭火剂的场所。

9）数据处理中心、电信通信设施、数控中心、昂贵的工业设备、图书馆、博物馆及艺术馆、应急电力设施和易燃液体储存区。

（三）不适用范围

1）金属氢化物的储存场所。

2）含硝化纤维和黑火药等无空气仍能迅速氧化的化学物质的场所。

3）活泼金属（如钠、钾、镁及锆）或金属联胺的存放、生产场所。

4）能自行分解的化学物质的火灾，如某些有机过氧化物。

5）含氧化材料的混合物（如氯酸钠或硝酸钠）的场所。

6）含能自燃的物质的场所。

7）含强氧化剂（如氧化氮、氟气等）的场所。

三、惰性气体灭火剂

惰性气体灭火剂是由氮气、氩气以及二氧化碳按一定质量比混合而成的灭火剂。IG-01、

IG-55、IG-100 以及 IG-541 四种惰性气体灭火剂已经商品化。它们都是无色、无味、不导电的气体。这四种惰性气体灭火剂主要靠降低保护区域内氧浓度的物理方式灭火。图 3-4-3 所示为 IG-541 灭火装置。

对于惰性气体灭火剂而言，考虑的主要问题是防护区中氧气减少对人造成的影响。为了降低氧含量下降给人体造成的影响，IG-541 灭火剂中特意加入少量的二氧化碳气体，刺激人体呼吸。关于惰性气体灭火剂对人的呼吸和循环系统的损伤问题，通过医学研究和观察显示：在按规定的浓度范围使用时一般不会有危险。设计安装这类系统时必须注意，要使灭火剂和氧气的浓度保持在既能有效发挥灭火效能，又能保证人员安全的范围内。

【思考题】

1. 简述二氧化碳灭火剂的灭火原理。
2. 二氧化碳灭火剂适用于哪些火灾的扑救？
3. 简述七氟丙烷灭火剂的特点。

图 3-4-3　IG-541 灭火装置

单元五　灭火器

一、概述

（一）灭火器的分类

1. 按充装灭火剂的类型划分

灭火器按充装灭火剂的类型不同，可分为水基型灭火器、干粉灭火器、二氧化碳灭火器和洁净气体灭火器。其中，水基型灭火器中充装的灭火剂主要是水，另外还有少量添加剂。

2. 按灭火器的重量和移动方式划分

（1）手提式灭火器　总质量不大于 23kg 的二氧化碳灭火器以及总质量不大于 20kg 的其他类型灭火器。

（2）推车式灭火器　这类灭火器的总质量在 25~40kg 之间，装有车轮等行驶机构，由人力推（拉）着移动灭火的器具。

3. 按驱动灭火器的压力型式划分

（1）贮气瓶式灭火器　这类灭火器中的灭火剂由一个专门贮存压缩气体的贮气瓶释放气体加压驱动。

（2）贮压式灭火器　这类灭火器中的灭火剂由与其同贮于一个容器内的压缩气体或灭火剂蒸汽的压力所驱动。

（二）灭火器的规格

灭火器的规格按其充装的灭火剂量划分。手提式灭火器的规格见表 3-5-1。推车式灭火器的规格见表 3-5-2。

表 3-5-1　手提式灭火器的规格

灭火器类型	手提式水基灭火器 /L	手提式干粉灭火器 /kg	手提式二氧化碳灭火器 /kg	手提式洁净气体灭火器 /kg
规格	2、3、6、9	1、2、3、4、5、6、8、9、12	2、3、5、7	1、2、4、6

表 3-5-2　推车式灭火器的规格

灭火器类型	推车式水基灭火器 /L	推车式干粉灭火器 /kg	推车式二氧化碳灭火器 /kg	推车式洁净气体灭火器 /kg
规格	20、45、60、125	20、50、100、125	10、20、30、50	10、20、30、50

（三）灭火器的性能要求

（1）喷射性能　喷射性能是指对灭火器喷射灭火剂的技术要求，包括有效喷射时间、喷射滞后时间、喷射距离和喷射剩余率。

（2）使用温度性能　灭火器的使用温度应取下列规定的某一温度范围：5~55℃、-10~+55℃、-20~+55℃、-40~+55℃、-55~+55℃。

（3）灭火性能　灭火器的灭火性能是指灭火器扑灭火灾的能力。灭火性能用灭火级别表示。灭火级别由数字和字母组成，如 3A、21A、5B、20B 等。数字表示灭火级别的大小，数字越大，灭火级别越高，灭火能力越强；字母表示灭火级别的单位和适于扑救的火灾种类。灭火器的灭火等级通过试验确定。

（4）密封性能　密封性能是指灭火器在喷射过程中各连接处不泄漏的性能和长期保存时驱动气体不泄漏的性能。灭火器及其贮气瓶应具有可靠的密封性能，其泄漏量应符合有关规定。

二、干粉灭火器

干粉灭火器是指内部充装干粉灭火剂的灭火器，常用于加油站、汽车库、实验室、变配电室、煤气站、液化气站、油库、车辆、工况企业及公共建筑等场所，如图 3-5-1 所示。

图 3-5-1　干粉灭火器

三、二氧化碳灭火器

二氧化碳灭火器内充装的灭火剂是加压液化的二氧化碳气体，它是由其自身蒸汽压力驱动的贮压式灭火器，有手提式和推车式两种形式。手提式二氧化碳灭火器的气瓶由铬钼钢或铝合金制成，其阀门一般为压把式，如图 3-5-2 所示。推车式二氧化碳灭火器的气瓶一般由合金制成，其阀门一般为旋转手轮式阀门。

四、水基型灭火器

水基型灭火器是以水为灭火基料的灭火器，主要有水型灭火器和泡沫型灭火器两类，如图 3-5-3 所示。

水基型灭火器可用于扑救 A 类物质火灾，有些在水中加了添加剂的水基型灭火器可以扑救 B 类物质火灾，如汽油、煤油、柴油、植物油、油脂等的初起火灾；对于极性液体燃料火灾，只能用抗醇性水基型灭火器。水基型灭火器一般不能扑救带电设备火灾。

图 3-5-2　手提式二氧化碳灭火器

图 3-5-3　水基型灭火器

五、洁净气体灭火器

洁净气体灭火器是使用洁净气体的灭火器，其结构和喷射原理类同于贮压式干粉灭火器。洁净气体灭火器主要用于扑救易燃、可燃液体、气体及带电设备初起火灾；充装量大于 4kg 的洁净气体灭火器也能对固体物质（如竹、木纸、织物等）表面火灾进行扑救。

【思考题】

1. 简述灭火器的分类。
2. 简述各类灭火器的适用场景。

模块四

>>> 灭火器具

单元一　吸水、输水、射水器具

一、吸水器具

吸水器具是把水从水源输送到水泵内的器具,包括消防吸水胶管、吸水管接口和吸水附属器具。

(一)消防吸水胶管

消防吸水胶管是把水从天然水源或室外消火栓引向水泵的输水管。

(1) 消防吸水胶管分类　消防吸水胶管按内径分为 50mm、65mm、80mm、90mm、100mm、125mm、150mm 七种规格,常用的为 100mm;按在消防车上的放置形式不同可分为直管式(2m、3m、4m 三种)和盘管式(8m、10m、12m 三种),如图 4-1-1 所示。

(2) 消防吸水胶管的构造　消防吸水胶管主要由内胶层、增强层、外胶层组成。内胶层由耐水天然或合成橡胶组成,内表面光滑;增强层由夹布层和螺旋形加强骨架组成,提高了吸水管的强度和刚性,使吸水管具有抗真空变形、耐正压和

图 4-1-1　直管式消防吸水胶管

改善弯曲的性能;外胶层由天然或合成橡胶组成,外表面可以呈波纹状,还可选用金属或其他适当材料的外铠线。内胶层起光滑和减阻作用,外胶层起耐磨作用。

(二)吸水管接口

吸水管接口是用于消防吸水胶管之间连接或消防吸水胶管与其他设备连接的接头,目前国内常用的为螺纹式接口,在一些特殊场合还有内扣式接口或卡式吸水管接口。

螺纹式吸水管接口,每副接口有内螺纹接口、外螺纹接口各一个。外螺纹接口可接滤水器,内螺纹接口可连接水泵或消火栓。

(三)吸水附属器具

1. 滤水器和滤水筐

(1) 滤水器 滤水器是指消防水泵或消防车从水源吸水时,安装在吸水胶管末端,阻止杂物进入水泵的消防器具,如图 4-1-2 所示。滤水器由滤网和单向阀等主要部件组成。单向阀的作用在于:水泵吸水时,水自下把阀门顶起进入吸水管路内;水泵停止时,吸水管路内的水以自身重量将阀门关闭,把水截止在水泵和吸水管路内。水泵短时停机,重新启动时,可直接吸水,不需要再进行排气引水。如果不需要继续吸水,可以提起单向阀,将水从消防吸水胶管中放出。

(2) 滤水筐 滤水筐是用藤条或聚乙烯编织的筒状物,进口部分缝以帆布或胶布。另外,也有拧入消防吸水胶管接口螺纹中的筒状网,其材料可采用金属或合成树脂,如图 4-1-3 所示。

图 4-1-2 滤水器

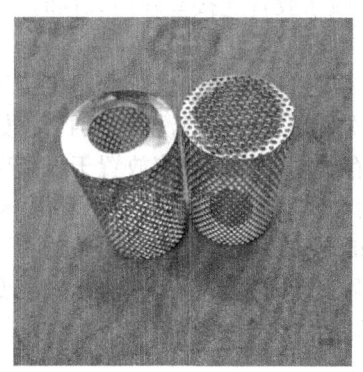

图 4-1-3 滤水筐

2. 支垫器具

支垫器具的作用是防止消防吸水胶管跨越水池、海堤、河堤、桥的栏杆等障碍物时过度弯曲。主要有以下几种。

(1) 三脚架 用时将消防吸水胶管架于上边缺口中,通过螺杆调节高低位置。

(2) 垫木 垫木上开有圆形沟槽,其上带有软管夹箍。

(3) 拉索 拉索的一端固定在滤水器根部,另一端固定在消防车上,用于消防吸水胶管的投入和撤回,以保护消防吸水胶管不受水的流速影响,防止由于消防吸水胶管的自重而造成吸水口等损伤。

3. 吸水胶管扳手

吸水胶管扳手是用于装卸消防车吸水胶管的工具,如图 4-1-4 所示。

(四)吸水器具的使用与维护

1. 使用要求

1) 为防止吸水胶管的变形或损伤,应使用垫木、拉索、三脚架等消防吸水胶管保护器具。

2) 在安装消防吸水胶管时,其弯曲处不应高于水泵的进水口,以免出现空气影响吸水。

3) 铺设消防吸水胶管时,应使管线尽量短直,避免骤然折弯。

图 4-1-4 吸水胶管扳手

4）使用时必须将接口紧密连接，以防漏气。

5）水泵离水面的垂直距离尽可能小，以减小吸水阻力。

6）不要在地面上硬拖硬拉，以免损伤消防吸水胶管。

7）不能接触腐蚀性化学物品，以防止其变质。

8）从露天水源取水时，滤水器距离水面的深度至少为20~30cm，以防止在水面出现漩涡而吸入空气；从河流取水时，应顺水流方向投入吸水管；从消火栓取水时，应缓慢开启消火栓，以减小水锤的冲击力，如消防吸水胶管变扁，说明消防车流量超过消火栓供水量，应降低发动机转速，减小水泵流量，取水时，应注意消火栓管网的供水能力。

9）吸水量大时，可将两根消防吸水胶管并列使用，以减小摩擦损失。

10）泥水杂物多时，要使用滤水管，以防止杂物进入吸水管路。

11）消防吸水胶管使用后应将内部积水排除干净。

12）当吸水胶管连接室外消火栓时，消火栓压力不能超过吸水胶管工作压力。

2. 维护保养

1）平时应检查消防吸水胶管连接接头是否松动，有无变形损伤，检查密封垫是否完好。

2）每次使用后应及时洗净、晒干，如沾上油类等物应及时擦净。

3）库存消防吸水胶管应放置于板条架上，以便通风，库房内温度应在0~25℃范围内，空气湿度应为80%，不允许烈日曝晒和雨淋。

4）不能与酸、碱等具有腐蚀性的物质混放。

5）每隔三个月翻动一次，防止发霉变质。

6）消防吸水胶管如有破口应及时粘补或用硫化法修理。

二、输水器具

将消防泵输出的压力水或其他灭火剂送到火场的管线和器具称为输水器具，主要包括消防水带、消防接口和消防附件。

（一）消防水带

消防水带是一种用于输送水或其他液态灭火药剂的软管，如图4-1-5所示。

图 4-1-5　消防水带

1. 分类

消防水带按衬里材料不同可分为橡胶衬里消防水带、乳胶衬里消防水带、聚氨酯（TPU）衬里消防水带，消防救援队伍使用的主要为聚氨酯衬里水带。消防水带按编织层编织方式不同可分为平纹消防水带和斜纹消防水带。消防水带的工作压力有1.0MPa、1.3MPa、1.6MPa、2.0MPa、2.5MPa、4.0MPa几种；内径有40mm、50mm、65mm、80mm、90mm、100mm、125mm、150mm、200mm、250mm和300mm几种。

为了满足各种特殊使用要求，还出现了一些特殊性能水带，如湿水带，其衬里为海绵状胶，在一定的水压下能均匀渗水，使带身湿润，在火场起保护作用；水幕水带，沿水带长度方向每隔 30cm 开设直径 5mm 的小孔，用于防止火灾蔓延和冷却保护；浮式水带，是用密度小的合成纤维作套筒的水带，可浮在水面使用；另外，还有抗静电消防水带和 A 类泡沫专用水带等。

2. 构造

(1) 圆筒编织层　圆筒编织层由经线和纬线组成，如图 4-1-6a 所示。纬线越多，破断力越强，耐压越高；经线越多，耐磨损和抗外部损伤性能越好。

(2) 衬里　衬里是在编织内层涂覆橡胶（合成橡胶）、乳胶、聚氨酯、PVC 等高分子材料，形成不同种类的通用消防水带，如图 4-1-6b 所示。

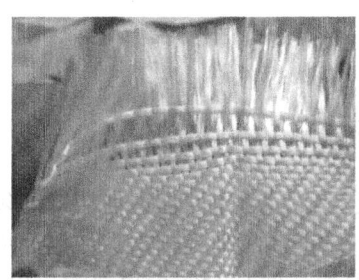 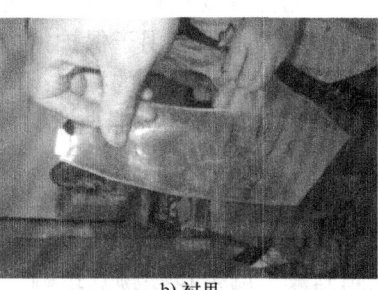

a) 圆筒编织层　　　　b) 衬里

图 4-1-6　水带圆筒编织层及衬里

(3) 外包覆层　用橡胶或塑料包覆水带表面，防止圆筒层的磨损和老化，以减少渗水作用。

3. 水头损失

消防水带的水头损失主要与消防水带内壁的粗糙度、消防水带长度、消防水带直径、消防水带铺设及水在消防水带内的流速有关。消防水带的水头损失直接影响水泵的供水高度和距离，因此在选择消防水带时应尽量采用衬里消防水带；铺设时应尽量避免骤然打弯；供水量大时，应采用双干线供水，以减小水头损失。

4. 使用和维护

(1) 使用要求　在使用时应按消防水带上注明的设计工作压力使用，防止过高的压力造成消防水带破损、损失或缩短消防水带的使用寿命，并导致人身事故的发生；消防水带铺设时应避免骤然曲折，以防止降低耐水压的能力；还应避免扭转，以防止充水后消防水带转动而使内扣式消防水带接口脱开；当消防水带垂直铺设时，宜在相隔 10m 左右予以固定，以防止消防水带断裂贻误战机和砸伤人员；消防水带充水后应避免在地面上强行拖拉，特别注意消防水带与钉子、玻璃片等锐器接触，需要改变位置时应抬起移动，以减少消防水带与地面的磨损，不应 V 字形拖拉消防水带，避免磨破消防水带；消防水带应避免与油类、酸、碱等有腐蚀性的化学物品接触。确有需要时，宜采用外覆层消防水带；应避免硬的重物压在消防水带上，车辆需通过铺设的消防水带时，应事先在通过部位安置消防水带护桥；铺设时如通过铁路，消防水带应从铁轨下面通过；在寒冷地区建筑物外使用消防水带，应防止消防水带冻结；消防水带用后应洗净晾干，盘卷保存于阴凉干燥处。

(2) 维护保养　消防水带应按材质分类，编号造册，存放在专门的储存室。储存室应保持良好通风，并不使日光直接射在消防水带上；消防水带应以卷状竖放在水带架上，每年至少翻动两次并交换折边一次；消防水带应有专人负责管理，并经常检查接头是否变形，有无损坏，一旦发现损坏，应及时修补。

（二）消防接口

消防接口是供消防水带、消防吸水管、消火栓、消防泵或消防枪炮等连接用的附件，如图 4-1-7 所示。

1. 分类

消防接口按形式不同可分为内扣式消防接口、卡式消防接口、螺纹式消防接口；按用途不同可分为水带接口、吸水管接口、管牙接口、闷盖、同型接口、异径接口、异型接口等。

管牙接口是主要用于连接消防车出水口和消防水枪的接口，一侧为螺纹接口，另一侧为卡式或内扣式接口；闷盖是主要用于保护室内消火栓、室外消火栓和水泵接合器的接口；同型接口主要用于吸水管与消火栓、水带与水带的连接。

a) 内扣式　　　　b) 卡式

图 4-1-7　消防接口

2. 使用与维护

经常检查卡式接口卡槽、卡榫是否完整、无裂纹，动作可靠；使用前必须检查接口内是否有密封圈，密封圈是否完整；严禁拖拉接口，防止接口剧烈撞击；使用时应确保接口之间的连接可靠；不得与酸、碱等化学物品接触、混放；储存时应远离热源，以防密封圈老化；冬季使用卡式接口时，应注意防止冻结。

（三）消防附件

1. 分水器

分水器是从消防车供水管路的干线上分出若干股支线水流的连接器材，如图 4-1-8 所示。

（1）分类　目前我国的分水器主要有二分水器、三分水器和四分水器。

（2）组成　分水器主要由本体、出水口的控制阀门、进水口和出水口连接用的管牙接口、密封圈等组成。

（3）使用与维护　使用分水器之前要检查分水器的接口是否完好，开关转动是否灵活。使用时要轻拿轻放，防止损坏。严冬要设法保温，防止冻结失灵。使用后要用清水洗净、擦干，保持光亮，开关处加注润滑油，以备再用。存放时不得与酸、碱等化学物品混放。

2. 集水器

集水器主要用于吸水或接力送水，它可把两股以上水流汇成一股水流，如图 4-1-9 所示。集水器有两种形式，即进水端带单向阀的集水器和进水端不带单向阀的集水器。

图 4-1-8　分水器

图 4-1-9　集水器

（1）分类　目前我国的集水器主要有二集水器、三集水器和四集水器。

（2）组成　集水器主要由本体、控制阀门（单向阀或球阀）、进水口、出水口、密封圈等组成。

（3）使用与维护　使用时轻拿轻放，不得摔压，防止因变形而影响连接。使用后要用清水洗净擦干，保持光亮，以备再用。接口应接装灵活，松紧适度。要经常检查进水口、出水口的橡皮垫圈。发现损坏，要及时调换。进水口的单向阀向两面摆动灵活，各部不得有断裂和变形现象。存放时，不得与酸、碱等化学物品混放，以免腐蚀。

3. 排吸器

排吸器是一种水流喷射泵，其结构如图 4-1-10 所示。来自水泵的压力水从喷嘴高速喷出时，在喷嘴附近产生负压，外界的水在大气压力的作用下经吸水口进入真空室，从而实现排水。

排吸器主要用于排除地下室、地窖和低洼地面积水，也可与水泵配合用于吸水；当水温超过 60℃ 水泵无法吸水、水不干净或水量较少时，可用排吸器吸水或排水。

图 4-1-10　排吸器

三、射水器具

射水器具是把水按需要的形状有效地喷射到可燃物上的灭火器具，包括消防水枪、消防水炮和消防软管卷盘。

（一）消防水枪

1. 消防水枪的分类与型号编制

（1）分类　消防水枪按射流形式不同分为直流水枪、喷雾水枪、直流喷雾水枪和多用水枪。消防水枪按工作压力不同分为低压水枪（0.2~1.6MPa）、中压水枪（>1.6~2.5MPa）、高压水枪（>2.5~4.0MPa）。低压水枪流量较大，射程较远，是扑救大中型火灾的主要水枪。高压水枪可以提供更高雾化程度的水射流，机动性强，灭火效率高，水渍损失小，但射程较近，适用于火场内攻作业。中压消防水枪则兼顾了低压水枪和高压水枪的特征。

（2）型号编制　消防水枪型号由类、组代号，特征代号，额定喷射压力和额定流量等部分组成，如图 4-1-11 所示。其中额定流量除喷雾水枪为喷雾流量外，其余均为直流流量。

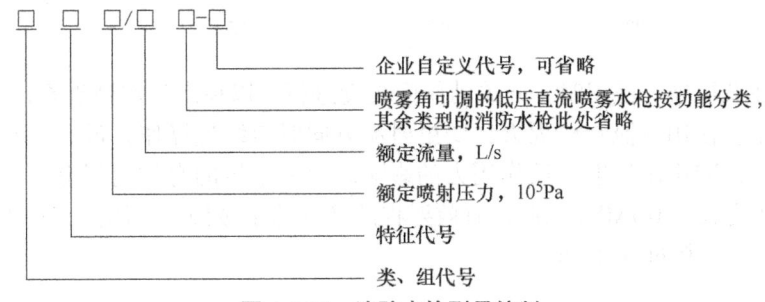

图 4-1-11　消防水枪型号编制

示例：QZG3.5/7.5 型消防开关直流水枪，Q 表示消防水枪，Z 表示直流，G 表示开关，3.5 表示额定喷射压力为 0.35MPa，7.5 表示额定流量为 7.5L/s。

2. 直流水枪

（1）用途　直流水枪（图4-1-12）喷射的水流为柱状，射程远、流量大、冲击力强，用于扑救一般固体物质火灾，以及灭火时的辅助冷却等。

（2）结构　直流水枪由枪筒、喷嘴和接口组成。枪筒是把水带送来的水加以整流、增速并送到喷嘴的部件，一般用锥形管制作，有的枪管内还装有稳流器。常见的稳流器有星形、机翼形、井字形和蜂巢形，如图4-1-13所示。稳流器的作用是消除枪管内的横向水流和旋转水流，使枪内的紊流趋向匀流状态，以提高枪体结构的水力条件。喷嘴有13mm、16mm、19mm、22mm等几种口径。目前，消防救援队伍普遍使用19mm口径的直流水枪。

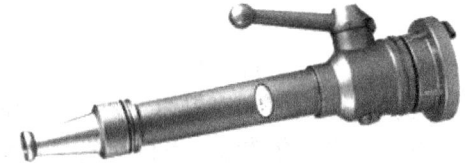

图4-1-12　直流水枪

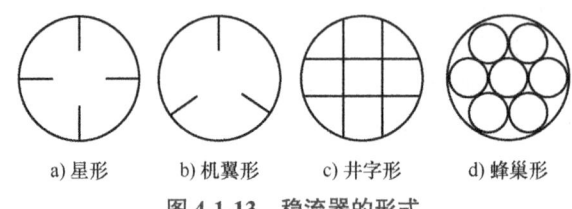

a) 星形　　b) 机翼形　　c) 井字形　　d) 蜂巢形

图4-1-13　稳流器的形式

（3）分类　直流水枪可分为无开关直流水枪、开关直流水枪和开花直流水枪。其中，开花直流水枪使用时，利用手柄调节水枪的开关，旋转水枪前端转圈，可单独和同时喷射出直流水流和伞状开花水流。伞状开花水流起自卫作用，直流水灭火。因此，开花直流水枪也叫自卫水枪。

（4）主要性能参数　直流水枪在额定喷射压力时，其额定流量和射程应符合表4-1-1的规定。

表4-1-1　直流水枪的性能参数要求

接口公称通径/mm	当量喷嘴直径/mm	额定喷射压力/MPa	额定流量/(L/s)	流量允差（%）	射程/m
50	13	0.35	3.5	±8	≥22
	16		5		≥25
65	16		5		≥25
	19		7.5		≥28
	22	0.2	7.5		≥20

（5）使用注意事项　使用时，开关动作应缓慢进行，以免产生水锤现象，造成水带破裂，危及消防员安全。使用直流水枪灭火，变更射流方向时应缓慢操作，最好配备可克服反作用力的肘形接口，以减小水枪射流反作用力的影响。直流水枪的有效射程有一定限度，一般直流水枪的工作压力大于0.7MPa以后，有效射程的增加趋于缓慢了。因此，在火场上使用水枪时，其工作压力不宜超过0.7MPa。

3. 多功能水枪

多功能水枪具备多种功能，主要包括直流、喷雾、开花，其结构如图4-1-14所示。在火灾现场，消防员使用一支多功能水枪，既可以远距离直流喷射明火，也可以用开花或喷雾模式大范围降温且净化空气中的烟雾，无须换枪。多功能水枪还具有自动冲洗功能，流量调节环调至冲洗档，便可快速、方便地冲出水枪内的石子和其他杂物。

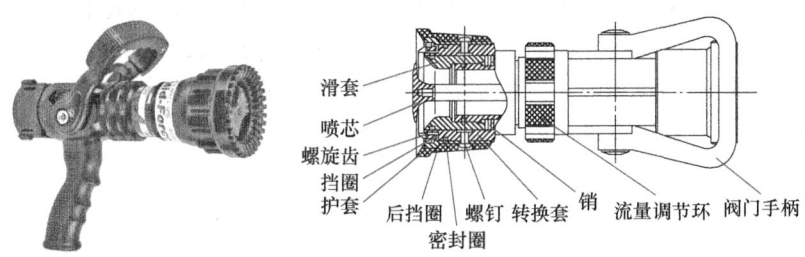

图 4-1-14 多功能水枪

多功能水枪使用灵活，适应性强，主要是因为其喷嘴中部装有导流芯，水枪喷嘴作螺旋运动，在转动的同时改变导流芯和喷嘴的轴向相对位置，可以实现直流到开花到喷雾的调节，如图 4-1-15 所示，并可根据火场的需要调节到适当的雾化角和射程。

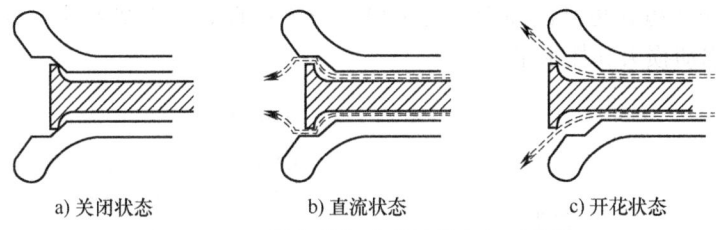

图 4-1-15 导流芯与喷嘴的轴向相对位置

利用雾状射流扑救一般火灾时，喷雾角不应过大，以 30°~50° 为宜。扑救强酸、强碱及可燃粉尘场所火灾时，应适当扩大雾化角，减小冲击力，防止飞溅事故发生。扑救电器火灾时，应有正确的战术和可靠的安全措施。扑救液体流淌火灾时，雾状水流应保持一定的俯射角，要按先近后远的顺序沿油面逐渐推进，以免射流在整个燃烧面上快速游移而降低乳化的效果。扑救气体火灾时，要使雾状射流横向切割火焰根部，以达到切割火焰的效果。当气体压力较高时，应使雾状水流具有一定的斜角（即沿火焰根部向火焰区倾斜），以减小高速气流的影响。

目前，多功能水枪的阀门开关主要有两类，即球阀和锥阀，如图 4-1-16 所示。球阀结构简单，开关轻，密封性能好，密封面与球面常在闭合状态，不易被介质冲蚀，易于操作和维修，使用寿命长。锥阀对液体中的杂质污染不敏感，使用范围广泛，且锥阀阀口处液流的方向突变小，流场分布均匀。

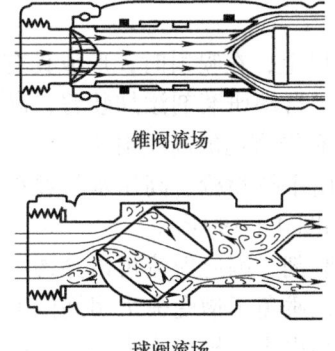

图 4-1-16 锥阀与球阀

4. 中压水枪

中压水枪具有直流和喷雾功能，由于喷射压力高，因此与低压水枪相比具有更理想的雾化性能。中压水枪主要由喷嘴、枪筒、手柄、扳机和枪托等组成，如图 4-1-17 所示。

中压水枪在额定喷射压力时，其额定直流流量和直流射程应符合表 4-1-2 的规定，其最大喷雾角时的流量应不超过额定直流流量的 50%。

表 4-1-2 中压水枪性能参数表

进口连接（两者取一）		额定喷射压力 / MPa	额定直流流量 / (L/s)	流量允差 （%）	直流射程 / m
接口公称通径	进口外螺纹				
40mm	M39×2	2.0	3	±8	≥ 17

5. 高压水枪

高压水枪与高压消防泵配套使用，具有直流和喷雾功能，其结构如图 4-1-18 所示。与中压水枪相比，高压水枪在更高的喷射压力下可以形成更理想的雾状射流，具有更高的灭火效率和更小限度的水渍损失和耗水量。

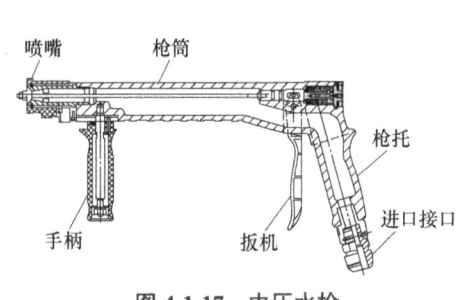

图 4-1-17 中压水枪

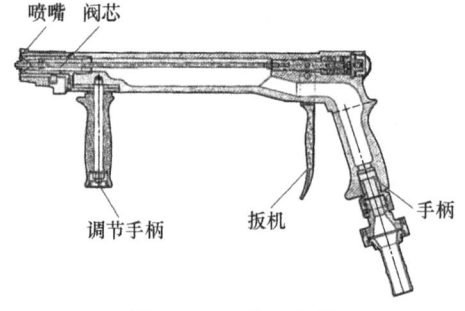

图 4-1-18 高压水枪

高压水枪在额定喷射压力时，其额定直流流量和直流射程应符合表 4-1-3 的规定，其最大喷雾角时的流量应不超过额定直流流量的 50%。

表 4-1-3 高压水枪性能参数表

进口外螺纹	额定喷射压力 /MPa	额定直流流量 /(L/s)	流量允差（%）	直流射程 /m
M39×2	3.5	3	±8	≥ 17

6. 超高压水枪

超高压水枪利用超高压水泵可将水增压至 10MPa 以上，在喷射时，形成具有较强灭火功能的细水雾。带有研磨剂添加装置的超高压水枪增加了自动研磨剂添加装置，高压水压力达到 30MPa 时，向高压水中注入一定比例的研磨剂，混有研磨剂的高压射流连续冲击水泥和钢材等物体，达到穿刺和切割的目的。超高压水枪主要由手持喷枪、高压水管卷盘、超高压水泵、液压系统、水箱及研磨剂添加装置等部分组成，如图 4-1-19 所示。

带有研磨剂添加装置的超高压水枪由于添加了研磨剂，因此射流可以穿透一定厚度的墙体，消防人员可在室外安全位置对着火房间进行灭火，避免了遭受失火房间内的高温和有毒气体的侵袭。超高压水枪适用于扑救建筑物火灾、船舶火灾、机场火灾等，还可以进行冷切割。由于超高压水枪使用超高压水泵，其产生的射流冲击力大，因此禁止对准人员进行喷射，以免发生危险。

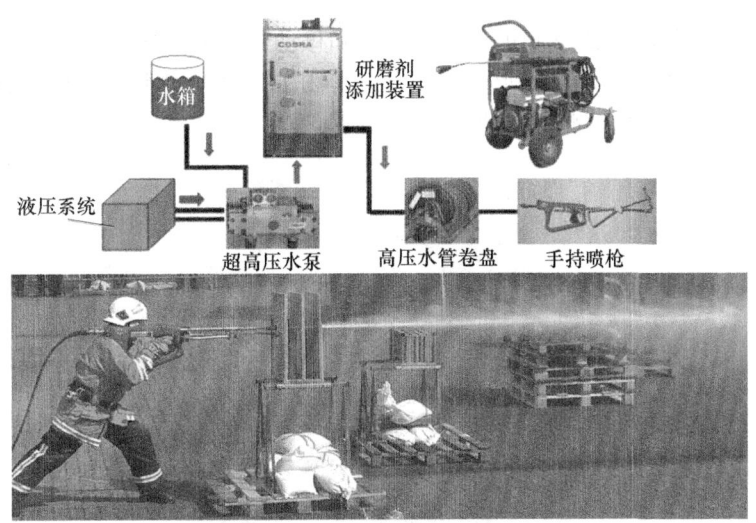

图 4-1-19 超高压水枪

7. 穿刺水枪

穿刺水枪是指采用锥形枪头,枪管可周向喷水,能够刺入可燃堆垛内部进行灭火的水枪。穿刺水枪由水驱动的振动穿孔装置和灭火射水的喷雾喷头组合成一体,枪长约 1m,如图 4-1-20 所示。

穿刺水枪主要用于阴燃火场灭火,如棉花堆垛、纸堆火灾。使用时,要做好清洁保养工作,各连接部位应经常滴加黄油,保持部件开关灵活好用,经常检查滤网并清理杂物。

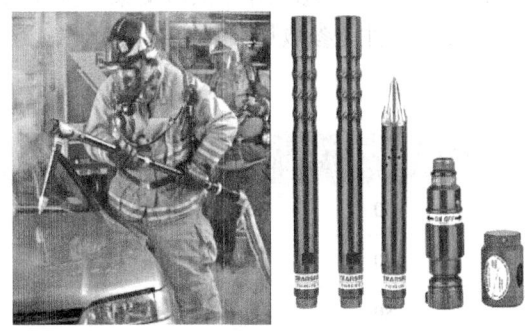

图 4-1-20 穿刺水枪

8. 水幕水枪

水幕水枪是将压力水转换成稳定持续扇形水幕的射水装置,主要用于阻止火势蔓延和有毒有害气体扩散,如图 4-1-21 所示。

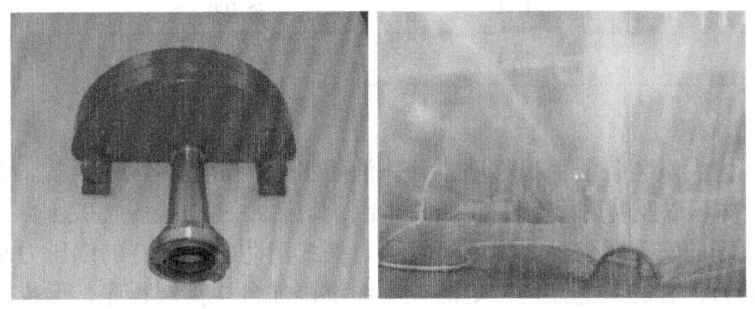

图 4-1-21 水幕水枪

(二)消防水炮

消防水炮是指水流量大于 16L/s,远距离扑灭火灾的喷射器具,一般设置在消防车顶、地面、船舶及其他消防设施上,用于扑救一般固体火灾。

1. 消防水炮的分类

消防水炮按安装移动形式不同可分为固定式和移动式两类;按控制方式不同可分为手动、电控和液控三类;按水射流形式不同分为直流水炮和直流喷雾水炮;按炮座流道不同分为双弯管消防水炮和单弯管消防水炮,如图 4-1-22 所示。

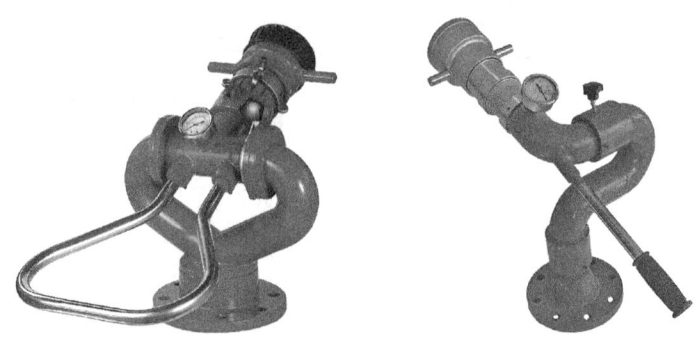

图 4-1-22 双弯管和单弯管消防水炮

消防水炮主要由底座、进水管、回转体、集水管、射流调节手柄、锁紧机构等组成。手抬移动式消防水炮的附件包括支架,拖车移动式消防水炮的主要附件为载炮拖车。消防水炮的主要技术性能参数见表 4-1-4。

表 4-1-4 消防水炮的主要技术性能参数

流量/(L/s)	工作压力上限/MPa	射程/m	流量允差(%)
60	1.2	≥70	±6
70	1.2	≥75	±6
80	1.2	≥80	±6
100	1.2	≥85	±6
120	1.2	≥90	±5
150	1.4	≥95	±5
180	1.4	≥100	±4
200	1.4	≥105	±4

2. 典型消防水炮

近年来,国内大量装备了手抬移动式分体消防水炮,如图 4-1-23 所示。手抬移动式消防水炮由于重量、体积以及喷射稳定性等条件限制,其流量一般不超过 50L/s。

根据大型火场的实际需求,我国还研发了自摆式消防水炮,有的以压力水源作为水平转动自摆机构的动力,有的对电控消防炮的控制系统添加自摆控制程序,形成电控自摆式消防水炮,如图 4-1-24 所示。

拖车移动式消防水炮由于不受体积、重量和喷射稳定性的限制,因此其流量可以远远超过手抬移动式消防水炮,最大流量可达到 300L/s 以上,如图 4-1-25 所示。

模块四 灭火器具 93

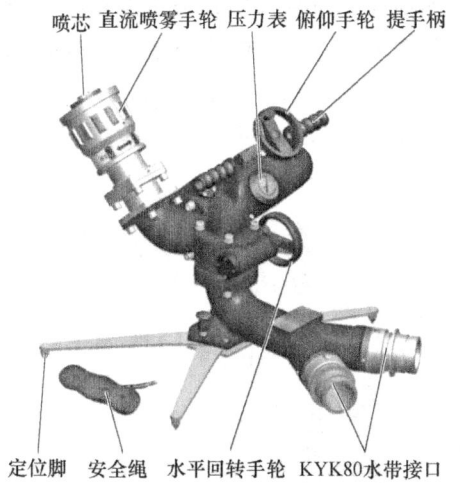

图 4-1-23 手抬移动式消防水炮

图 4-1-24 自摆式消防水炮

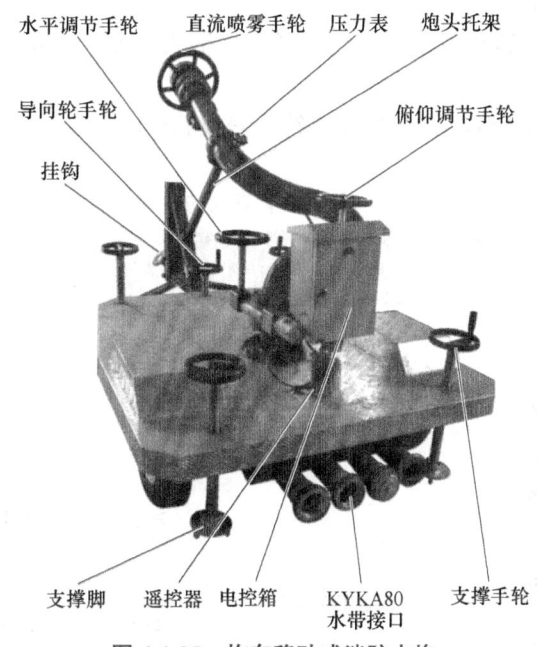

图 4-1-25 拖车移动式消防水炮

3. 消防水炮的使用与维护

（1）使用方法　启动供水设备，开启相应的管路阀门；调整消防水炮射流的水平角度、俯仰角度及直流/喷雾状态，进行灭火作业；灭火作业结束后，应冲洗消防水炮内流道，冲洗后应将系统阀门恢复至使用前的启闭状态。移动式消防水炮供水前应检查各支脚是否可靠着地，供水时应缓慢升压，条件允许时应用安全带将炮座与构筑物拴紧，以防炮体在喷射时倾翻或后移；若使用电控、电液控、电气控消防水炮，应通过操作面板控制消防水炮回转角度；使用电控、电液控、电气控消防水炮时，当电气设备失灵时，可以通过手动装置对消防水炮进行操作。车载水炮平时应水平停放，锁紧锁止机构，并按要求在炮口处加支承。冬季使用后，应及时将消防水炮内的余水排空。

（2）日常维护　保持炮体清洁，防止生锈与意外损坏；对炮座回转节定期检查和更换润滑油脂，保持炮体转动灵活；定期检查喷嘴，防止杂物堵塞；对于配有电池的电控式消防水炮，应定期检查蓄电池，电容量不足时应及时充电；对于电控式、电液控式、电气控式消防水炮，应定期检查电气线路、电液系统和电气系统，保持控制系统的正常状态；定期检查移动式消防水炮支脚着地端，使其保持尖锐状态，若磨平应及时更换。

（三）消防软管卷盘

消防软管卷盘（图4-1-26）是一种输送水、干粉、泡沫等灭火剂供一般人员自救室内初起火灾，或消防员进行灭火作业的一种消防装置，广泛用于建筑楼宇、工矿企业、消防车等场所和装备。

（1）分类　消防软管卷盘按灭火剂种类不同可分为水软管卷盘、干粉软管卷盘、泡沫软管卷盘、水和泡沫联用软管卷盘、水和干粉联用软管卷盘、干粉和泡沫联用软管卷盘等；按使用场合不同可分为车用软管卷盘和非车用软管卷盘。

图 4-1-26　消防软管卷盘

（2）组成　消防软管卷盘由输入阀门、卷盘、输入管路、支承架、摇臂、软管及喷枪等部件组成。

（3）性能要求　消防软管卷盘的性能应符合表4-1-5中的要求。

表 4-1-5　消防软管卷盘的性能要求

消防软管卷盘类别	额定工作压力/MPa	喷射性能试验时软管卷盘进口压力/MPa	射程/m	流量	备注
水软管卷盘	0.8	0.4	≥6	≥24L/min	非消防车用
	—				
	1.6				
	1.0	额定工作压力	≥12	≥120L/min	消防车用
	1.6				
	2.5				
	4.0				
干粉软管卷盘	1.6	额定工作压力	≥8	≥45kg/min	非消防车用
			≥10	≥150kg/min	消防车用
泡沫软管卷盘	0.8		≥10	≥60L/min	非消防车用
	1.6		≥12	≥120L/min	非消防车用

单元二　空气泡沫灭火器具

空气泡沫灭火器具按主要功能不同可分为空气泡沫比例混合器、空气泡沫产生器具及空气泡沫喷射器具。

一、空气泡沫比例混合器

空气泡沫比例混合器是安装在消防车水泵上或各种消防泵上的附件,能按配用的泡沫发射器具的流量,吸取6%或3%的泡沫液与水混合,供给空气泡沫产生器或空气泡沫喷射器具,产生泡沫进行灭火。

空气泡沫比例混合器按其吸取泡沫液的压力不同,可分为负压式泡沫比例混合器和压力泡沫比例混合器。其中,负压式泡沫比例混合器包括环泵式泡沫比例混合器和管线式泡沫比例混合器,压力泡沫比例混合器包括贮藏式压力泡沫比例混合器、压力输送泡沫比例混合器和平衡压力输送泡沫比例混合器。

(一)环泵式泡沫比例混合器

环泵式泡沫比例混合器是指通过管路与水泵形成环状连接的负压式比例混合装置,又称环泵式比例混合装置,混合比例一般为3%或6%。

1. 构造原理

环泵式泡沫比例混合器主要由调节手柄、指示牌、阀体、调节球阀、喷嘴、混合室和扩散管等部分组成,如图4-2-1所示。调节手柄用于调节混合液的流量;调节球阀设4~5个口径不同的孔,用以控制泡沫液的流量;阀体是球阀的外壳;指示牌用于指示混合液流量,其指针与调节球阀各档位流量相对应;喷嘴用于在混合室内产生真空度;混合室是泡沫液和水的汇合处;扩散管使混合液的动能转变为压能。

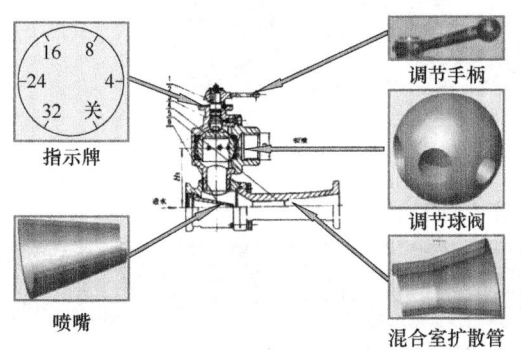

图 4-2-1 环泵式泡沫比例混合器

环泵式泡沫比例混合器的进口与消防泵出口连接,出口与水泵进水管相连,形成环形支路,如图4-2-2和图4-2-3所示。消防泵启动后,部分压力水经进水阀进入环泵式泡沫比例混合器。在比例混合器内,水流高速从喷嘴喷出形成负压,泡沫液罐中的泡沫液在大气压的作用下,经吸液管和吸液阀进入混合器的混合室与水混合,再通过消防泵进水管进入消防泵,进一步搅拌混合。经混合均匀的泡沫混合液大部分由水泵输往泡沫灭火系统,少部分返回环泵比例混合器继续泡沫液循环。在这样不断循环中,供给泡沫灭火系统所需的泡沫混合液。

2. 主要性能参数

环泵式泡沫比例混合器的主要性能参数见表4-2-1。

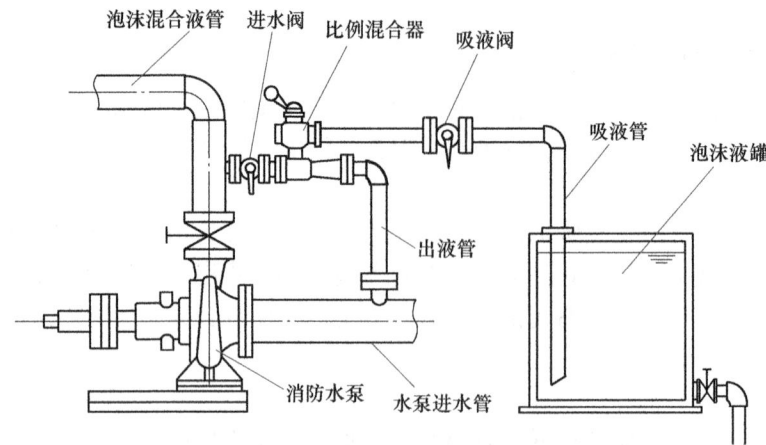

图 4-2-2　环泵式泡沫比例混合器安装示意图

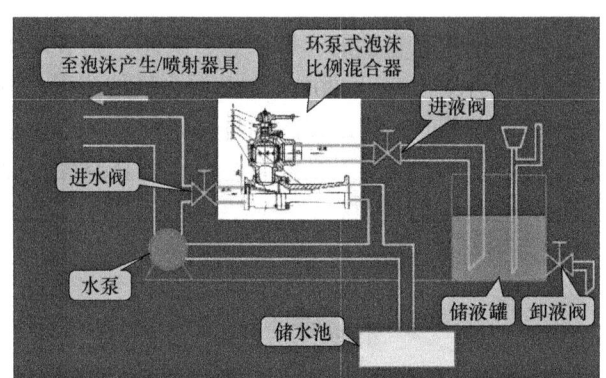

图 4-2-3　环泵式泡沫比例混合器工作原理图

表 4-2-1　环泵式泡沫比例混合器主要性能参数

项目	性能参数值								
	PH32/PH32C					PH48			
混合液流量/(L/s)	4	8	16	24	32	16	24	32	48
泡沫液流量/(L/s)	0.24	0.48	0.96	1.44	1.92	0.96	1.44	1.92	2.88
进口工作压力/MPa	0.6~1.4					0.6~1.4			
出口工作压力/MPa	0~0.05					0~0.05			

3. 使用注意事项

1）环泵式泡沫比例混合器适用于泡沫消防车及低倍数泡沫灭火系统，使用环泵式泡沫比例混合器时，消防泵必须是耐泡沫液腐蚀的消防泵。

2）当水泵压力在 0.6~1.2MPa 之间时，打开环泵式泡沫比例混合器进水阀，则开始吸液。如过早打开进水阀，会影响消防泵吸水。水泵进水管压力不得超过 0.05MPa，否则压力水会倒流入混合器，使混合室内无法产生真空，破坏吸液。

3）比例混合器的吸液高度不得超过 1.5m。

4）比例混合器的参数按吸入 6% 型泡沫液标定；如使用 3% 型泡沫液，应适当调节比例混合器示数。如使用 6% 型泡沫液供应两支 QP8 泡沫枪时，比例混合器的示数应调至 16；改用 3% 泡沫液时，则示数调至 8。环泵式泡沫比例混合器适用于低倍数泡沫灭火系统。

5）工作结束停泵前，应先关闭吸液阀，消防泵继续运转几分钟，将比例混合器内部及管路中的泡沫液和泡沫混合液冲洗干净后再停泵。

（二）管线式泡沫比例混合器

管线式泡沫比例混合器是指安装在消防泵与泡沫喷射器具之间的供水线路中，将水与泡沫液按规定比例进行混合的负压式泡沫比例混合器。

1. 构造原理

管线式泡沫比例混合器主要由混合器本体、喷嘴、扩散管、调节阀芯、过滤器等部件组成，如图 4-2-4 所示。

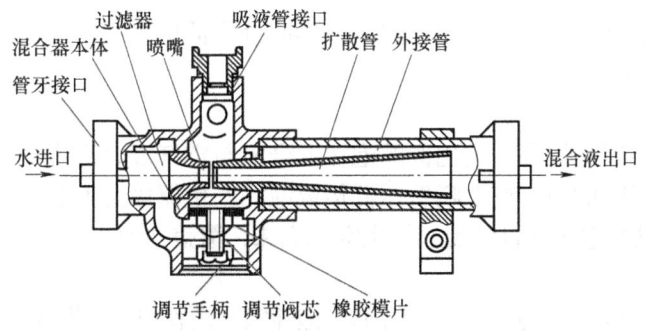

图 4-2-4 管线式泡沫比例混合器

管线式泡沫比例混合器入口与出口通过水带分别与水泵出口及空气泡沫产生器相连，其工作原理与环泵式泡沫比例混合器相同。与环泵式泡沫比例混合器相比，管线式泡沫比例混合器结构简单，流量较小，大多安装在消防车出水口处，与水带及泡沫液桶连接使用。

2. 主要性能参数

管线式泡沫比例混合器的主要性能参数见表 4-2-2 和表 4-2-3。

表 4-2-2　PHF 系列管线式泡沫比例混合器的主要性能参数

型号	进口工作压力 /MPa	混合液流量 /(L/s)	混合比（%）	配用空气泡沫产生器举例
PHF3	0.6~1.2	3	3 或 6	配用一台 PFS3 型高倍数泡沫产生器
PHF4	0.6~1.2	3.75	3 或 6	配用一台 PFT4 或 PFS4 型高倍数泡沫产生器
PHF8	0.6~1.2	7.5	3 或 6	配用两台 PFT4 或 PFS4 型高倍数泡沫产生器
PHF16	0.6~1.2	15	3 或 6	配用四台 PFT4 或 PFS4 型高倍数泡沫产生器

表 4-2-3　PHX 系列管线式泡沫比例混合器的主要性能参数

型号	进口工作压力 /MPa	混合液流量 /（L/min）	混合比（%）
PHX4/50	0.8~1.2	400	3 或 6
PHX8/50	0.8~1.2	800	3 或 6

3. 使用注意事项

管线式泡沫比例混合器的工作压力较低，其值约为进口压力的三分之一，故推荐使用衬里水带。管线式泡沫比例混合器应水平安装，其吸液高度不得大于 1m。管线式泡沫比例混合器用于高倍数泡沫灭火系统时，混合器与高倍数泡沫产生器的安装距离不应大于 40m。

二、空气泡沫产生器具

空气泡沫产生器具按适用泡沫的发泡倍数不同分为低倍数泡沫产生器、中倍数泡沫产生器和高倍数泡沫产生器。

（一）低倍数泡沫产生器

低倍数泡沫产生器是指将一定比例的泡沫混合液与空气混合产生低倍数泡沫的装置，分为液上喷射型和液下喷射型。液上喷射型低倍数泡沫产生器固定安装在油罐上方，由泡沫消防车或固定消防泵供给泡沫混合液流，产生空气泡沫，覆盖油面进行灭火。

1. 构造原理

液上喷射型低倍数泡沫产生器主要由立管、泡沫室、横管和导向板等组成，如图 4-2-5 所示。当泡沫混合液通过产生器喷嘴时，形成扩散雾化射流，在其周围产生负压，从而吸入大量空气形成空气泡沫。空气泡沫通过泡沫喷管和导板输入贮罐内，沿罐壁淌下，覆盖在燃烧的油面上。

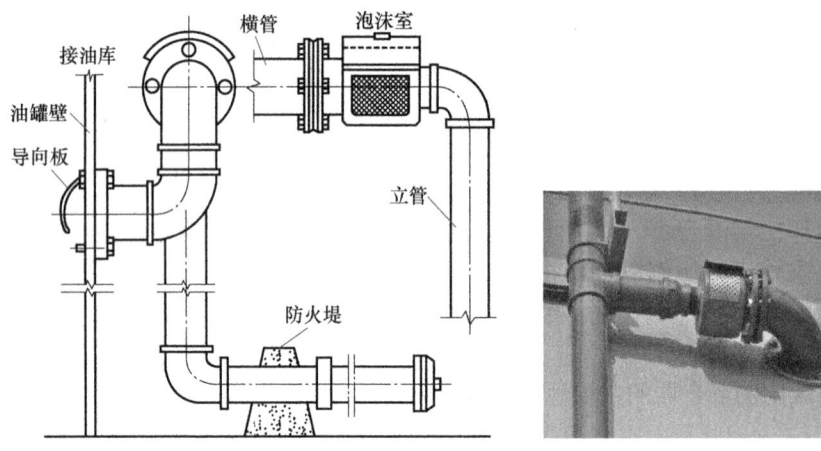

图 4-2-5　液上喷射型低倍数泡沫产生器

2. 主要性能参数

液上喷射型低倍数泡沫产生器的主要性能参数见表 4-2-4。

表 4-2-4　液上喷射型低倍数泡沫产生器的主要性能参数

型号	工作压力 /MPa	混合液流量 /（L/s）	混合比（%）
PC4	0.5	25	3 或 6
PC8	0.5	50	3 或 6

(续)

型号	工作压力 /MPa	混合液流量 /（L/s）	混合比（%）
PC16	0.5	100	3 或 6
PC24	0.5	150	3 或 6

3. 使用注意事项

为防止油罐内易燃液体蒸汽外漏，产生器壳体出口端必须安装密封玻璃，该玻璃有一面刻有易碎刻痕，如图 4-2-6 所示，当混合液流压力在 0.1~0.2MPa 时即能冲碎，易碎刻痕应朝泡沫出口方向安装。

液下喷射型低倍数泡沫产生器（图 4-2-7）安装于油罐底部，当有压力泡沫混合液流通过喷嘴高速射出时，由于射流质点的横向紊动作用，将混合室内的空气带走形成真空区，这时空气由进气口进入混合室。空气与混合液通过混合管混合形成细微泡沫，当它通过扩散管时，由于扩散管的逐步扩大而使流速不断下降，部分动能转变为压能，压力逐渐上升，流出扩散管后，形成具有较高背压的空气泡沫，以克服管道阻力和油层静压而浮出油面灭火。

图 4-2-6 密封玻璃

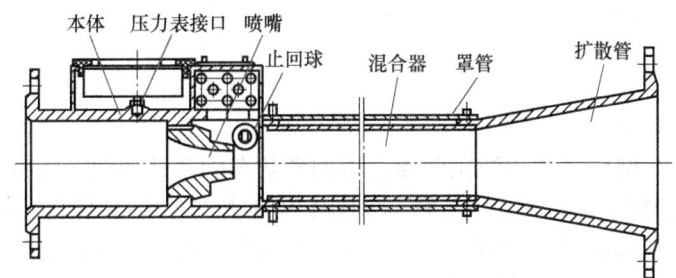

图 4-2-7 液下喷射型低倍数泡沫产生器

（二）中倍数泡沫产生器

中倍数泡沫产生器是指将一定比例的泡沫混合液与空气混合产生中倍数泡沫的装置。中倍数泡沫产生器产生的泡沫具有流动性能好、产生量大、覆盖火源快等特点，适用于扑救油类火灾和一般固体物质火灾，特别适用于扑救中小仓库、汽车库、飞机库等有限空间火灾，对于液化石油气、天然气以及有机溶液的流淌事故和水溶性液体火灾也有较好的抑制作用。

1. 构造原理

国产中倍数泡沫产生器主要是手提式，可与泡沫消防车、水罐消防车和手抬机动消防泵辅以管线式泡沫比例混合器配套使用。手提式中倍数泡沫产生器的结构如图 4-2-8 所示。

当具有压力的泡沫混合液通过喷嘴时，在喷嘴附近形成负压，空气被吸入，与混合液较均匀地喷洒在金属发泡网上，从而产生中倍数

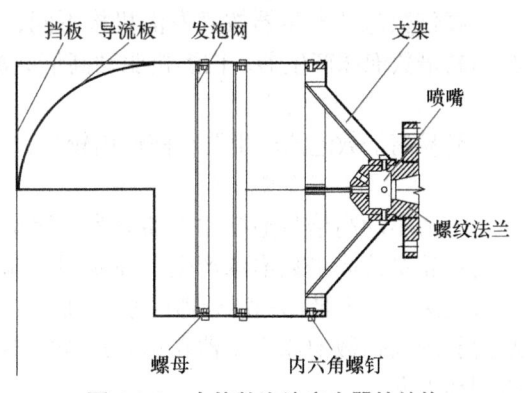

图 4-2-8 中倍数泡沫产生器的结构

泡沫喷射出去,如图 4-2-9 所示。

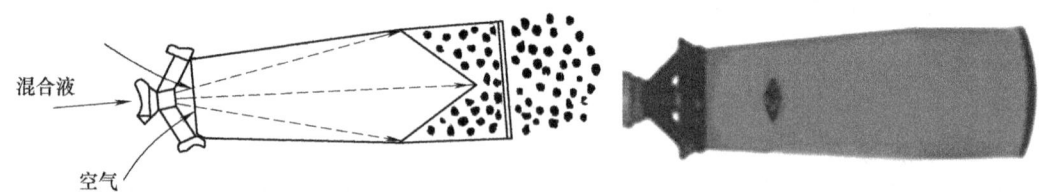

图 4-2-9　中倍数泡沫器原理及实物图

2. 主要性能参数

手提式中倍数泡沫产生器的主要性能参数见表 4-2-5。

表 4-2-5　手提式中倍数泡沫产生器的主要性能参数

型号	工作压力/MPa	混合液流量/(L/min)	发泡量/(m³/min)	发泡倍数	射程/m
PZ2	0.25	200	6~7	30~40	6~7
PZ3	0.3	180	—	20~40	—
PZ4	0.6	250	13~25	80~100	8~10
PZ5	0.6	330	5.5~11.5	20~35	10~20
PZ6	0.7	360	20~40	—	—

3. 使用注意事项

1）应使用规定的泡沫液。

2）与装有 PH32 型环泵式泡沫比例混合器的消防车配套使用时,应将混合器的指针拨到所需的位置上。当使用手抬机动泵时,需与 PHF4 型管线式泡沫比例混合器配合使用。

3）使用产生器应选择适当位置,以防止烟气流入产生器,影响发泡性能。

4）扑救醇、醚、酯类等水溶性可燃液体火灾时,泡沫供给强度应足够大。

（三）高倍数泡沫产生器

高倍数泡沫产生器是指将一定比例的泡沫混合液与空气混合产生高倍数泡沫的装置。高倍数泡沫产生器可在短时间内产生大量泡沫,迅速输送到火场,在很短时间内就可控制和扑救一般固体物质火灾和油类火灾,特别适用于有限空间大面积火灾扑救或排烟工作。

高倍数泡沫产生器按其发泡机构不同,大致可分为四类：简易高倍数泡沫产生器、水力驱动高倍数泡沫产生器、内燃机驱动高倍数泡沫产生器、电动机驱动高倍数泡沫产生器。

1. 简易高倍数泡沫产生器

简易高倍数泡沫产生器目前使用较少,一般是在喷雾直流水枪的基础上改装的。

2. 水力驱动高倍数泡沫产生器

水力驱动高倍数泡沫发生器分为带比例混合器和不带比例混合器两种形式。带比例混合器的水轮机式高倍数泡沫产生器在使用时应向进水管供应压力水,并用吸液管从泡沫液桶中吸取泡沫液。不带比例混合器的水轮机式高倍数泡沫产生器在使用时应向进水管供应混合液。水力驱动高倍数泡沫产生器在运转过程中不会产生电火花或火星,适用于对易燃易爆场所的排烟和灭火。

PFS 系列高倍数泡沫产生器为水轮机式,体积小、重量轻,可作为移动式灭火设备,也可用在固定灭火系统中。PFS 系列高倍数泡沫产生器主要由喷嘴、涡流式微型水轮机、叶轮、金属发泡网、圆形或方形筒体等组成,如图 4-2-10 所示。

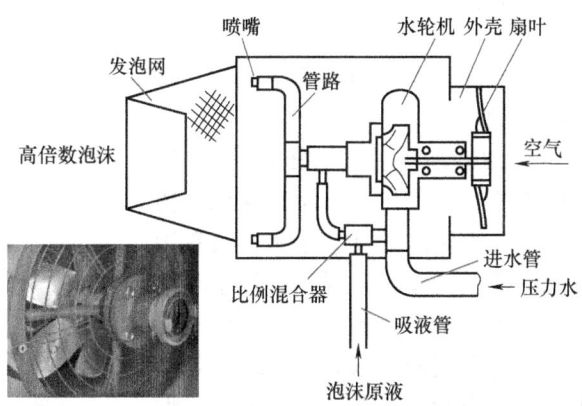

图 4-2-10　PFS 系列高倍数泡沫产生器实物及原理图

当压力水从进水管流入,经管路一部分输送入水轮机,驱动安装在主轴上的水轮机旋转,由水轮机同轴安装的风扇叶轮同时转动,产生气流。另一部分进入比例混合器,在混合器水喷嘴处的水流速度急剧增大,使真空室形成真空。高倍数泡沫液由吸液管引入比例混合器的真空室并与水混合,进入管道,送至混合液喷嘴,再以雾状喷向发泡网,在发泡网表面形成一层液体薄膜,在运动气流的作用下穿过发泡网小孔,混入空气,形成大量泡沫。

3. 电动机驱动高倍数泡沫产生器

电动机驱动高倍数泡沫产生器的气流来自电动机驱动旋转的风扇叶轮,该泡沫产生器一般固定安装在大型飞机库、飞机检修库、大型仓库及地下设施等场所。

4. 内燃机驱动高倍数泡沫产生器

风扇动力来自内燃机的高倍数泡沫产生器即为内燃机驱动高倍数泡沫产生器。这种泡沫产生器不适用于易燃易爆场所。

常用高倍数泡沫产生器的主要性能参数见表 4-2-6。

表 4-2-6　常用高倍数泡沫产生器的主要性能参数

型号	进口压力 /MPa	混合液流量 /(L/min)	发泡量 /(m³/min)	发泡倍数	质量 /kg
JG-70	—	200~450	200~400	700~900	127
PFS3	0.3~1.0	100~230	40~100	350~650	40
PFS4	0.3~1.0	130~300	100~200	650~900	80
PFS10	0.3~1.0	350~760	180~400	400~700	340
PFS20	0.2	1350~1500	800~1000	600~1000	270
BGD400·200	—	200~400	200~400	700~900	127
BGP-200	0.12~0.25	160~220	160~220	800	270

三、空气泡沫喷射器具

空气泡沫喷射器具主要有泡沫枪、泡沫炮和泡沫钩管。

(一)泡沫枪

泡沫枪是产生和喷射空气泡沫的器具。泡沫枪按是否自带吸液,可分为自吸液泡沫枪和非自吸液泡沫枪。泡沫枪按使用场所不同，可分为陆用和船用两种形式。陆用泡沫枪由铝合金制造，为手提式；船用泡沫枪由铜合金制造，有手提式和背负式。

1. 自吸液泡沫枪

（1）构造原理　自吸液泡沫枪主要由喷嘴、枪筒、吸管、枪体和启闭柄等组成，如图 4-2-11 所示。

启闭柄用于开启或关闭泡沫液流，当启闭柄开启时，可利用混合液制取并喷射泡沫；手轮用来控制泡沫枪射流方向；枪筒用于调节空气泡沫膨胀时的动态平衡；吸管用于吸取泡沫液；枪体是泡沫枪的支座；管牙接口用于与水带连接。当压力水进入枪体通过第一孔洞时，在枪体和喷嘴构成的空间形成负压，而这个空间与吸管相连，于是空气泡沫液便沿着吸管进入这个空间，并与压力水混合，形成混合液。当混合液通过第二孔洞时，再次形成负压，从而由外界吸入大量空气，与混合液混合，产生空气泡沫并从枪筒喷射出去。

图 4-2-11　自吸液泡沫枪

（2）主要性能参数　泡沫枪的主要性能参数见表 4-2-7。

表 4-2-7　泡沫枪的主要性能参数

型号	工作压力 /MPa	泡沫液流量 /（L/s）	混合液流量 /（L/s）	配用泡沫液类型	射程 /m
QP4	0.7	0.24	4	3%型或6%型	24
QP8	0.7	0.48	8	3%型或6%型	28
QP16	0.7	0.96	16	3%型或6%型	32
QP8·C	0.3	0.48	8	3%型或6%型	15
QP8A·C	0.5	0.48	8	3%型或6%型	22
QPB1·C	0.5	0.03	1	3%型	10
QPB8·C	0.5	0.24	8	3%型	22

（3）使用注意事项　采用吸管吸取空气泡沫时，应先安装好吸管，并检查密封性能是否良好，然后将一端插入泡沫液桶中。当供水正常后，扳动启闭柄，使启闭开关开启，射流即喷出。需要停止喷射时，扳动启闭柄至关闭位置即可。喷射时应顺风方向喷射。

2. 非自吸液泡沫枪

非自吸液泡沫枪的结构与自吸液泡沫枪大致相似，不同之处在于，非自吸液泡沫枪的枪筒内只有一个喷嘴，且没有自吸管，如图 4-2-12 所示。非自吸液泡沫枪应供给泡沫混合液。目前国产非自吸液泡沫枪只有 QP8·C 和 QP8A·C 两种型号。

（二）泡沫炮

图 4-2-12　非自吸液泡沫枪

泡沫炮是产生和喷射空气泡沫的消防炮，泡沫混合液流量在 24L/s 以上。泡沫炮一般分为普通泡沫炮、泡沫—水两用炮、泡沫—水组合炮、泡沫—干粉组合炮。

1. 构造原理

以泡沫—水两用炮为例，如图 4-2-13 所示，泡沫炮主要由快装发泡管、进气口、水炮、进液管和扩散控制器等组成。炮口处装有可调节开合的鸭嘴形扩散控制器，闭合扩散器用来改变空气泡沫流的喷射形状，可将充实状的泡沫射流转变为扇形喷射射流，适用于机场跑道、机库和有关区域等需快速、大面积泡沫喷洒的场合。快装发泡管是吸取空气并使其与混合液混合产生空气泡沫的部件。

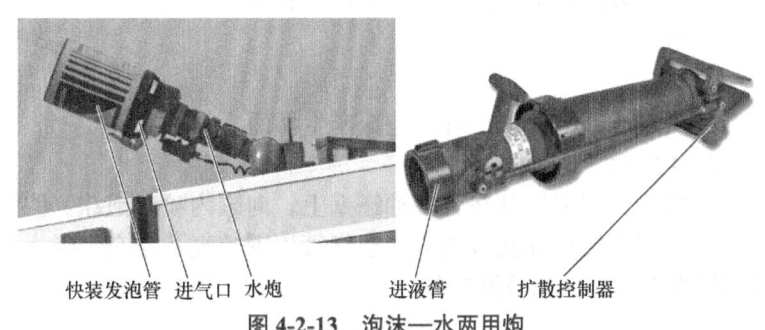

图 4-2-13　泡沫—水两用炮

2. 主要性能参数

泡沫炮的主要性能参数见表 4-2-8。

表 4-2-8　泡沫炮的主要性能参数

型号	额定工作压力 /MPa	喷射流量 /(L/s)		射程 /m		仰角（°）	俯角（°）
		混合液	水	泡沫	水		
PP24	≤ 0.9	24	40	>40	>50	0~50	0~30
PP24·C	≤ 0.5	24	24	>32	>32	0~70	0~60
PP32·C	≤ 0.7	32	—	>40	—	0~45	0~30
PP32A	≤ 0.8	32	40	>45	>50	0~50	0~30
PP32A·C	≤ 0.7	32	—	>40	—	0~70	0~60
PP35·C	≤ 0.4	35	—	>38	—	0~70	0~60
PP40·C	≤ 0.7	40	—	>45	—	0~70	0~60
PP40A·C	≤ 0.8	40	—	>45	>50	0~50	0~30
PP48B	≤ 1.0	48	50	>55	>60	0~45	0~60
PP50·C	≤ 0.5	50	—	>43	—	0~70	0~60
PPD40	≤ 1.0	40	—	>45	>50	0~70	0~15
PPD48·C	≤ 1.0	48	—	>50	—	0~30	0~55
PPD64·I	≤ 1.0	64	—	>60	>65	0~70	0~10
PPY24	≤ 0.8	24	—	>40	>40	—	—
PPY32	≤ 0.8	32	—	>45	>45	—	—
PPY32A	≤ 1.0	32	—	>45	—	—	—
PPY48	≤ 0.8	48	—	>50	—	—	—

3. 使用注意事项

为了确保射程，泡沫炮应顺风喷射。在扑救地面油库（油池）火灾时，应将泡沫射向池边，使泡沫从池边逐步覆盖燃烧液面。泡沫炮应经常保持清洁，喷射泡沫后应用清水冲洗，然后放尽炮筒内的积水。泡沫炮各部件应保持完好。如果发现紧固件松动，发泡网堵塞或变形，则应及时修复。

（三）泡沫钩管

泡沫钩管是一种移动式泡沫灭火设备，用来产生和喷射泡沫，扑救油罐火灾。

1. 构造原理

泡沫钩管用薄钢板制成，由弯形喷管和泡沫产生器两部分组成，如图 4-2-14 所示。

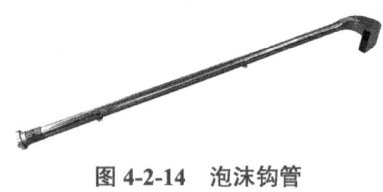

图 4-2-14　泡沫钩管

钩管上端为弯形喷管，用来钩挂在着火油罐壁上，向罐内喷射泡沫。钩管下端为空气泡沫产生器，由空气管、管牙接口和孔板组成。空气管周围的气孔是空气吸入孔，管牙接口用来连接水带，孔板用来控制流量和液流扩散。

2. 主要性能参数

泡沫钩管的性能参数见表 4-2-9。

表 4-2-9　泡沫钩管的性能参数

型号	标定工作压力 /MPa	混合液流量 /（L/s）	发泡倍数	进口管牙接口规格 /mm	质量 /kg
PG16	0.5	16	≥6	65	14
PG16A	0.5	16	≥6	65	17

3. 使用注意事项

1）泡沫钩管必须直接使用泡沫混合液（图 4-2-15），配制的混合液应为 3% 或 6% 普通蛋白泡沫液。

2）扑救高度超过 5m 的油罐时，应将泡沫钩管拴在消防拉梯上，并借助拉梯将钩管升高到罐口后挂在罐壁上。

3）使用 6% 型泡沫液时，比例混合器示数应调至 16；使用 3% 型泡沫液时，比例混合器示数应调至 8。

4）待弯形喷管喷射泡沫时，再将泡沫钩管挂在罐壁上。

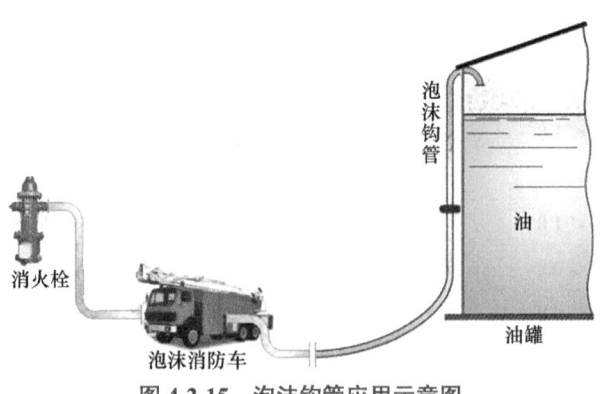

图 4-2-15　泡沫钩管应用示意图

单元三 消防梯

一、单杠梯

单杠梯是一种轻便的登高工具,如图 4-3-1 所示,主要用于攀登高度在 3m 以下的建筑窗口和屋顶,也可作为跨越沟渠的过桥或作为担架抬送伤员、物资等。

单杠梯有 TD 型木质单杠梯、TDZ 型竹质单杠梯和 TDL 型铝合金单杠梯三种。常见的竹质单杠梯梯体采用平行四边形结构,梯蹬采用活动铰接式,使梯子可以缩合,便于携带和安放。单杠梯侧板两端包有铁皮,用于保护梯端不致损坏,还可用来撞击某些建筑结构。

二、挂钩梯

挂钩梯是利用挂钩固定在窗口、阳台或其他缝隙上攀登到一定高度进行消防作业的登高装备,如图 4-3-2 所示。

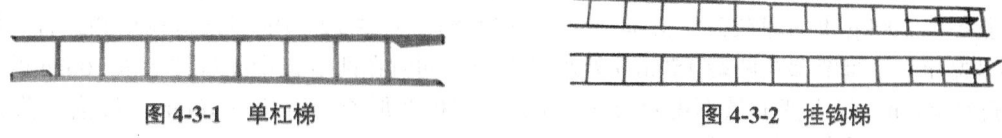

图 4-3-1　单杠梯　　　　　　　　图 4-3-2　挂钩梯

挂钩梯有 TG 型木质挂钩梯、TGZ 型竹质挂钩梯和 TGL 型铝合金挂钩梯 3 种。挂钩梯一般由 2 个侧板、12 个梯蹬和 1 个钢质挂钩组成。侧板与梯蹬紧密配合,并在间隔一个梯蹬的两端安装夹紧螺栓,以防松动。挂钩与梯体呈直角,带有锯齿形,用托架固定在梯子顶端第一梯蹬与第三梯蹬中间,并以铆钉紧固。

三、拉梯

拉梯又称为伸缩梯,常用的有二节拉梯和三节拉梯两种,如图 4-3-3 所示。

二节拉梯有 TE 型木质拉梯、TEZ 型竹质拉梯和 TEL 型铝合金拉梯三种,其结构主要由上节梯、下节梯、拉绳、滑轮、制动撑脚等组成。

三节拉梯有 TS 型木质拉梯、TSZ 型竹质拉梯和 TSL 型铝合金拉梯三种,其结构主要由上节梯、中节梯、下节梯、升降装置、撑脚等组成。

图 4-3-3　二节拉梯和三节拉梯

使用二节拉梯时,应先将梯身直立竖起,用力拉动绳子,使上节梯逐步升起;当到达需要高度时迅速松开拉绳,制动撑脚在重力作用下自动卡在下节梯的某一梯蹬上,这时使梯子顶端靠墙即可攀登。降落时再拉动绳子,使制动撑脚离开梯蹬,即可缓慢下滑缩拢,此时不可突然放绳子,以免重新自锁制动。

使用三节拉梯时由一人将梯子立起,另外一人拉动铁链,梯子即可逐渐升高,并通过停止轴将拉梯固定在需要的高度上。降落时，拉动铁链，使停止轴离开梯蹬，然后放松铁链，梯子缩合。

消防梯在使用时，单杠梯、拉梯应与地平线成75°角斜靠在墙上攀登，不宜以很小的角度或水平状态使用，挂钩梯宜竖直挂牢使用，不宜斜靠墙或以水平状态使用。

四、消防梯的维护保养

消防梯应经常保持清洁、拉动灵活，各部件紧固可靠，保证完整好用。消防梯自身较重，用后放平存放，不宜倾斜立放，以免日久变形；消防梯金属部分要涂抹机油，以防生锈；活动部分要加注润滑油，保证滑动良好。

为确保使用安全，每年或每次修理后，应检查消防梯的强度和弹性。

（1）单杠梯　将梯子展开，立于地上靠墙与地面成75°角。在任一梯蹬中间挂上重120kg的静载荷持续2min，取下载荷后各部分不应有残余变形。

（2）挂钩梯　用大齿将梯子挂起，在下端第二梯蹬中间挂上160kg静载荷持续2min，卸去载荷2min后再检查，各部件不允许有残余变形。然后用挂钩根部的二齿将梯子挂起，在一个未加固的梯蹬中间挂上重200kg的静载荷持续2min，取下载荷后，梯子各部位不应有残余变形。

（3）拉梯　将梯子拉到额定高度，与地面成75°角斜靠在墙上，在每节梯中间没有加强的梯蹬上各挂100kg重的静载荷，持续2min，卸掉载荷后，梯子应能灵活地拉出和缩合。然后将拉梯脱开，将每节梯距两端150mm处水平支起，同时在两端板中间各挂上重100kg的静载荷，持续2min，最大变形量不得超过50mm，两侧板变形差不得超过10mm。卸去载荷2min后再测量，侧板最大残余变形不应超过5mm。

【思考题】

1. 简述消防接口的分类。
2. 简述消防水枪的分类及工作原理。
3. 简述消防水炮的分类、操作使用及维护保养。
4. 简述环泵式泡沫比例混合器的工作原理及使用注意事项。
5. 简述泡沫枪及泡沫钩管的工作原理。

模块五

>>> 抢险救援器材

单元一 侦检器材

一、雷达生命探测仪

雷达生命探测仪（图 5-1-1）主要由雷达主机和显示控制终端组成，采用生物雷达技术，利用躯干肢体运动或心肺活动引起雷达回波的相位变化提取生命特征信号，进而分析判断在倒塌建筑废墟等障碍物内部是否具有生命体。

（一）工作原理

雷达生命探测仪是一种主动式的生命探测仪，通过雷达主机向外发射一定频率的连续电磁波信号，对一定空间进行连续扫描。当连续电磁波碰到障碍物时，一部分被反射回来，

图 5-1-1 雷达生命探测仪

另外一部分则穿过障碍物继续向前传播。如果碰到的障碍物绝对静止，返回的电磁波信号不会发生变化，而一旦遇到处于运动状态的目标，如人体生命活动所引起的呼吸、心跳等各种微动，反射回的电磁波信号会根据运动的速度产生一定的频移，通过对有频移的信号进行过滤和检测，判断有无生命体的存在，如图 5-1-2 所示。

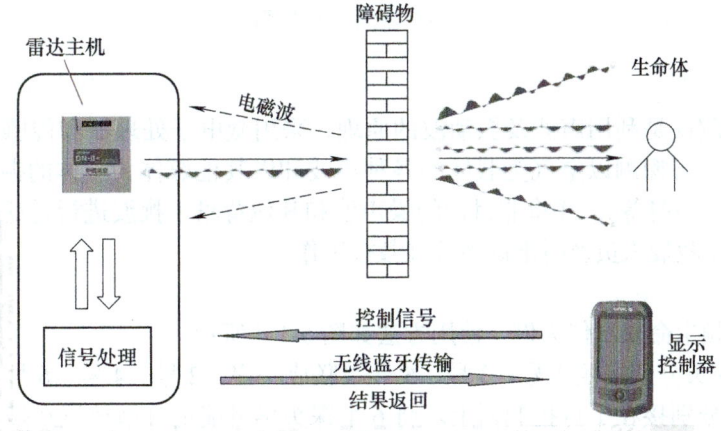

图 5-1-2 雷达生命探测仪工作原理图

（二）使用方法

1）开箱操作：打开主机电池盖，将电池放入主机，盖好电池盖，打开主机电源。

2）仪器摆放：选择合适位置放置雷达生命探测仪，将探测面（探测仪底部）正对需要探测的区域。

3）打开显示控制器（PAD 终端），与主机连接，手持显示控制器距离雷达主机至少 10m 以外，且区域范围内不能有其他人员干扰。

4）点开显示控制器上的雷达终端，进入系统，设定探测参数，开始检测。

（三）注意事项

1）高压线、日光灯、水、大面积金属物体会对探测产生干扰。

2）探测区域除了有生命体征的人外，其他生命体和运动物体会影响探测精度。

3）应根据具体环境选择对应的探测模式，正确摆放雷达主机，以提高探测效果。

4）操作者距离雷达主机应尽量大于雷达探测的极限距离。

5）判断目标的大概位置，控制雷达"终止距离"，以提高雷达的灵敏度。

6）关闭时，应先正常退出雷达生命探测软件，再关闭雷达主机电源。

7）每次设备使用完毕，应及时给雷达主机电池和显示控制器充电。

8）雷达主机长时间不使用时，应将电池取出。

9）应保持雷达主机外观整洁干净，并置于专用设备箱中，放在干燥通风的环境中。

二、音频生命探测仪

音频生命探测仪（图 5-1-3）主要用于对被困在土壤、岩石结构或混凝土建筑物中被困者的探测和搜寻。音频生命探测仪由显示屏、传感器、电缆线、耳机、话筒、电源等组成。

图 5-1-3　音频生命探测仪

（一）工作原理

音频生命探测仪是利用声波及振动波的原理，采用微电子处理器和传感器，进行全方位的振动信息搜集，可探测以空气为载体的各种声波和以其他媒体为载体的振动（如被困者呻吟、呼喊、爬动、敲打等），并将非目标的噪声波和其他背景干扰波进行过滤，从而发现幸存者被困方位，便于救援人员及时准确地开展救援工作。

（二）使用方法

以某型号音频生命探测仪为例，使用方法如图 5-1-4 所示。

1）将 6 个探头分别按照 1 号、3 号、5 号串联成一串，2 号、4 号、6 号串联成一串，然后将这两条线路分别接在手持控制器上。将 6 个探头尽可能地分散放置在搜救区域，不能悬空摆放。

2）观察手持控制器屏幕显示的跳动信号的强弱程度，调整左右耳监听通道设置，通过耳机监听搜救区域音频信号，初步判断是否存在被困人员于所监听的搜救区域内。

3）初步判断搜救区域内某一探头附近可能存在被困人员之后，移动相邻探头到该位置附近，通过观察手持终端屏幕显示，调整左右耳监听通道设置，通过耳机监听，进一步确定被困人员的准确位置。

4）连接语音通话探头至手持终端，通过覆盖物缝隙将探头送至被困人员的空间。搜救人员与被困人员取得语音通话联系，等待进一步的救援。

a）按顺序连线，放置探头　　　　b）初步判断区域内是否存在受困人员

 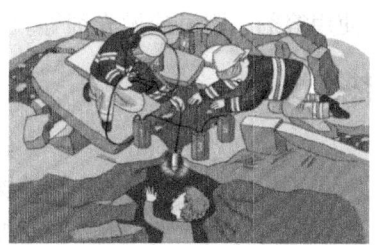

c）进一步确定被困人员的位置　　　d）与被困人员通话，进一步救援

图 5-1-4　音频生命探测仪使用方法示意图

（三）注意事项

传感器要按序号排列，不要放得太近，音频探头应保持 1m 以上距离。救援现场应尽量保持安静。

三、视频生命探测仪

视频生命探测仪（图 5-1-5）主要由显示屏、探测摄像头、电缆线、耳机、话筒、照明灯和电源等组成。视频生命探测仪适用于在能见度不良、具有一定间隙的条件下对被困者的搜寻，也是唯一可以发现遇难者的探测仪。

（一）工作原理

视频生命探测仪是把物体发射或反射的光辐射转换成电信号，经信号处理再现物体的图像，达到搜救的目的。将探测摄像头伸入灾害现场细小缝隙，可以直观发现被困者，并能把记录下来的影像显示在探测仪的显示屏上。

（二）使用方法

以某型号视频生命探测仪为例，其操作使用方法为：将电池装入电源卡槽内，将摄像头安装在操作手柄顶端。按下电源开关，清除障碍，将探测摄像头深入到倒塌建筑内部搜寻被困者，操作者通过显示器观察内部情况，并与被困者进行通话。

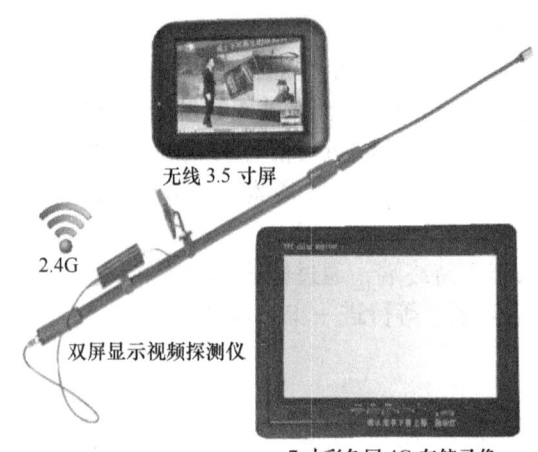

图 5-1-5　视频生命探测仪

（三）注意事项

使用中要轻拿轻放，严防摔坏、挤压，注意防水、防腐蚀、防高温。探测时应打开探测摄像头照明灯。探测过程中要注意保护探测摄像头的透镜，以免划伤。使用柔软的湿布擦拭仪器外壳，禁止使用溶剂、肥皂或抛光剂等。电池长期不用一定要定期放电充电。

四、红外热像仪

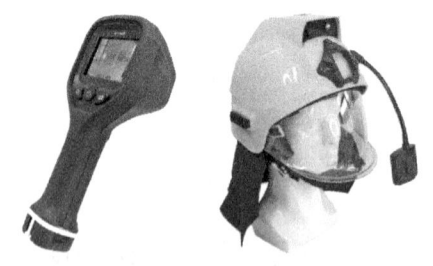

图 5-1-6　红外热像仪

红外热像仪（图 5-1-6）是通过红外光学系统、红外探测器及电子处理系统，将物体表面红外辐射转换成可分辨图像信号的设备。红外热像仪主要用于火情侦察、人员搜救、辅助灭火和火场清理等，特别适用于协助消防员在浓烟、黑暗、高温等环境下进行灭火救援作业。

（一）工作原理

所有温度超过绝对零度的物体都会辐射红外线。当红外热像仪对准一个目标时，仪器的光学镜头会把红外线能量积聚在红外探测器上，探测器产生一个相应的电压信号，这个信号与接收的能量成正比，也与目标温度成正比。通过对电压信号进行放大、转换等处理，在监视器上可以看到与周围环境存在温度梯度且温度较高物体的轮廓。

消防用红外热像仪

（二）注意事项

1）操作中严禁将红外热像仪与其他东西碰撞，注意防水、防腐蚀、防高温。

2）仪器较长时间不用时，应将电池取出，以免电池液泄漏。

3）避免长时间直接观测燃烧或熔化的金属、熔化的玻璃、高压电弧和太阳等目标。

4）禁止使用易磨损的布料或任何有机溶剂对仪器进行清洗。

5）禁止使用高压水蒸气对仪器进行清洗，电池外壳或电池接触面上受侵蚀或难以清除的污渍可以使用橡皮擦进行擦除。

五、可燃气体检测仪

可燃气体检测仪（图 5-1-7）是一种可对单一或多种可燃气体浓度进行检测的便携式检测仪器。当环境中可燃气体浓度达到设定的阈值时，可燃气体检测仪会发出声、光、震动等报警信号，提醒有关人员及时采取有效预防措施。

（一）工作原理

按传感器工作原理的不同，可燃气体检测仪可分为催化燃烧式、电化学式、光学式和半导体式四种，目前常用的可燃气体探测仪是催化燃烧式。

催化燃烧式传感器是用直径 50~60μm 的高纯度铂丝（99.99%）绕制成直径为 0.5mm 的线圈，在线圈外面含有氧化铝和氧化硅组成的涂覆层载体，载体上有铂、钯等金属，形成检测元件，如图 5-1-8a 所示。催化燃烧式可燃气体检测仪的电路是由两只固定电阻（R_1 和 R_2）以及检测元件 F_1 和参照元件 F_2 构成的惠斯通检测桥路，如图 5-1-8b 所示。当可燃气体扩散到检测元件 F_1 上时，检测元件表面受催化剂的作用被氧化而产生反应热，使铂丝线圈温度上升，电阻值增大，电桥 A、B 之间输出一个变化的电压信号。电压信号的大小与可燃气体浓度成正比，从而通过测定检测电路中的电桥电压可测定出可燃气体的浓度。

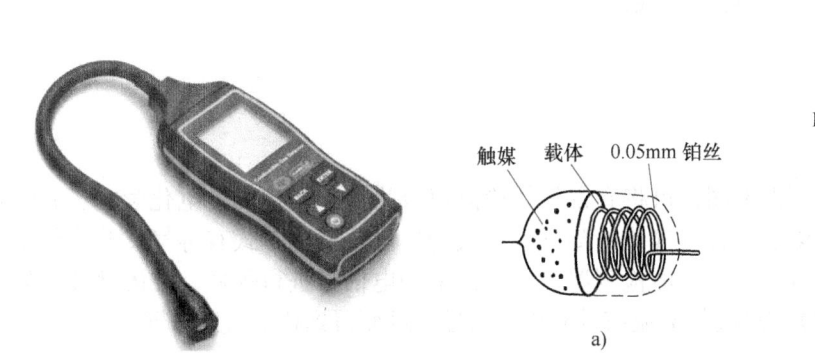

图 5-1-7 可燃气体检测仪　　图 5-1-8 催化燃烧式传感器结构原理图

（二）使用方法

携可燃气体检测仪和警戒器材进入可燃气体泄漏区域内，手持可燃气体检测仪，将探头朝外，从气体泄漏的上风向开始向中心泄漏点检测。当可燃气体检测仪报警时，做好记录并设定标记，逐点检测，确定危险区域的边界。

（三）注意事项

1）进入现场前要严格做好个人安全防护。

2）使用过程应轻拿轻放，避免剧烈振动，以免损坏仪器元件。

3）每天应清洁仪器表面。传感器窗口应保持畅通，严防堵塞。若堵塞传感器窗口，会造成检测结果漂移。

4）必须保证仪器在电量充足的条件下使用。为保证电池寿命，在不用时应关闭检测仪，取出电池，防止电池长期存放电液溢出而腐蚀主板或触点。

5）当仪器本身出现故障不能正常使用时，严禁私自拆卸修理，必须由专业人员进行检修。

6）不可将仪器长期置于无机溶剂或有机溶剂挥发较浓的环境中。

7）不可把探测仪浸泡在液体中。

8）所测气体浓度应与仪器的量程相符合，不可超量程使用；在超过量程的环境中使用后应重新校验。严禁使用丁烷打火机气体测试传感器，以免造成探头的损坏。

六、有毒气体检测仪

有毒气体检测仪（图 5-1-9）主要用于检测事故现场有毒气体的浓度。目前，我国消防救援队伍配备的有毒气体检测仪大多为复合气体检测仪，安装有毒气体、可燃气体、氧气和有机挥发性气体等多种检测传感器。

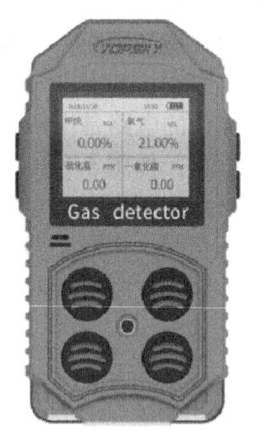

图 5-1-9　有毒气体检测仪

（一）工作原理

根据传感器的工作原理不同，可将有毒气体检测仪分为催化燃烧式、电化学式、光学式和半导体式等，其中电化学式有毒气体检测仪应用较为广泛。电化学式有毒气体检测仪由一个带气体传感器的变送器构成，气体检测器对传感器上的电信号进行采样，经内部数据处理后，输出与环境气体浓度相对应的电流信号或总线信号，进而得到相应气体浓度。

（二）使用方法

携有毒气体检测仪和警戒器材进入泄漏区，手持有毒气体检测仪，由上风方向向下风方向对指定区域进行连续测试。当发生报警时，做好记录，以确定危险区域边界和警戒区域边界。

（三）注意事项

1）经常对仪器进行校验是保证仪器测量准确的必不可少的工作。校验包括校零和校准。使用前、使用后、长时间不用维护保养时都需要对仪器进行校零。校准包括对工作电流进行校对、对标准零位进行校对（通入新鲜空气）、对满量程刻度进行校对（通入标准校对气体）、对报警点进行校对等。一般每隔 2~3 个月，最多 6 个月要进行一次校准。当传感器的输出信号低到标准值的一半时，应当更换传感器。

2）对于催化燃烧式传感器，避免接触催化剂毒物。

3）对于电化学式传感器，不可接触与电解液反应的气体，避免造成电解液干涸而电极失效。

4）其他参见可燃气体检测仪注意事项。

七、漏电探测仪

漏电探测仪（图 5-1-10）主要用于确定灾害事故现场泄漏电源的具体位置，具有声光报警功能。

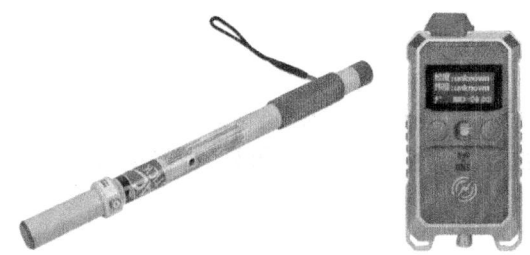

图 5-1-10 漏电探测仪

（一）工作原理

漏电探测仪主要由放大器、传感器、蜂鸣器、指示灯、开关、手柄等元件组成，工作温度范围为 –30~50℃。漏电探测仪内含一个高灵敏度的交流放大器，探测频率范围为 20~100Hz，可将接收到的信号转换成声光报警信号。漏电探测仪通常有三个测量档，即高灵敏度、低灵敏度和目标前置档。高灵敏度用于远距离测量，低灵敏度用于 4~5m 内的近距离测量。选用高灵敏度或低灵敏度时，漏电探测仪会对各个方位的漏电源头都有反应信号；若选用目标前置，漏电探测仪只接收前方 2~3m 的信号。

（二）使用方法

先打开高灵敏度档进行测量，确认电源的方位。当听到报警频率过高时，从高灵敏度档切换到低灵敏度档，确认电源的范围。最后切换到目标前置档，确定电源的具体位置。

（三）注意事项

不能用该仪器接触电源或与导电液体接触。导电体的导电率不同，高度及外形不同，探测距离也不同。当电源或导电体被屏蔽时，该仪器无法探测到。在接近电源时，应格外小心，并穿戴必要的绝缘服装。当电池电压低于 4.8V 时，仪器会发出蜂鸣声，提醒更换电池。

八、电子气象仪

电子气象仪（图 5-1-11）主要用于野外现场、突发事件和实验室常规对风速、温度、湿度、热度、凝露、潮气、气压、海拔、密度等气象指标进行监测测量。

（一）工作原理

电子气象仪主要由叶轮、温度传感器、湿度传感器、压力传感器、电池等部件组成。电子气象仪集成多种传感器，将气象参数收集后经处理输出数字化数据，可快速测量风速、温度、湿度、大气压、海拔等多个气象综合指标。

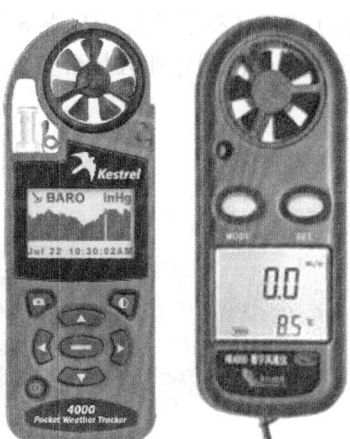

图 5-1-11 电子气象仪

（二）使用方法

1）长按开机按钮，屏幕会显示时间和日期的设定。设定完成后退出，再按一次开机按钮，即可显示当前时间和日期。

2）按▼键翻动，依次显示当前的风速、温度、湿度、气压、海拔等。

3）在显示当前气象（如温度）界面时，可左右翻动查看近期的最大、最小、平均值及曲线图。

九、酸碱测试仪

酸碱测试仪（图 5-1-12）可用于测量受污染区域内液体的 pH 值、电压值。酸碱测试仪主要由主机、缓冲液、探测电极等组成。

（一）工作原理

酸碱测试仪主要利用主机配备的缓冲液与被测液体进行对比而得出结果。酸碱测试仪可以储存多个数据，并记录日期、时间、pH 值或电压值、温度等数据。

（二）使用方法

将探测电极与酸碱测试仪的主机连接，按 ON/OFF 键，打开酸碱测试仪，直到显示"自测完成"。利用装备从受污染的区域内采集一定量的液体，将适量液体倒入取样杯中，把电极插入取样杯中进行 pH 值测量。按 RUN/ENTER 键，开始测量，此时屏幕出现数值并闪烁，待数值固定后方可读取。

（三）注意事项

检测后，清洗电极时要注意缓冲溶液的温度。要定期对仪器进行标定。

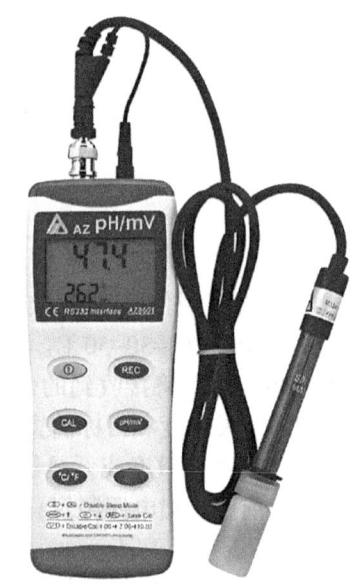

图 5-1-12　酸碱测试仪

十、军事毒剂侦检仪

军事毒剂侦检仪（图 5-1-13）可作为污染区域的监测探头或固定式探测器，以 GT-AP2C 型军事毒剂侦检仪为例，主要用于侦检存在于空气、地面、装备上的气态及液态的 GB（沙林）、HD（芥子气）、VX 毒剂等化学战剂，广泛运用于鉴别装备是否遭受污染，进出避难所、警戒区、洗消作业区是否安全。

图 5-1-13　军事毒剂侦检仪

（一）工作原理

军事毒剂侦检仪主要由侦检器、氢气罐、电池、报警器及取样器等组件构成。军事毒剂侦检仪利用焰色反应原理，当受测空气混合氢气在燃烧室燃烧时，由光学滤镜系统分析光源。

（二）使用方法

先将电池装入电池盒并插入仪器尾部，然后将氢气罐插入主机内，顺时针旋转至 ON 处开机，WAIT 指示灯亮表示自检，待 READY 指示灯亮后表示进入检测状态；若现场含有军事毒剂，则相应类型的报警灯会闪烁并伴有急促的音频报警。根据取样形态的不同采用不同的探头，气体样本通过管状探头直接吸入主机进行检测，固体和液体样本须用刮片刮取后经加热器加热产生蒸汽，通过烟斗式探头吸入主机进行检测。

（三）注意事项

在探测气体时，仪器要左右摆动。当探测有污染物存在时，要保持距离，避免造成传感器的饱和。检测液体或固体时，加热取样器从烟斗式探头中取出刮片后才可松下加热按钮，取样刮片严禁用手或手套触摸。仪器严禁使用充电电源。仪器检测只能定性，不能定量，切勿盲目对污染物下含量的结论。

【思考题】

1. 雷达、音频、视频三种常用的生命探测仪，各有什么优缺点？
2. 可燃气体检测仪、有毒气体检测仪的适用范围有何区别？

单元二　警戒器材

一、警戒标志杆

警戒标志杆主要用于灾害事故现场警戒，具有发光或反光功能，包括杆体和底座 2 个部分，底座通常为方形或圆形塑料板，中心插孔直径为 4cm。使用时将杆体插入底座，如图 5-2-1 所示。

二、锥形事故标志柱

锥形事故标志柱主要用于灾害事故现场的道路警戒、阻挡或分隔车流、引导交通，一般由塑料或橡胶制作而成，分为 A、B 两类，A 类有反光功能，B 类无反光功能。使用时根据事故现场需要放在合适的位置，也可与闪光警示灯配合使用，如图 5-2-2 所示。

三、隔离警戒带

隔离警戒带主要用于划定灾害事故现场的警戒区域，长 100m，宽约 5cm，如图 5-2-3 所示。隔离警戒带分为涂反光材料和不涂反光材料两种，可一次性或重复使用。使用时可固定在警戒标志杆或其他固定物上。

四、出入口标志牌

出入口标志牌主要用于灾害事故现场出入口的标识，标志牌上应有图案、文字、边框应为反光材料，如图 5-2-4 所示。出入口标志牌通常与警戒标志杆配套使用。

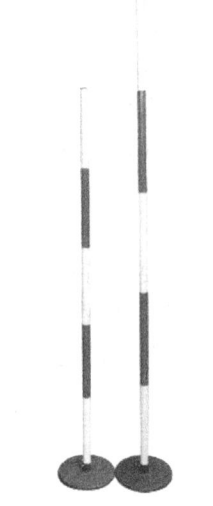

图 5-2-1　警戒标志杆

图 5-2-2　锥形事故标志柱

图 5-2-3　隔离警戒带

图 5-2-4　出入口标志牌

五、危险警示牌

危险警示牌主要用于灾害事故现场警戒区内的安全警示，通常分为有毒、泄漏、易燃、爆炸、危险五种标志，如图 5-2-5 所示。危险警示牌一般采用 2mm 铝合金板冲压而成，表面涂有高亮度抗紫外线室外反光材料，由红、黄两种颜色组成。危险警示牌的形状有三角形和长方形两种，边长为 40cm，其中长方形警示牌的四角有四个洞，可供绳子穿带悬挂。

六、闪光警示灯

闪光警示灯（图 5-2-6）主要用于灾害事故现场安全警示，为频闪型，带有光控和手控开关，光线暗时自动闪亮，可控制 5~10 个灯闪烁。闪光警示灯通常用塑料制成，防水防爆。

七、手持扩音器

手持扩音器（图 5-2-7）主要用于灾害事故现场指挥。手持扩音器要求功率大于 20W，1m 内声强 ≥ 100dB。

图 5-2-5　危险警示牌

图 5-2-6　闪光警示灯

图 5-2-7　手持扩音器

【思考题】

1. 常用警戒器材有哪些？
2. 根据灭火救援工作的需要，警戒器材在种类和功能上应如何完善？

单元三　破拆器材

一、手动破拆器材

手动破拆器材主要有斧、钩、铤、锹、锯和剪等，主要用于破拆门窗、地板、天花板、木板屋面、板条抹灰墙以及在火场上剪断电线等。

（一）消防斧

消防斧可分为尖斧、平斧和腰斧，如图 5-3-1 所示。尖斧用于破拆砖木结构房屋及其他构件，也可破墙凿洞；平斧用于破拆砖木结构房屋及其他构件；腰斧是个人携带装备，主要用于破拆建筑构件、玻璃和用作房顶、陡坡行动支撑物。

（二）铁铤

铁铤可分为重铁铤、轻铁铤、轻便铁铤和多功能铁铤，如图 5-3-2 所示。铁铤主要用于破拆门窗、地板、吊顶、隔墙以及开启消火栓等，寒冷地区也可用其破冰取水。

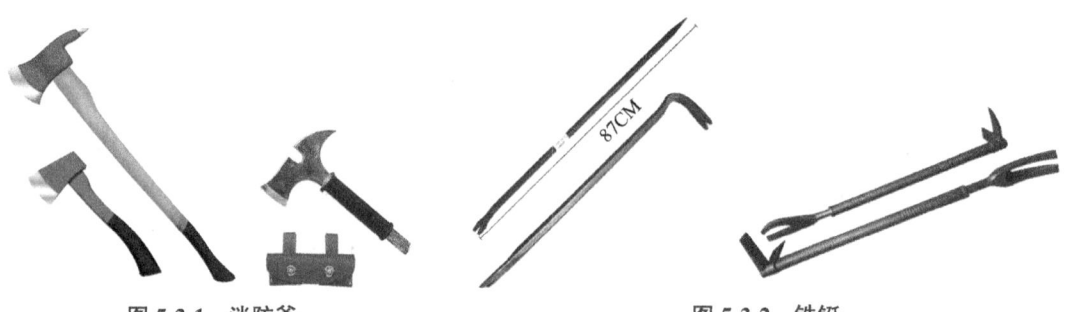

图 5-3-1　消防斧　　　　　　　　　图 5-3-2　铁铤

（三）多功能手动破拆工具组

多功能手动破拆工具组是在消防挠杆的基础上形成的，以一杆多头的形式派生出消防斧、木榔头、爪耙、接杆（水平和标高测量尺、探路棒）、撑顶器、消防锯、消防剪等多种破拆救援工具，如图 5-3-3 所示。

（四）其他工具

消防铁锹主要用于挖运沙土、清除危险物质和清理火场。手锯主要用于锯断金属锁、插销、栅栏等小型物件。绝缘剪（图 5-3-4）用于剪断电线、切断电源，也可剪断大直径金属丝、线材及带刺铁丝，以及清理火场、开辟通道等。

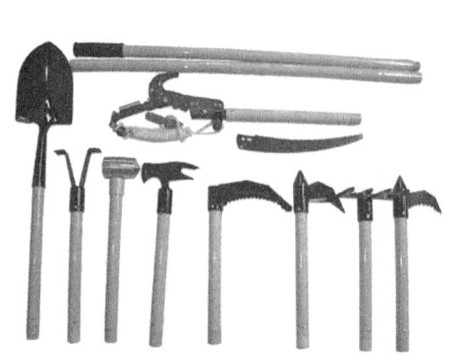

图 5-3-3　多功能手动破拆工具组

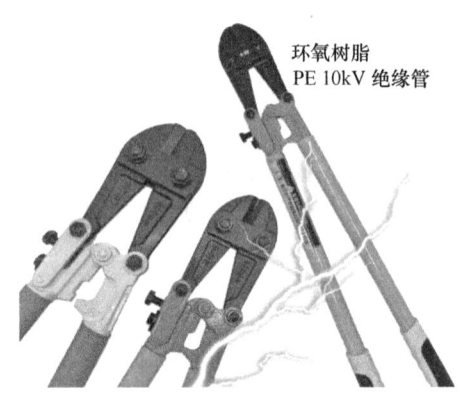

图 5-3-4　绝缘剪

无齿锯

二、机动破拆器材

机动破拆器材是指利用小型发动机作为动力源，通过机械传动进行动力传输的破拆器材，主要包括无齿锯、双轮异向切割锯、机动链锯、凿岩机等。

（一）无齿锯

无齿锯（图 5-3-5）是通过锯片的高速旋转切割金属、混凝土、木材等障碍物的破拆器材。

图 5-3-5　无齿锯

1. 技术性能

无齿锯主要由二行程风冷发动机、前手柄、后手柄、启动锁、油门、切割锯片（有砂轮锯片、金刚石锯片和多功能锯片三种）、锯片保护罩、启停开关等部分组成，如图 5-3-6 所示。某型号无齿锯功率为 5.8kW，重量 14.7kg，排量 119cc，锯片直径为 350/400mm，切割深度为 125/145mm。

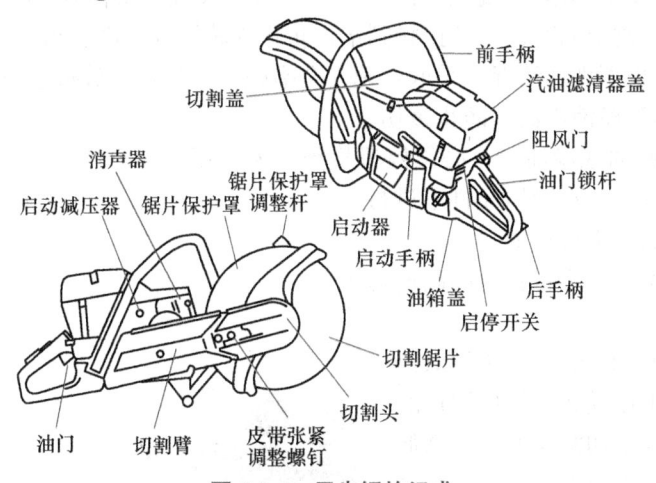

图 5-3-6　无齿锯的组成

2. 使用方法

（1）冷机启动

1）进行启动前检查。

2）打开开关，按下减压阀（减小气缸内压力，汽油机启动后会自动弹出），关闭阻风门（增大油气比，便于启动）。

3）控制油门至半油门状态。

4）右脚置于后手柄内紧贴地面，左手紧握前手柄，右手缓慢拉动启动手柄，感到有阻力后快速用力拉动启动绳，启动无齿锯。

5）启动后，立即打开阻风门，扣动油门扳机使其复位，让发动机急速转动 2~3min，进行热机后，再正式使用。

（2）热机启动

1）打开开关，按下减压阀（阻风门拉杆处于推进去状态，进气通道保持正常打开）。

2）控制油门至半油门状态。

3）右脚置于后手柄，左手紧握前手柄，右手用力拉动启动拉绳，启动无齿锯。

(3) 锯切作业

1) 左手握紧前把手，右手握住后把手（拇指按下油门锁杆，食指控制油门），并扣动油门扳手，确定切割位置后，先以较低转速接近被切割物体，然后使发动机高速运转，将锯片垂直于切割物体进行锯切作业。

2) 锯切完毕后，发动机怠速运转 2~3min 后，关闭开关。

3. 注意事项

1) 严禁在易燃易爆及带电等危险情况下使用。

2) 夜间或黑暗条件下使用无齿锯，应保证现场照明。

3) 操作时作业点前应设置安全区域，锯片前严禁有人，防止锯片破碎后伤人。

4) 操作中必须佩戴好头盔、护目镜、手套和防护服。

5) 操作人员作业时应保持正确位置及适当工作距离。

6) 作业时应保持直线切割；如锯切角度不佳或发生倾斜，严禁强行改变切割角度，造成锯片反弹损坏；严禁在肩部以上进行锯切作业。

7) 使用金刚石锯片切割混凝土、沥青、石膏板、大理石等障碍物时，必须用水冷却锯片；使用砂轮锯片切割金属时，严禁接触到水，防止砂轮锯片受潮变形发生崩裂。

8) 破拆时必须根据现场情况，采取合理安全措施，严禁盲目破拆承重构件。

9) 操作时严禁触摸消声器，防止烫伤。

10) 发现部件漏油或渗油时，必须停机检查；无齿锯运转时严禁添加燃油，如需添加必须停机，冷却 10min 后，在通风条件下进行。

11) 启动后，锯片不得触地。

12) 无负荷情况下，不得长时间高速运转。

（二）双轮异向切割锯

双轮异向切割锯（图 5-3-7）采用双锯片异向转动切割的工作模式，与单锯片的无齿锯相比，既提高了切割速度，又降低了切割作业时的反冲力及振动，并能在多角度下工作双轮异向切割锯可用于破拆高速列车等现代交通工具的超硬金属车身，包括钢管、角铁、钢筋等各种钢材，可切割汽车玻璃、玻璃幕墙等材料，也可切割铝型材、铜材、木材、塑料、汽车轮胎等材料。

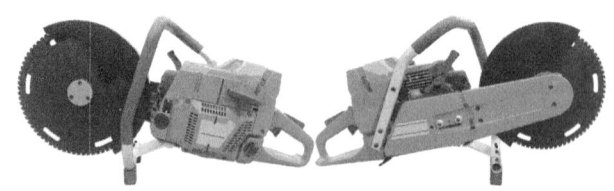

图 5-3-7 双轮异向切割锯

1. 技术性能

双轮异向切割锯主要由机体、发动机、前把手、后把手、启动锁、后油门、切割锯片、保护罩、停机按钮等部分组成。PJRS/115-JH 双轮异向切割锯的主要技术参数见表 5-3-1。

表 5-3-1 PJRS/115-JH 双轮异向切割锯的主要技术参数

型号	PJRS/115-JH
汽缸排量 /cc	70.7
标准怠速 /(r/min)	2600
功率转速 /(r/min)	13500
功率 /kW	4.1
燃油箱体积 /L	0.77

(续)

型号	PJRS/115-JH
机油箱容积 /L	0.42
机油泵供油	自动供油
质量（不含燃油、润滑油、锯片）/kg	12.6
噪声水平 /dB	105
锯片规格 /mm	315
切割深度 /mm	115
燃油体积混合比（机油∶汽油）	1∶25

2. 使用方法

检查切割轮片、锯片固定螺钉、燃油、润滑油和传动皮带松紧度，后续操作步骤同无齿锯。

3. 注意事项

任何情况下都不可用单片锯进行切割。切割时必须沿直线移动，以免损伤锯片。锯片更换时必须整副（两片）同时更换，严禁只更换单片。

机动链锯

（三）机动链锯

机动链锯发动机输出的动力，通过离合器传给锯切结构，由离合器碟和导板顶端链轮带动锯链沿导板、链轮、片状导板内的导槽作高速运动从而带动切齿进行切割，如图5-3-8所示。机动链锯主要用于切割各类木质障碍物及开辟森林防火隔离带等。

1. 技术性能

机动链锯主要由机体、发动机、前手柄、后手柄、锯链、导板、导板顶端链轮、阻风门、油门扳机、制动把手、油门锁、停机开关等部分组成，如图5-3-9所示。某型号机动链锯的主要技术参数见表5-3-2。

图5-3-8 机动链锯

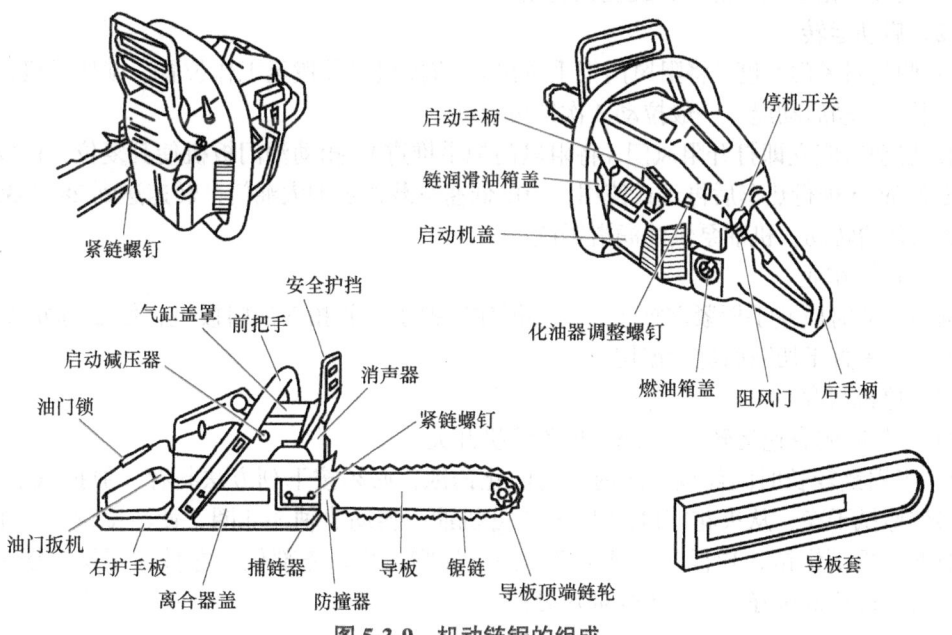

图5-3-9 机动链锯的组成

表 5-3-2 某型号机动链锯主要技术参数

项目	参数值
汽缸排量 /cc	50.2
标准怠速 /(r/min)	2700
功率转速 /(r/min)	9600
功率 /kW	2.4
燃油箱体积 /L	0.45
链条润滑油箱容积 /L	0.26
质量（不包括切割设备）/kg	5.1
噪声水平 /dB	103.3
切割深度 /mm	330~468
切割速度 /(cm²/min)	木材 632.75；混凝土 228.46
燃油体积混合比（机油∶汽油）	1∶25

2. 使用方法

（1）使用前准备

1）新机启封后，各部位要擦拭干净，检查各紧固件是否有松动或脱落。

2）旋下火花塞，将停机开关拨至停火位置，从火花塞孔注入少量汽油于气缸中，转动曲轴几圈，将气缸内封存油排除，清洗气缸，再注入少量的清洁润滑油，转动曲轴几圈，同时注意曲轴转动是否有卡碰现象。

3）将燃油和机油按规定的比例混合后，加满燃油箱，将润滑油加入曲轴箱机油室。

4）安装锯条和导板，注意调整锯链的松度和安装方向。

5）检查火花塞跳火情况，旋上火花塞即可启动。

（2）启动运转

1）调整阻风门开度（将阻风门把手拉出），将停机开关拨至工作位置，锁住扳机，用脚踩住后把手，拉动启动绳，一般拉动 3 次即可启动。

2）启动后应立即打开阻风门（将阻风门把手推进），扣动油门扳机使其复位，让发动机急速运转 2~3min 进行热车后再正式使用。当由低速空载逐步加大油门，转速达到 2800~3000r/min 时，链锯开始转动，机油泵供油润滑锯链。

（3）锯切作业

锯切作业时应左手握紧前把手，右手握住后把手，并扣动油门扳机，使发动机高速运转，将锯齿切刃垂直于切断面进行锯切。

（4）停机封存

1）停机时先怠速运转 2~3min，再关停机开关。

2）当锯链较长时间停放不用时，为防止锈蚀，必须按下列方法封存：放掉汽油、机油，将各部位擦拭干净；从火花塞口注入 10~15g 机油，转动曲轴 3~4 圈，使活塞位于上止点，旋上火花塞；拆下锯链、导板并擦拭干净，涂上油脂；将外露部位的零件涂薄层防锈油脂，用包装塑料袋将整机包好，放于干燥通风处。

3. 注意事项

对原木或木质构件进行破拆时，要保持机器的稳定，导板应垂直于作业面。砍伐树木时，要注意周围的风向、坡向等，确定切入口，并先清除周围小树、树枝，避免反弹；注意被切割物的下落情况，以免引起伤人及机器损坏事故。

（四）凿岩机

凿岩机是用来开采石料的工具，也可用于消防救援中破碎混凝土之类的坚硬层。凿岩机按其动力来源可分为风动凿岩机、内燃凿岩机、电动凿岩机和液压凿岩机四类，消防救援用的凿岩机主要为内燃凿岩机，如图 5-3-10 所示。

1. 技术性能

BH2300 凿岩机的主要技术性能见表 5-3-3。

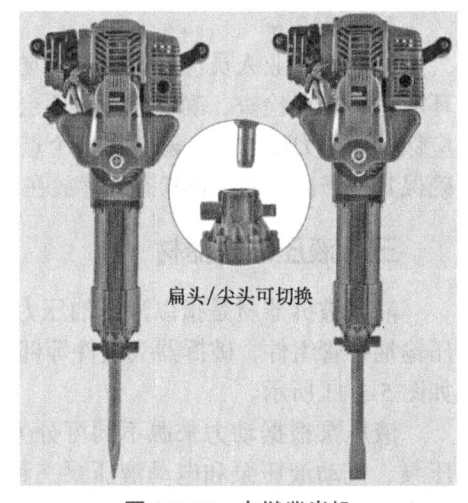

图 5-3-10　内燃凿岩机

表 5-3-3　BH2300 凿岩机的主要技术性能

型号	BH2300
汽缸排量 /cc	52
功率 /kW	2.3
燃油箱体积 /L	1.3
工具夹持杆直径 /mm	23
工具夹持杆长度 /mm	382
冲击频率 /(次/min)	1331
冲击力度 /J	30~70
质量 /kg	17.6
噪声水平 /dB	106
燃油体积混合比（机油：汽油）	1：25

2. 使用方法

1）检查凿岩机的状况，确保其完好无损，工作部位不应有任何泄漏或损坏；检查油箱，确保油箱中有足够的燃油和润滑油。

2）打开凿岩机的燃油阀门，并启动引擎，拉动启动绳或按下电动启动按钮。

3）根据需要调整发动机的转速，以控制凿岩机的速度。

4）将凿岩机的钻头对准凿岩点，按下开关或扳机，开始进行凿岩操作。

5）持续凿击，直到达到所需的凿岩深度或厚度。

6）当完成凿岩工作时，松开开关或扳机，停止凿击。

7）当不再需要使用凿岩机时，将发动机速度调至最低，然后关闭引擎。

3. 注意事项

作业前作业人员应穿戴合适的防护装备，包括护目镜、手套和安全鞋。作业前应对作业环境进行安全检查，确保作业面不会对他人或设备造成危险，并有足够的通风。作业过程中应保持凿击力度均匀，避免在一个点上过度施力。作业结束后应及时清洁凿岩机的工作部分，确保其处于良好的工作状态，存放在干燥通风的地方，并定期进行维护。

三、液压破拆器材

液压破拆器材是指以液压油压力作为动力进行破拆作业的器材，通常由液压泵组件、高压输油导管组件、破拆器头组件等部分组成，如图 5-3-11 所示。

液压泵根据动力来源不同可分为手动液压泵、机动液压泵和电动液压泵三种。破拆器头根据用途不同可分为液压扩张器、液压剪切器、液压剪扩器、液压开门器、液压救援顶杆、多功能钳等。按照液压泵与破拆器材是否集成为一体，液压破拆器材有便携式与分体式两种。

图 5-3-11 液压破拆器材

（一）机动液压泵

机动液压泵是将汽油机的机械能转化为液压能的动力源，具有体积小、重量轻、携带方便等特点，一般具有 2~4 级压力输出，且高低自动转换，如图 5-3-12 所示。

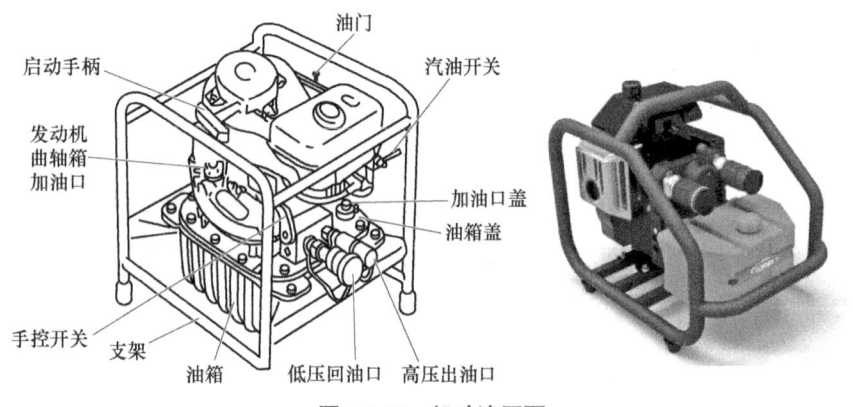

图 5-3-12 机动液压泵

1. 技术性能

某型号机动液压泵重量 24.5kg，额定工作压力 72MPa，汽油机功率为 2.2kW，液压油容积 3.5L，可在 −30~50℃温度环境下使用。低压工作压力为 10MPa，低压流量为 2.6L/min；高压工作压力为 72MPa，高压流量为 1.4L/min。

2. 单管技术

传统的双管系统由连接泵和救援工具的独立的出油管和回油管组成，液压油由泵通过出油管进入器头，再从器头通过回油管流回泵，操作时需分别用出油管和回油管连接泵和器头，较为繁琐。单管技术是近年来逐渐发展并普及的技术，它是指救援系统的液压管、接头和阀门均采用单管,液压油从泵输入器头和从器头流回泵使用同一根液压管,如图 5-3-13 所示。单管系统实际上是由外部低压回油管内嵌高压出油管组成。

与传统双管系统相比,单管系统更安全、更轻松、更便捷。首先,它提高了救援人员的安全性,内部高压管受到低压管的保护,当油管发生异常喷溅时不会伤及救援人员;其次,单管技术接头的设计更加安全,操作过程中不会意外脱落;最后,单管接头可实现 360° 旋转,不会发生液压管缠绕现象,并且支持带压插拔,在救援现场需要更换器头时不需停机和回油,可节省人力和宝贵的救援时间。

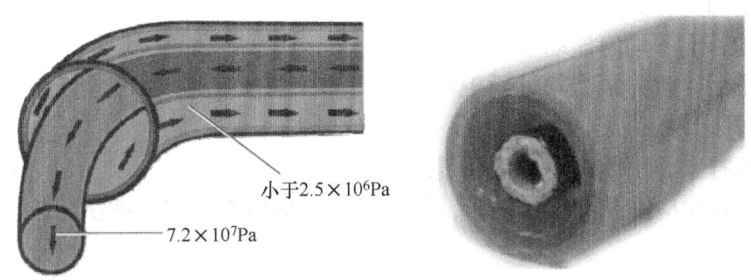

小于 2.5×10^6 Pa

7.2×10^7 Pa

图 5-3-13 单管技术示意图

3. 使用方法

1)检查液压油箱内油面,油面应位于油标刻度尺的 1/2 位置以上;检查发动机曲轴箱润滑油油面、汽油箱汽油油面。

2)用软管上的快速接头将机动液压泵与相应的破拆器头连接。

3)打开油路开关、阻风门、电源开关,将发动机油门扳至启动位置,启动发动机,然后关闭阻风门。将油门逐渐加大,调整到工作状态。

4)打开液压阀,将发动机油门调至正常转速即可向破拆器头供给压力油,操作破拆工具进行作业。

5)工作完毕后,将发动机油门置于小负荷或关机位置,然后关闭液压阀、油门和电源开关。

6)脱开快速接头,盖好防尘帽,盘好软管,待发动机充分冷却后装箱保存。

(二)手动液压泵

手动液压泵是将手动机械能转化为液压能的动力源,如图 5-3-14 所示。

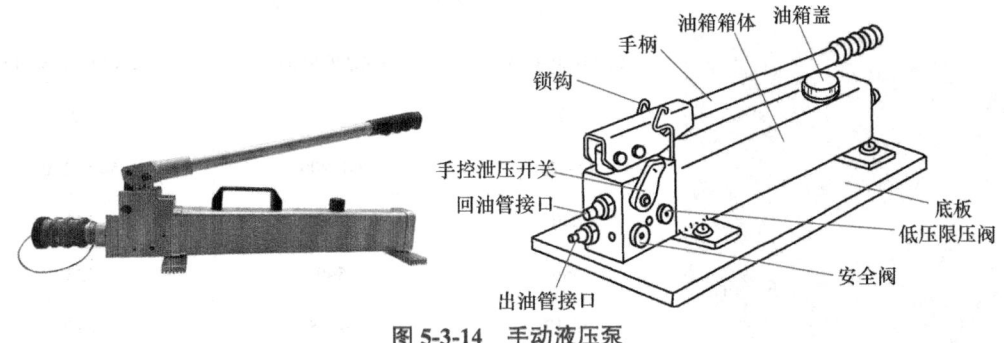

图 5-3-14 手动液压泵

1. 技术性能

某型号手动液压泵外形尺寸 675mm×125mm×185mm，质量 6kg，液压油油箱容量 1.5L，需要最大手柄力 ≤ 350N。额定工作压力为 72MPa，额定输出流量 ≥ 1.5mL/次；低压输出压力为 5~10MPa，低压输出流量 ≥ 12mL/次。

2. 使用方法

1）检查油箱油面，油面高度一般不低于整个油箱的 2/3。
2）松开油箱盖，通过油箱盖上的通气孔使油箱内压力与外界压力平衡。
3）用软管上的快速接头将手动泵与器头连接。
4）关闭手控卸压开关。
5）打开锁钩，上下均匀摇动手柄。
6）工作完毕后，首先缓慢松开手控卸压阀，卸掉泵及管路压力，然后将手动泵与配套工具间快速接口脱开。
7）将油箱盖拧紧，用锁钩将手柄锁紧。
8）在操作过程中应注意除尘、防尘，操作结束后应检查部件，擦拭后装箱保存。

（三）液压扩张器

液压扩张器是液压驱动的大型破拆装备，在发生事故时，用于灾害事故现场扩张、分离、挤压、牵引金属或非金属结构障碍物。

1. 技术性能

液压扩张器主要由手柄、换向阀手轮、双向液压锁、工作液压缸、扩张头、扩张臂、高压软管等组成，如图 5-3-15 所示。部分型号液压扩张器的主要技术性能见表 5-3-4。

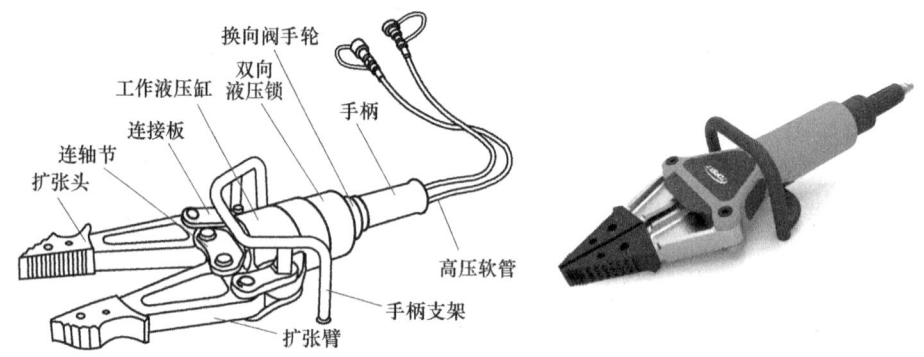

图 5-3-15 液压扩张器

表 5-3-4 部分型号液压扩张器的主要技术性能

型号	KZQ120/42-A	KZQ200/60-c	GYKZ-67-113/740
工作压力 /MPa	63	63	72
扩张力 /kN	42~120	60~200	54.5~110
扩张距离 /mm	630	730	740
牵引行程 /mm	500	540	623
质量 /kg	≤ 17	≤ 25	16.7
尺寸（长×宽×高）/mm	704×280×185	785×200×328	905×265×210

2. 使用方法

1）取出扩张器，用带快速接头的软管将其与液压泵相连。

2）初次使用扩张器时，转动换向手轮，先使扩张器空载往复工作几个满行程，以便使工作油箱内空气全部排出并充满液压油。

3）转动换向手轮将扩张器置于闭合或张开状态后，停止操作，将扩张器放在需要扩张或夹合的环境下，使扩张器与可靠支点接触，保证受力点在扩张头上。

4）继续转动换向手轮，另一操作者操作液压泵供油，即可利用扩张器负载下的扩张或闭合，达到扩张或夹合作业。

5）工作完毕后，应使扩张器空载反向运行一小段距离，以卸掉工作液压缸中的高压。

6）使用后在空载下转动换向手轮，使扩张臂呈微张开状态。

7）脱开快速接头，盖好防尘帽，除尘后用固定装置固定或装箱。

（四）液压剪切器

液压剪切器主要用于事故发生时，剪断门框、汽车框架结构或非金属结构。

1. 技术性能

液压剪切器主要由手柄、工作液压缸、液压缸盖、高压软管、换向阀手轮、中心销轴锁母、剪刀等组成，如图 5-3-16 所示。部分型号液压剪切器的主要技术性能见表 5-3-5。

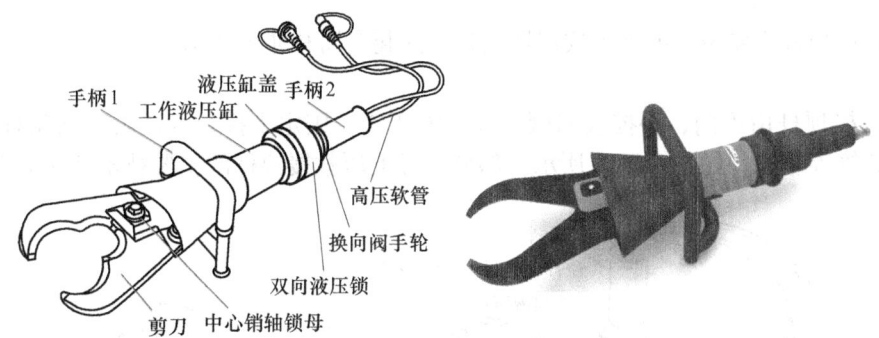

图 5-3-16　液压剪切器

表 5-3-5　部分型号液压剪切器的主要技术性能

型号	JDQ20/110-C	JDQ28/150-D	JDQ34/185-E	GYJQ-33/235
工作压力 /MPa	63	63	63	72
最大剪切力 /kN	200	420	520	500
最大剪切能力	Φ20 圆钢	Φ28 圆钢	Φ34 圆钢	Φ33 圆钢
最大开口距离 /mm	≥ 110	≥ 150	≥ 185	≥ 235
质量 /kg	≤ 9.3	≤ 12.8	≤ 15	≤ 14.3
尺寸（长 × 宽 × 高）/mm	800 × 190 × 165	730 × 190 × 165	780 × 210 × 165	780 × 230 × 230

2. 使用方法

液压剪切器的操作使用参考液压扩张器。

（五）液压剪扩器

液压剪扩器（图 5-3-17）在剪切器的基础上更换一对多功能剪刀，能在完成多种剪断功能的同时具有扩张、牵引等功能，从而达到一钳多用的目的。

消防电动液压剪扩器

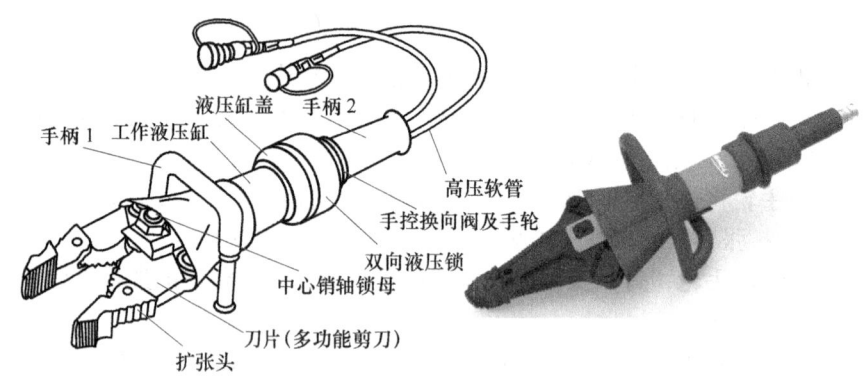

图 5-3-17 液压剪扩器

1. 技术性能

某型号剪扩器质量≤14kg，额定工作压力为 72MPa，开口距离≥360mm，剪切能力（Q235 材质）≥φ33 圆钢，最大扩张力可达 450kN。

2. 使用方法

液压剪扩器的使用方法参考液压扩张器。

（六）液压救援顶杆

液压救援顶杆主要用于灾害事故现场顶开或撑起金属和非金属结构。

1. 技术性能

液压救援顶杆由手柄、手控换向阀、双向液压锁、固定支撑、液压缸、活塞杆、活动支撑、高压软管等组成，如图 5-3-18 所示。部分型号液压救援顶杆的主要技术性能见表 5-3-6。

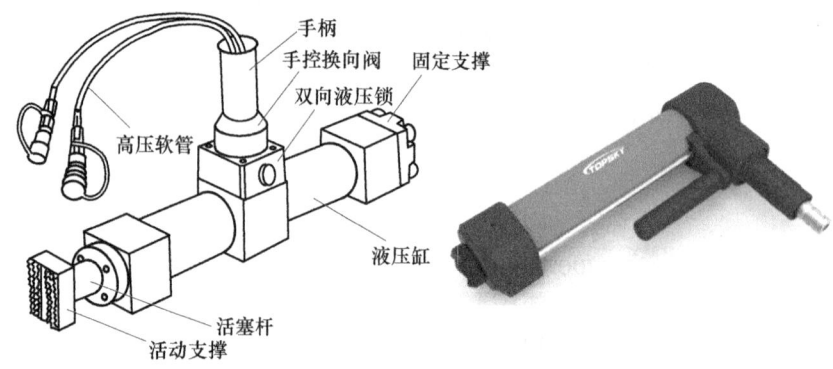

图 5-3-18 液压救援顶杆

表 5-3-6 部分型号液压救援顶杆的主要技术性能

型号	JDG195/460-E	JDG110/455-B	JDG110/355-C	GYCD-145/900
工作压力 /MPa	63	63	63	72
最大撑顶力 /kN	200	110	110	223
作业范围 /mm	460~1060	455~1290	350~1080	550~1280
质量 /kg	≤15	≤12	≤10	≤16.2
尺寸（长×宽×高）/mm	460×95×260	455×80×255	350×80×255	550×280×100

2. 使用方法

1）取出液压救援顶杆，摘下液压软管快速接头防尘帽，迅速将快速接头及防尘帽与手动或机动液压泵快速接头及防尘帽连接。

2）将液压救援顶杆放在需要顶撑的物体或工作对象之间。

3）转动液压救援顶杆换向手轮进行顶撑作业。

4）工作完毕使液压救援顶杆并拢后再反向伸出 3~5mm。

5）打开手动或机动液压泵手控开关泄压后解脱快速接头连接，同时盖好防尘帽。

（七）液压开门器

液压开门器主要用于顶起金属卷帘门和其他物体，如图 5-3-19 所示。

1. 技术性能

液压开门器主要的技术参数是工作压力、开启力和液压缸行程。

2. 使用方法

参照液压救援顶杆。

3. 注意事项

液压开门器只能用手动液压泵供油工作；液压开门器为单作用液压缸，只用手动泵带阳口的出油管。

四、电动破拆器材

电动破拆器材是指以电力作为动力进行破拆作业的器材，具有体积小、重量轻、操作使用方便等特点，主要包括电动扩张器、电动剪切器、电动剪扩器等。有的使用直插电源（交流电），如电动双轮异向切割锯；有的使用蓄电池（直流电），如钢筋速断器。

（一）钢筋速断器

钢筋速断器（图 5-3-20）可实现对钢筋护栏、护网的快速切断，主要由枪体、切割头（可旋转）、液压油箱、电动机、充电电池等组成，可剪断 $\phi 25mm$ Q235 的钢筋，使用 12V 可充电电池，充电时间 6~8h，刀头可旋转 360°，五次连续切割应有 6s 以上的停顿时间。切割时应随枪体自然旋转，不要强行扳正枪体；如遇电力不足等情况枪体终止工作时，应将卸压阀打开卸压，使刀头退回。

手持钢筋速断器

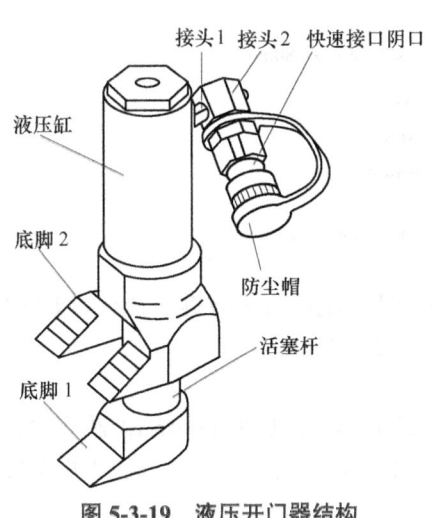

图 5-3-19 液压开门器结构

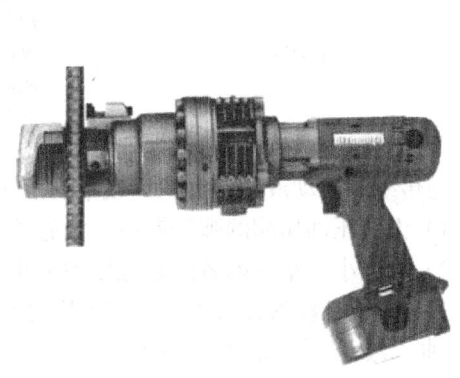

图 5-3-20 钢筋速断器

（二）电动直驱破拆工具

随着电机技术的不断进步，电动直驱破拆工具（图 5-3-21）逐渐进入人们视野，电动直驱破拆工具性能参数示例见表 5-3-7。

图 5-3-21　电动直驱破拆工具

表 5-3-7　电动直驱破拆工具的性能参数示例

类型	性能参数
电动剪切器	额定工作压力：72MPa 剪切圆钢直径：40mm 圆钢 开口距离：230mm 质量：18.4kg 外形尺寸：838mm×215mm×280mm
电动扩张器	额定工作压力：72MPa 扩张距离：650mm 最大扩张力：130kN 最小扩张力：47kN 额定牵引力：42kN 牵引距离：520mm 质量：22.8kg 外形尺寸：905mm×350mm×280mm
电动剪扩器	额定工作压力：72MPa 扩张距离：650mm 最大扩张力：130kN 最小扩张力：47kN 额定牵引力：42kN 牵引距离：520mm 质量：22.8kg 外形尺寸：905mm×350mm×280mm
电动顶杆	额定工作压力：72MPa 额定顶升力：141.3kN 撑顶行程：555~960mm 质量：18.5kg 外形尺寸：555mm×132mm×355mm

与传统的机动液压破拆工具或电动液压破拆工具相比，电动直驱破拆工具有如下优势。

1）无液压油压缩的弹簧效应，没有液压油泄漏和喷射的风险。

2）噪声小，给受困者的心理压力更小。

3）不再依赖液压系统，采用强劲的变速箱、螺杆等让电动直接输出驱动力，无需液压油、液压泵、活塞、各种阀门或密封圈，因此效率较高，具有较高的可靠性和耐久性。

4）相比液压破拆工具，更加轻便，没有液压软管的限制，操作角度更加灵活。

5）液压破拆工具无法完全控制液压系统的速度，而电动直驱破拆工具则可以任意调节工具的工作速度。

6）液压破拆工具是通过逐级加压从而获得破拆能力，而电动直驱破拆工具可立即达到最大破拆能力，对于大型剪切或扩张操作，能立即响应，没有性能延迟。

五、气动破拆器材

气动破拆器材（图 5-3-22）是指以压缩空气作为动力进行破拆作业的器材，通常由压缩空气瓶（泵）、调压器（减压器）、输气导管、破拆枪、刀头等部分组成。常用的气动破拆器材包括空气锯、气动切断器、气动破拆器材、气动切割刀等。根据被切割材质的不同，可采用的压缩空气范围为 0.3~1.7 MPa。

图 5-3-22　气动破拆器材

（一）功能

空气锯可用于切割钢材、轻合金、非金属、木材及塑料等。气动切断器适用于各种车辆事故时，剪切钢板营救人员。气动破拆器材用于凿门、交通事故救援、飞机破拆、防水门破拆、船舱甲板破拆、混凝土开凿等。气动切割刀用于切割薄壁、车辆金属和玻璃等。

（二）使用方法

1）将减压阀、气瓶、输气导管、破拆枪进行正确的连接。

2）打开气瓶，打开减压阀开关，调整工作压力至规定值。

3）根据破拆对象的不同选择适当的刀头进行破拆作业。

4）使用结束先关闭气瓶，放掉导管内余气后解脱各部件之间的连接。

5）操作结束后，检查器材，加注润滑油，将器材恢复至备战状态。

六、化学破拆器材

化学破拆器材是指通过化学反应的方式产生热、压强等对构件实施破拆的器材，常用的有便携式汽油切割器、丙烷切割器、乙炔切割器等。

（一）便携式汽油切割器

便携式汽油切割器（图 5-3-23）是一种能快速切割厚度 30mm 以下的普通低碳钢和低合金钢障碍物的火焰切割工具，主要由氧气瓶、减压器、供油罐、氧气胶管、汽油胶管、割炬、背架或手提箱等组成，具有体积小、携带方便、安全可靠、操作简单等优点。

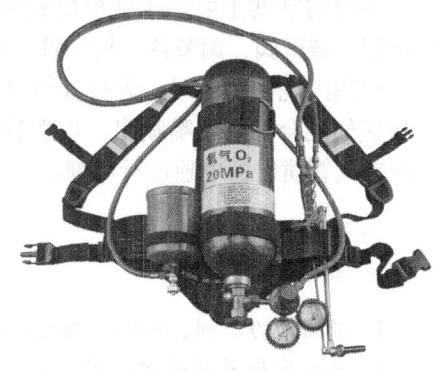

图 5-3-23　便携式汽油切割器

1. 主要技术性能

便携式汽油切割器的主要技术性能见表 5-3-8。

表 5-3-8　便携式汽油切割器的主要技术性能

型号	切割低碳钢厚度 /mm	切割速度 /（mm/min）	氧气工作压力 /MPa	汽油使用压力 /MPa	割嘴切割氧孔径 /mm
QGB-30	0.5~30	320~600	0.4	0.09~0.2	1.1
QGS-30	0.5~30	320~600	0.4	0.09~0.2	1.1

2. 使用方法

1）安装割嘴时，30°锥面要擦干净，拧紧锁紧螺母。

2）稳压储油罐上的出油阀与割炬上的汽油胶管接头用专用耐油耐压胶管连接好，用专用管卡卡紧（储油罐出油阀接头端为正扣，割炬汽油接头端为反扣）。

3）将储油罐上的出油阀关闭。通过加油口把车用汽油（90号~97号）注入罐中，然后旋紧油盖（加油量为0.4~0.5L，不要加得过满，应留一定空间）。打气加压至0.2MPa。

4）将氧气瓶阀与割炬上的氧气胶管接头用专用氧气胶管连接好，并将氧气瓶上的总阀打开，调整好氧气减压器的输出压力。

5）逆时针方向拧开储油罐上的出油阀及割炬汽油总阀（工作时应一直处于打开状态）。

6）点火操作。

① 打开割炬上预热氧气调节阀，给少量氧气。

② 将明火放在割嘴处，缓缓拧开汽油调节阀给油至点燃。

③ 尽量调小火焰（火焰应一直保持蓝色；如出现红色，应给少量氧气或将汽油调节阀调小），使蓝色焰芯尽量不要超出割嘴外套，使割嘴预热（夏季为3~5s，冬季为5~8s），后缓慢交替调整汽油调节阀和预热氧气调节阀，直至获得满意的火焰。

④ 工作时应一直保持焰芯超出割嘴外套3~5mm（火焰太短造成割嘴过热将割嘴烧坏；反之火焰太长又会造成割嘴温度太低，使汽油不能完全汽化）。

7）熄火操作。熄火时应先关闭汽油调节阀，再关闭预热氧气调节阀，然后依次关闭汽油总阀、储油罐出油阀及氧气瓶总阀。

（二）丙烷切割器

丙烷切割器主要用于破拆比较坚固的碳钢和低合金钢构件。丙烷切割器主要由氧气瓶、丙烷瓶、减压阀、调节器、氧气管、丙烷气管、预热阀及割炬等组成。

使用丙烷切割器时，先打开氧气瓶和丙烷瓶，再打开预热阀。这样，丙烷就通过混合气管与氧气混合并从喷嘴喷出，点燃后对切割物进行预热。接着，按下快风机，高压、高速氧气从氧气管喷出，单独进行切割。

【思考题】

1. 根据动力不同，破拆器材可以分为哪些类型？
2. 液压破拆器材通常由哪些部分组成？根据动力不同，液压泵分为哪些种类？

单元四　救生器材

一、常规救生器材

（一）消防救生照明线

消防救生照明线（图 5-4-1）是在火灾烟雾等可视度低的环境场所，用于指引逃生路线的发光线，由供电系统、发光线体、绕线转盘等组成。

消防救生照明线的主要技术性能如表 5-4-1 所示。

图 5-4-1　消防救生照明线

表 5-4-1　消防救生照明线的主要技术性能参数

项目	性能指标
质量	线体质量不大于 13kg
发光亮度	在连续工作时间内，发光亮度不小于 $10cd/m^2$
闪烁频率	1~2Hz
导向功能	应具有导向功能，线体每间隔（2±0.1）m 应有一个清晰可见的方向标志
最高表面温度	在连续工作时间内，线体表面温度不大于 60℃
连续工作时间	直流电源供电的常亮型照明线，连续工作时间不小于 8h；直流电源供电的闪烁型照明线，连续工作时间不小于 16h

（二）救生气垫

救生气垫是接救从高处下跳人员的一种充气软垫，可分为通用型救生气垫、气柱型救生气垫两种类型，如图 5-4-2 所示。

a) 通用型　　　　b) 气柱型

图 5-4-2　救生气垫

1. 通用型救生气垫

通用型救生气垫采用电动机或发动机驱动的通风机向整个气垫内充气，气垫内多分隔为 2~3 层，待气垫内充至一定压力鼓起后承接下跳人员。

（1）结构　　通用型救生气垫主要由缓冲气包、安全风门、充气内垫、充气风机等组成，如图 5-4-3 所示。

（2）使用方法

① 四名操作人员根据现场情况，选择在疏散口垂直下方地面、场地平整、四周有空地、上方没有障碍物的地方进行铺设。

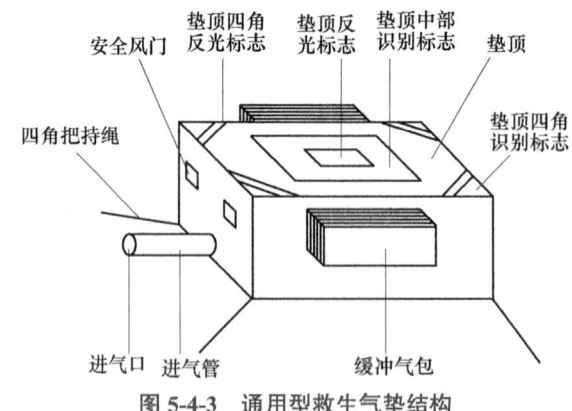

图 5-4-3 通用型救生气垫结构

② 展开气垫连接并开始充气，救生气垫进气口紧固在风机排风口上，然后启动风机使其正常运转，待救生气垫高度标志线自然伸直时，怠速运转，气垫进气口软管此时要呈弯曲状态，防止风机和充气管断开（气柱型气垫与气瓶连接，当气体从泄压阀门中泄出后，充气完成，关闭气瓶阀门）。

③ 微开安全门，同时指挥逃生人员对准救生气垫顶部的反光标志下跳，下跳人员接触气垫后必须迅速离开救生气垫。

④ 四角应有专人把持，使用时微开安全门。

⑤ 使用完毕后，排空气体，将气垫折好放回原位。

（3）注意事项

① 禁止将气垫在地面或坚硬物体上拖行和摩擦，防止造成损坏。

② 应有 1~2 名引导员，及时将被救者引导至安全处。

③ 救生气垫充气后可能出现漂移，在使用时，四角应有专人把持，拉绳松紧要适度，确保人落下后气垫不移动过大。

④ 出风口需派专人控制开合关闭，确保气垫内气体达到 70%~85%（少则人会接触地面受伤，多则会使人反弹落地受伤）。

⑤ 严禁在易燃易爆场合使用。

⑥ 除紧急救援外，严禁人员试跳训练。

2. 气柱型救生气垫

气柱型救生气垫采用气瓶或气泵向气垫内四周的气柱内充气，待气柱内充气至一定压力立起后支撑起整个气垫以承接下跳人员，其结构、使用方法、注意事项与通用型救生气垫相似。

3. 主要技术性能

从气源开始向消防救生气垫内充气至消防救生气垫达到施救状态的时间称为充气时间，两次施救中消防救生气垫的恢复时间称为补气时间。消防救生气垫的充气时间和补气时间应符合表 5-4-2 的规定。

表 5-4-2 消防救生气垫的充气时间及补气时间

消防救生气垫类型	充气时间 /s	补气时间 /s
普通型	≤ 60	≤ 30
气柱型	≤ 30	≤ 20

（三）救援起重气垫

救援起重气垫适用于不规则重物的起重，并能用于普通起重设备难以工作的场合，特别适用于营救被重物压住的遇难人员，如图 5-4-4 所示。

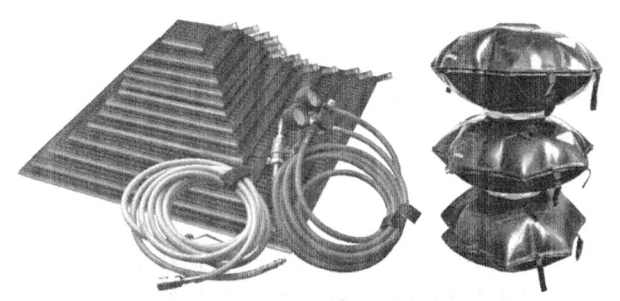

图 5-4-4　救援起重气垫

救援起重气垫由高强度橡胶及增强性材料制成，靠气垫充气后产生的体积膨胀起到支撑、托举作用，主要配件如图 5-4-5 所示；必要时可将多个救援起重气垫重叠使用，以满足起重高度的要求。

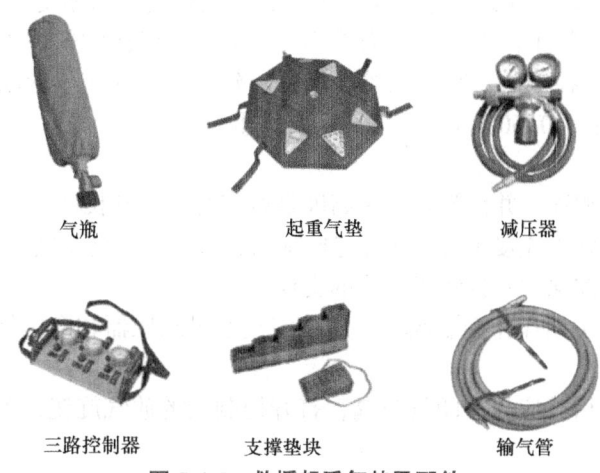

图 5-4-5　救援起重气垫及配件

1. 结构

救援起重气垫由高压气瓶、气瓶阀、减压器、控制阀、高压软管、快速接头、气垫等组成，如图 5-4-6 所示。

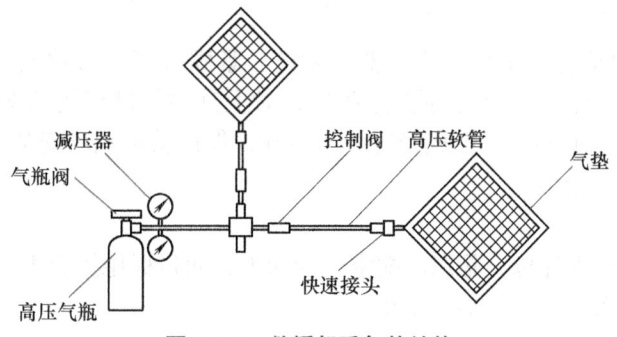

图 5-4-6　救援起重气垫结构

2. 主要技术性能

救援起重气垫的主要技术性能见表 5-4-3。

表 5-4-3 救援起重气垫的主要技术性能

尺寸 /mm	最大工作压力 /MPa	最大起重量 /kg	最大起重高度 /mm	质量 /kg
390×390×25	0.8	8000	150	≤ 12
560×560×25	0.8	4000	150	≤ 14

3. 使用方法

将救援起重气垫从箱中取出，将其置于需要起重处。将快速接头接到气垫上，关闭控制阀上的放气旋钮。打开气瓶阀，手动操作控制阀，让压缩空气缓缓通过减压器和高压软管向气垫充气，气垫充气后体积膨胀，重物被慢慢抬起。起重工作完成后，应先关闭气瓶阀，再打开控制阀上的放气旋钮，手动操作控制阀，将气垫内压缩空气放完。关闭控制阀，取下快速接头，装箱。

（四）支撑保护套具

支撑保护套具主要用于建筑倒塌、车辆事故、沟渠救援、墙体支撑等现场支撑保护作业，包括手动、气动、液压等工作方式，分为重型、轻型等。以压缩气体为动力源为例，其组成为高压气瓶、减压器、控制阀、高压软管、撑杆、延长杆、底座、紧固带、各类撑头等。工作压力：10^6Pa；长度：（40~600）cm+120cm；支撑重量：14t。

（1）使用方法

① 将撑杆与底座相连，并估算好顶撑高度是否需要增加延长杆。

② 将撑杆与高压软管连接（高压软管与控制阀、减压器、高压气瓶连接好）。

③ 把组合好的支撑保护套具置于需要的支撑处。

④ 打开气瓶阀，手动操作控制阀，让压缩空气通过减压器和高压软管向撑杆充气，撑杆重启后达到顶撑高度。

⑤ 支撑工作完成后，应先关闭气瓶阀，打开控制阀的放气旋钮，手动操作控制阀，将撑杆内的压缩空气放完。

⑥ 分离各部件，装箱。

（2）注意事项

① 撑杆应放置于中心或中心下方使用。

② 在起重过程中应及时使用固定支撑物加固。

③ 在撑杆顶撑过程中，人员严禁站在撑杆顶端。

（五）稳固保护附件

稳固保护附件包括各类垫块、止滑器、索链、紧固带等，与救生、破拆器材配套使用，起稳固保护作用。其中，垫块用于顶升过程中，对上升物体进行随动支撑，防止垮塌，可单块，也可相互固定联结或叠加，形成稳定的承重柱，保证救援现场安全，其形状分为长方形、鞍形、大三角形和小三角形。

（六）救生抛投器

救生抛投器（亦称射绳枪）是以压缩空气为动力，向目标抛投救生器材（如救生圈、牵引绳等）的一种救援装备，如图 5-4-7 所示。

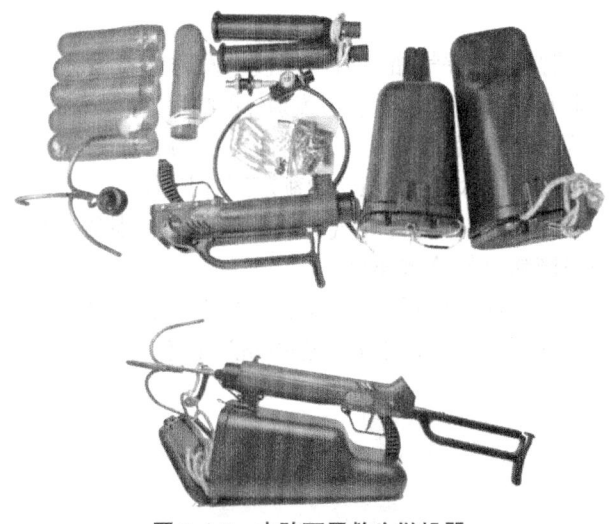

图 5-4-7 水陆两用救生抛投器

1. 结构

救生抛投器主要由救援绳、牵引绳、发射气瓶、自动充气救生圈、塑料保护套、气瓶保护套等组成,如图 5-4-8 所示。

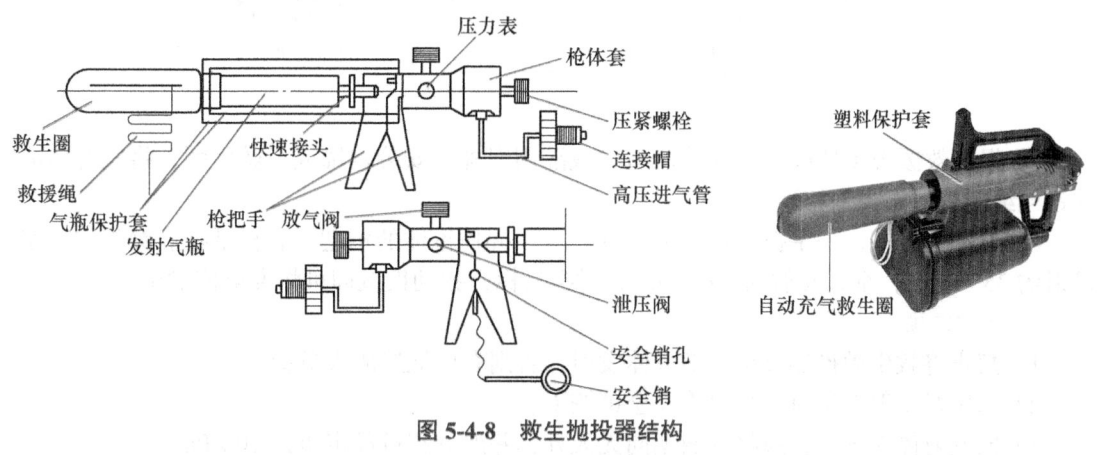

图 5-4-8 救生抛投器结构

2. 主要技术性能

救生抛投器的主要技术性能见表 5-4-4。

表 5-4-4 救生抛投器的主要技术性能

救生器材类型	抛绳	水用抛绳	其他救生设备
抛射距离 /m	≥ 80	≥ 70	≥ 50
抛射偏差角(°)		≤ 5	

3. 使用方法

(1) 使用前检查 检查是否佩戴个人防护装备;检查抛投器外观、发射管、枪托、手柄、保险装置、扳机、绳索是否损坏;检查快速接头等各配件完好情况;检查气瓶压力是否充足。

（2）使用方法

① 将充气软管的一端接入空呼气瓶，另一端接入发射体喷嘴。

② 先关闭充气软管泄压阀，随后用扳手打开发射体的喷嘴，再缓缓打开空呼气瓶出气阀开关。

③ 听到气体充入气缸的声音后观察充气软管上的压力表，当气压值接近 20MPa 刻度值时关闭发射体进气阀，严禁气压值大于 20MPa 的额定工作压力。

④ 关闭空呼气瓶出气阀开关，打开充气软管泄压阀进行泄压，软管内的气体排空后，取下发射体，喷嘴接口处凹槽朝上与枪体连接。

⑤ 将发射体装入枪体，顺时针旋转充压旋钮，使开关把手水平后，开始对枪体冲压，观察压力表指针读数，查看冲压情况，按下安全锁并顺时针旋转，如图 5-4-9 所示。

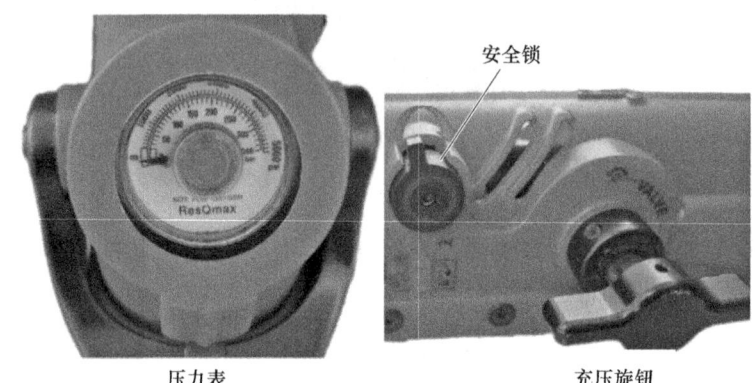

图 5-4-9　救生抛投器细节

⑥ 根据救援现场情况，选择水用绳桶或陆用绳桶，安装钩锚或者救生圈，将发射体绳索挂钩与绳桶内绳索挂钩相连。

⑦ 把枪托放平，一手握住枪体的中部，一手握住枪体的枪把，肩托抵在肩窝位置，水平发射约 35°~45°，垂直发射约 50°~70°，对准目标，扣动扳机即可将发射体射出。

4. 注意事项

1）禁止将救生抛投器直接对准人体发射，否则有可能造成人员受伤。

2）未做好发射准备时，严禁将安全销按下。

3）向发射体充气时，应将气瓶朝向无人处，并严禁超过额定压力 20MPa。

4）已经充满气体待发的救生抛投器，如果停止使用，要将装在枪体上的发射体中的压缩气体排尽（尽量减少此种操作）。

5）使用救生抛投器时，要注意检查气压表，检查气瓶压力是否达到正常使用额定压力。

6）安全锁是救生抛投器中非常重要的器件，对于救生抛投器的安全、操作起决定性作用，在平时尽可能少调整它。

7）充气时缓慢打开阀门，严禁突然开启过大。

8）水中救援时，尽量选择在落水者的上游或上风位置发射，发射目标对准落水者上游或上风方向 5m 左右，以便救生圈顺流而下漂至落水者身边，而不至于从空中落下伤害到落水者。

（七）救援三脚架

救援三脚架是一种快速提升工具，基本结构为三脚架，必要时可连接固定绳索呈两脚架形式，用于山岳、洞穴、井下、高层建筑等垂直现场的救援工作，救援三脚架及其常用配件如图 5-4-10 所示。

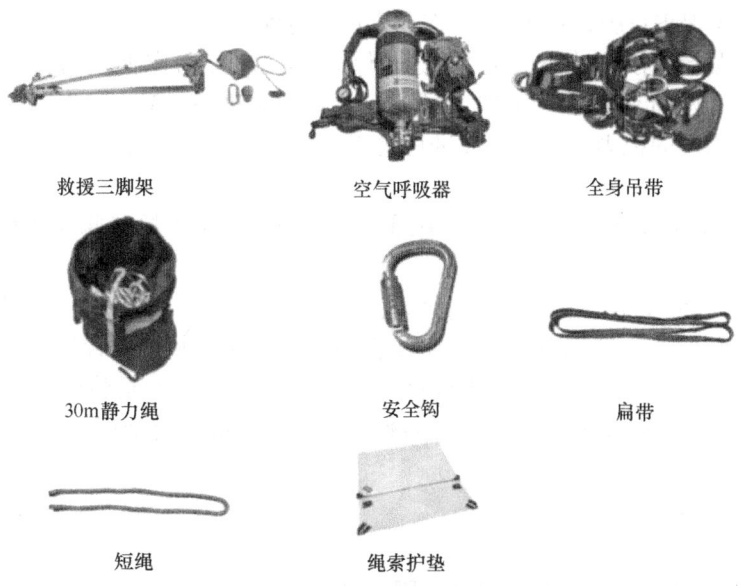

图 5-4-10 救援三脚架及其常用配件

1. 结构

救援三脚架由三脚支架、手动或电动绞盘、吊索、滑轮等组成。

2. 主要技术性能

救援三脚架的主要技术性能见表 5-4-5。

表 5-4-5 救援三脚架的主要技术性能

收拢长度 /m	撑开长度 /m	最大荷载 /kg		吊索长度 /m	手动力（配手动绞盘）/N	电压（配电动绞盘）/V
		电动绞盘	手动绞盘			
1.7	2.75	200	160	≤ 500	30	220

3. 使用前检查

以井下救援为例，7 名作业人员着全套抢险救援服，检查是否佩戴个人防护装备。其中 3 名作业人员佩戴全身吊带，佩戴空气呼吸器，安全员佩戴面罩，做好防坠保护后携带气体探测仪，至开口部位对井口、井壁气体进行先期检查。1、2、3 号作业人员检查主体钢架、伸缩钢架、支脚及配件是否损坏。4、5、6 号作业人员检查吊索、滑轮、安全钩、绞盘、静力绳、锚点、绳索护垫等附件完好情况。

4. 使用方法

1）安全员在救援现场设置警戒桶，拉好警示带，防止无关人员进入。

2）1、2、3 号作业人员将三脚架的三个支腿分开放置于井口之上，根据现场情况将救援伸缩钢架拉出合适的长度，将定位销对正插销口插入插销。

3）1、2、3 号作业人员将定位链穿过底角三个穿孔，使得固定链条固定好三个支腿，用短绳做好固定，防止三支腿向外滑出。

4）3 号作业人员在三脚架顶部安装滑轮，1、2 号作业人员在三脚架支腿安装绞盘构成三脚架提升系统。

5）4、5 号作业人员在合适位置设置锚点，利用编带缠绕后连接安全钩，利用静力绳连接安全钩,建立绳索保护系统,对1、2号作业人员进行保护。

6) 6号作业人员利用绳索保护垫对绳索进行保护,并协助3号作业人员稳固救援三脚架系统。

7) 1、2号作业人员佩戴空气呼吸器面罩,做好下井准备,3号作业人员掌控绞盘,安全员对救援三脚架系统的稳固性、安全性进行检查,并对1、2号作业人员个人防护装备进行检查登记。

8) 1号作业人员携带安全吊带、牵引绳、安全钩,利用救援三脚架系统下降至井底,2号作业人员同法下井。

9) 为被困者穿戴安全吊带,连接钢丝绳、安全钩和井下牵引绳后,发出提升信号。

10) 提升过程中,1、2号作业人员在井底利用牵引绳控制被困者姿势,3号作业人员利用绞盘平稳提升被困者,上升至开口地面后,6号作业人员和安全员将被困者平移至地面。

11) 3号作业人员利用绞盘,将1、2号作业人员依次提升至地面,4、5号作业人员做好绳索保护。

12) 整理所有器材,恢复原位。

5. 注意事项

1) 救援三脚架必须构成完备、安全牢固、受力均匀。

2) 锚点设置应牢固、可靠,可利用地形、地物制作锚点。

3) 提升和保护系统连接部件必须安全稳固,不可脱落。

4) 保护绳、牵引绳应相对分开设置,操作中防止缠绕。

5) 1、2号作业人员上下井必须采用双绳保护,3号作业人员操控绞盘提升与下降过程要平稳。

6) 4、5号作业人员进行绳索保护时,采取腰部或肩部保护的方式,并与开口部位保持适当距离。

7) 作业过程中应明确通信联络方式(绳语、呼救器、骨传导通信装备等),保持通信通畅。

(八) 救生软梯

救生软梯是一种用于营救和撤离被困人员的移动式梯子,它可收藏在包装袋内,在楼房建筑发生火灾或意外事故,楼梯通道被封闭的危急遇险情况下用于救援或逃生。

1. 结构

救生软梯一般由梯钩和梯体两大部分组成,主要包括钢制梯钩(固定在窗台墙上)、边索、踏板和撑脚。

2. 主要技术性能

救生软梯的主要技术性能见表5-4-6。

表5-4-6 救生软梯的主要技术性能

整梯长度/mm	负荷/kg	梯宽/mm	踏板间距/mm	边索/mm		撑脚高度/mm	梯钩(U字形)尺寸/mm	
				宽	厚		宽度	深度
7000 ± 50	900	260 ± 5	335 ± 5	37 ± 3	1.6 ± 0.1	100 ± 2	70~290之间可无极调节	170 ± 10
10000 ± 50	900							
13000 ± 50	900							
16000 ± 50	1200							
19000 ± 50	1200							

3. 使用方法

救生软梯通常卷放于包装袋内（缩合状态），使用时，将窗户打开后，把梯钩安全地钩挂在牢固的窗台上或窗台附近其他牢固的物体上，而后将梯体向窗外垂放，即可使用。用户应根据楼层高度和实际需求选择不同规格的救生软梯。

二、现场救护器材

现场救护器材一般分为搬运类医疗器材和急救类医疗器材。

（一）搬运类医疗器材

搬运类医疗器材有折叠式担架、多功能担架、躯体固定气囊、肢体固定气囊、固定抬板、敛尸袋等。

1. 折叠式担架

（1）主要结构　折叠式担架主要由高强度铝合金材料和牛津革担架面构成，如图 5-4-11 所示。

（2）主要性能　以某型号折叠式担架为例，折叠式担架的主要技术性能见表 5-4-7。

表 5-4-7　折叠式担架的主要技术性能

展开尺寸 /mm	折叠尺寸 /mm	净重 /kg	承重 /kg
2045×540×135	1025×110×175	≤ 5.2	≥ 120

2. 多功能担架和固定抬板

（1）多功能担架的主要结构　多功能担架由专用垂直吊绳、专用平行吊带、专用 D 形环、担架包装袋等组成，如图 5-4-12 所示。

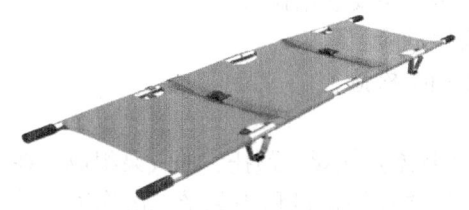

图 5-4-11　折叠式担架

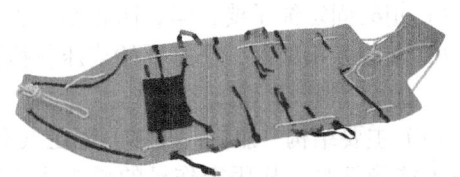

图 5-4-12　多功能担架

（2）多功能担架的性能　以某型号多功能担架为例，多功能担架的主要技术性能见表 5-4-8。

表 5-4-8　多功能担架的主要技术性能

材料	净重 /kg	承重 /kg	耐温 /℃
特殊复合材料	≤ 5.2	≥ 120	−20~+45

（3）固定抬板的主要功能　固定抬板（图 5-4-13）周边开有提手口，可供多人同时提、扛、抬。固定抬板可与头部固定器、颈托配合使用，避免伤员颈椎、胸椎及腰椎再次受到伤害。固定抬板可以漂浮于水面，抗碰撞性能强，表面经防污处理易清洗。

（4）固定抬板的主要性能　以某型号固定抬板为例，固定抬板的主要技术性能见表 5-4-9。

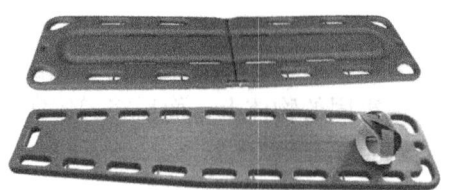

图 5-4-13　固定抬板

表 5-4-9　固定抬板的主要技术性能

尺寸/mm	自重/kg	承重/kg
2000×460×65	≤ 8	250

（5）使用方法　检查是否佩戴个人防护装备；检查固定抬板和多功能担架及把手是否牢固，是否出现裂痕、老化等现象；检查捆绑带完好情况，及其是否发生磨损。

打开多功能担架（固定抬板）放于被救者一侧，1号作业人员跑至被救者头顶处，下蹲单膝跪地，检查被救者上半身受伤情况。1号作业人员托住被救者的头部和肩背部，2号作业人员在被救者膝盖一侧，单膝跪地，检查下半身受伤情况。1号作业人员托住被救者头部，2号作业人员在同侧托住被救者腰部和膝下部，和1号作业人员配合，同时协力将伤者抬上多功能担架（固定抬板）放平，把捆绑带卡好。两名作业人员合力将多功能担架（固定抬板）轻移至安全区域，注意防止伤者受到二次伤害。

（6）注意事项

① 担架固定后要将多余的扣带放入担架内，防止在担架运送过程中钩挂到障碍物。

② 避免硬物及利器刮割担架。

③ 避免长时间曝晒。

④ 在水平提升时，注意分清头部吊带和脚部吊带，不要放错位置。

⑤ 担架固定绳子要打牢，防止伤员脱出担架发生危险。

⑥ 在收卷担架时，小腿要始终压住担架，防止担架松弛。

3. 躯体（肢体）固定气囊

（1）主要结构　躯体（肢体）固定气囊由躯体（肢体）气囊、颈托、抽气泵组成，在真空状态下能像石膏一样固定伤员的骨折或脱臼部位，使之在转运过程中免受二次伤害，并可保持70h以上，如图5-4-14和图5-4-15所示。

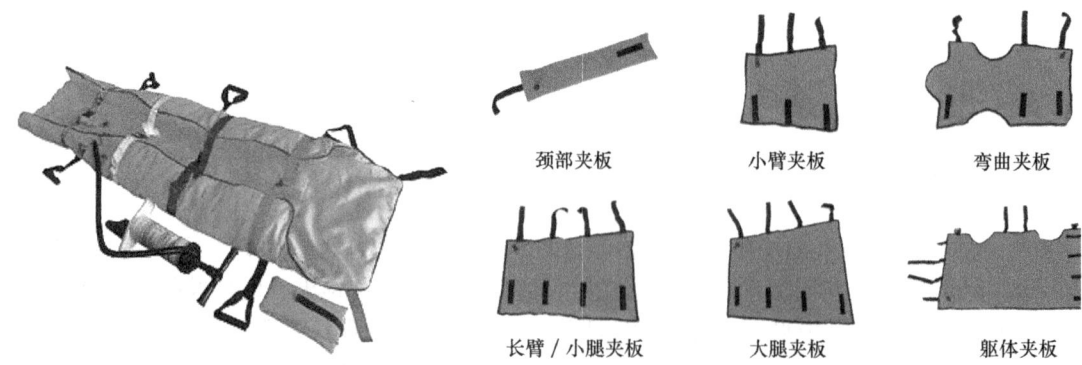

图 5-4-14　躯体固定气囊　　　图 5-4-15　肢体固定气囊

（2）使用前检查　检查是否佩戴个人防护装备；检查躯体（肢体）固定气囊、抽气接口、各部件外观是否破损，抽气泵是否好用；检查把手或手提带是否牢固，是否出现裂痕、断裂、老化等现象；检查捆绑带完好情况，是否发生磨损。

（3）躯体固定气囊使用方法

① 第一名操作人员解开被救者衣扣，调整被救者体位使其平躺。

② 操作人员将躯体固定气囊打开平铺在地面上。

③ 两名操作人员单膝跪于被救者一侧，第一名操作人员托住被救者的头部和肩背部，第二名操作人员在同侧托住被救者的腰部和膝下部，协力将被救者轻移至躯体固定气囊上。

④ 把躯体固定气囊包裹被救者全身，扣好或粘好固定带，气筒的软管插入躯体固定气囊的阀门，来回提压气筒，使内部形成真空，如图5-4-16所示。

图 5-4-16　躯体固定气囊使用方法

⑤ 当躯体固定气囊逐渐收紧固定后，将被救者抬至安全区域。

（4）肢体固定气囊使用方法

① 单膝跪于被救者一侧，将被救者受伤部位抬起置于肢体固定气囊上，手、腿、颈部受伤者只需稍微抬起后，塞入肢体固定气囊。

② 系上紧固带，搭上拉链，利用抽吸泵将肢体固定气囊内的气体全部抽出。

③ 当肢体固定气囊逐渐收紧固定后，第一名操作人员托住被救者的头部和肩背部，第二名操作人员在同侧托住被救者腰部和膝下部，协力将被救者轻移至安全区域。

（5）注意事项

① 抽气适度，避免造成被救者夹伤。

② 避免硬物及利器刮割肢体固定气囊。

③ 避免肢体固定气囊长时间曝晒。

④ 当产品出现破损时，请停止使用并更换产品。

（二）急救类医疗器材

急救类医疗器材主要有婴儿呼吸袋、医疗急救箱等。

1. 婴儿呼吸袋

婴儿呼吸袋用于在灾难来临或有化学危险时携带婴儿撤离危险区域。

（1）结构及工作原理　婴儿呼吸袋（图5-4-17）主要由头罩、滤毒罐、送风机、电源等组成。

（2）主要技术性能　婴儿呼吸袋的主要技术性能见表5-4-10。

图 5-4-17　婴儿呼吸袋

表 5-4-10　婴儿呼吸袋的主要技术性能

额定电压 /V	使用时间 /h	送风量 /(L/min)	重量 /kg	尺寸 /mm
DC9	2	45	0.87	340×680

（3）使用方法　安装电池，连接有毒物质过滤罐。打开电源开关，等待袋内充满空气。拉开袋子拉链，把婴儿放入袋中，固定好，头朝排气孔，然后拉上拉链。

（4）注意事项　当环境中氧气含量低于17%时不得使用。使用时婴儿头部不得置于进风口一端。

2. 医疗急救箱

医疗急救箱一般配置有洗消剂、防水创可贴、医用消毒湿巾、弹性绷带、医用胶带、烧伤敷料、三角巾、安全别针、无菌纱布片、乳胶止血带、高分子急救夹板、医用剪刀、医用镊子、一次性乳胶手套、带单向阀的人工呼吸罩、急救毯、急救说明书、急救手册等常规外伤和化学伤害急救所需的敷料、药品和器械。

三、逃生避难器材

逃生避难器材是在发生建筑火灾的情况下，遇险人员逃离火场时所使用的辅助逃生装置，主要有缓降器、逃生梯、救生滑道、应急逃生器等。

（一）缓降器

缓降器（图5-4-18）是一种使用者靠自重以一定的速度沿绳索自动下降并能往复使用的逃生器材。

1. 结构及工作原理

缓降器通常由安全钩、安全带、绳索、调速器、金属连接件及绳索卷盘等组成。下降速度随人体重量而定，整个下降速度比较均匀，不需要人进行辅助控制，可往复连续救生，如图5-4-19所示。

缓降器的速度控制器通常有离心力制动式和油制动式两种。离心力制动式速度控制器的特点是绳索行走时，依靠圆盘回转的离心力，使制动器动作调整速度；油制动式速度控制器的特点是绳索行走时，依靠油对回转翼的阻力，使速度得以调整。

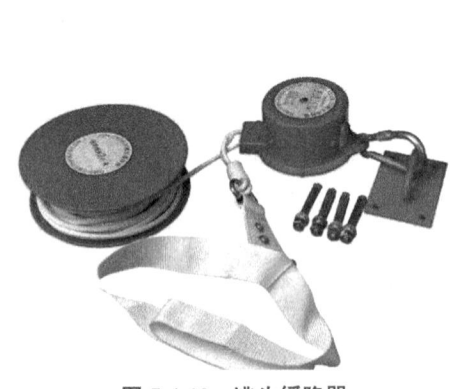

图5-4-18　逃生缓降器

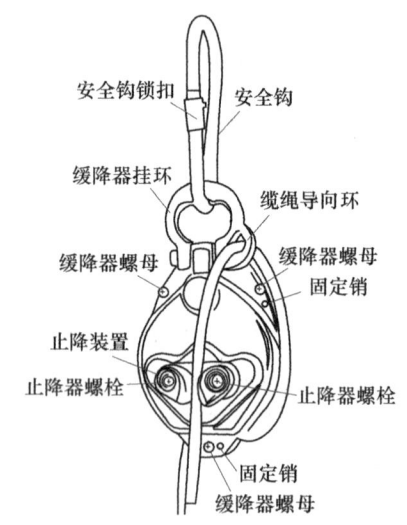

图5-4-19　JSH-100/30-20型高空救生缓降器

2. 主要技术性能

（1）绳索　绳索应采用航空用钢丝绳，直径不应小于3mm，材质应符合《航空用钢丝绳》

（YB/T 5197—2005）的要求。有芯绳索绳芯采用航空用钢丝绳，材质应符合《航空用钢丝绳》（YB/T 5197—2005）的要求；外层材质为棉纱或合成纤维材料。全绳结构应一致，编织紧密，粗细均匀且无扭曲现象。

（2）安全带　安全带应为棉纱或合成纤维材料，带宽 40~80mm，带厚 1~3mm，带长 1000~1800mm，并带有能按使用者胸围大小调整长度的扣环。

（3）安全钩　安全钩由金属材料制成并设有防止误开启的保险装置，保险装置应锁止可靠。

（4）下降速度　缓降器的下降速度均应在 0.16~1.5m/s 之间。

3. 使用方法

1）将调速器用安全钩挂在预先安装好的挂钩板上，或用安全钩、连接用钢丝绳将其挂在坚固的支撑物上（暖气管道，上、下水管道，楼梯栏杆等处）。若有安装箱，可在紧急情况发生时打碎玻璃取出调速器。

2）将钢丝绳盘顺室外墙面投向地面，且保证钢丝绳顺利展开至地面。

3）使用者系好安全带，将带夹适度调整。

4）使用者站在窗台上，拉动钢丝绳长端，使其短端处于绷紧状态。

5）使用者双手扶住窗框将身体悬于窗外，松开双手，开始匀速下降。

6）下降过程中，面朝墙，双手轻扶墙面，双脚蹬墙，以免擦伤。

7）使用者安全落地后，摘下安全带，迅速离开现场。

8）当第一个人着地后，绳索另一端的安全吊带已升至救生器悬挂处，第二个人即可套上安全吊带后下滑。

（二）救生滑道

救生滑道是由柔性材料为主体制成的带有特殊阻尼套的长条形通道式结构，是一种能使高空下滑人员安全着陆的新型救生装备，通常安装在建筑物内，也可以随举高消防车使用。

1. 结构组成

救生滑道由外层防火套、中间阻尼套和内层导套三层组成，三层重叠后固定在入口圈上。入口尺寸通常为 $\phi 600mm$ 和 500mm×600mm。

2. 主要技术性能

救生滑道的主要技术性能见表 5-4-11。

表 5-4-11　救生滑道的主要技术性能

入口圈尺寸 /mm	总长度 /m	平均下滑速度 /(m/s)
$\phi 600$ 和 500×600	7.5~60	>4.0

3. 使用方法

1）使用者进入救生滑道之前，应脱去外衣、皮鞋等可能钩扎滑道和影响下滑速度的物体，并去除领带；如在冬天进入救生滑道，应脱去棉衣等累赘衣物，尽量穿着全棉服装进入滑道。

2）使用者双手向上竖起，双脚进入滑道，滑行过程中可通过提肘、屈膝等人体姿态来控制下滑速度。

3）在施救过程中，将婴儿抱入成人的怀中，小孩骑在成人肩上一起下滑。

4）多人共同使用滑道时，前后下滑应有时间间隔，以免踩伤他人。

5）使用滑道时，滑道下端一定要有 2~3 人专人收口，待下滑人员踩到收口部位后，再松开让下滑人员滑出。

（三）应急逃生器

应急逃生器是使用者靠自重以一定的速度下降且具有刹停功能的一次性使用的逃生器材。

1. 结构及原理

应急逃生器主要由操作手柄、速度控制机构、绳索、减速机构、下滑控制机构等部件组成，如图 5-4-20 所示。其绳索固定，调速器随人从上而下，不能往返使用，下降速度通常由下降者本人控制。调速器的结构比较简单，主要依靠绳（带）与速度控制部件摩擦产生的阻力来调整下降速度。

2. 主要技术性能

（1）每次承载人数　1 人。

（2）使用高度　小于 15m。

（3）下降速度　0.16~1.5m/s（由人员控制）。

（4）刹停功能　调速器置于刹停状态时，应急逃生器应能停止运行；调速器置于正常运行状态时，应急逃生器的下降速度为 0.16~1.5m/s。

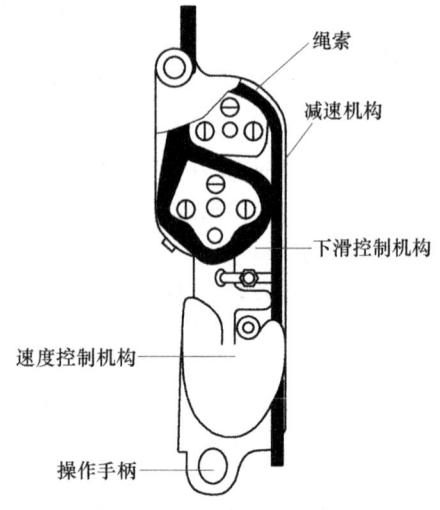

图 5-4-20　应急逃生器结构

3. 使用方法

1）将逃生器的一端绳索固定，并按规定的方法把钢索缠绕在逃生器摩擦轮中，安全带连接在逃生器下方。

2）逃生人员套上安全带，依靠自身的重量使绳索与逃生器内摩擦轮产生摩擦阻力，使下降缓慢。

3）下降者本人手握摩擦器上的握把实施下降，松开握把即可停止下降。

> 【思考题】

1. 简述救援起重气垫的使用注意事项。
2. 简述救生抛投器的使用方法。
3. 思考在救援现场如何发挥救生器材的优势。

单元五　堵漏器材

一、压力式堵漏器材

压力式堵漏器材主要通过给泄漏口加压的方式终止泄漏，根据加压的方式不同可以分为气动加压、手动机械加压和磁力加压三种类型。

(一) 气动加压堵漏器材

气动加压堵漏器材主要通过压缩空气对泄漏口产生压力封堵泄漏，主要有外封式堵漏袋、捆绑式堵漏袋、小孔堵漏枪、真空吸附式堵漏器、下水道阻流器等。堵漏袋由高强度防腐橡胶和增强材料复合制成，如图 5-5-1 所示。

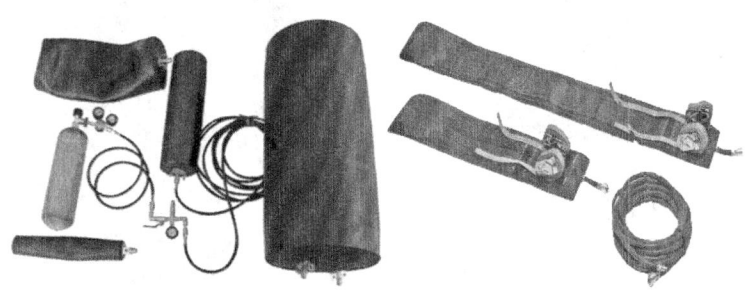

图 5-5-1　堵漏袋

1. 外封式堵漏袋

外封式堵漏袋主要用于管道、容器、油罐车或油槽车、油桶与储罐罐体外部的堵漏作业。外封式堵漏袋一般由控制阀、减压表、带快速接头的气管、脚踏泵、4 条 10m 长带挂钩的绷带、防滑衬垫等组成。使用时将密封板盖在裂缝处，拿带有钩子的带子，钩在堵漏袋的铁环（旋转扣）上，将堵漏袋压在密封板上，并压住堵漏袋，把对称的带子绕桶体用收紧器连接好，用充气钢瓶或脚踏泵对堵漏袋充气，使其鼓胀，堵住泄漏点，防止危险物质进一步泄漏。

2. 捆绑式堵漏袋

捆绑式堵漏袋主要用于圆形管道以及圆形容器裂缝的堵漏作业。捆绑式堵漏袋主要由控制阀、减压表、带快速接头的气管和 2 条带收紧器的绷带组成。使用时堵漏袋设有带子的一面朝外，把不带充气快速接头的一端捆绕在管道裂缝处，用堵漏袋上的带子绕堵漏袋一圈，与导向扣接好，再用导向扣把两根带子均匀用力收紧，拿操纵仪充气软管与堵漏袋接好，用充气钢瓶供气。

3. 小孔堵漏枪

小孔堵漏枪主要用于密封油罐车、液罐车及储存罐裂缝的堵漏。小孔堵漏枪由密封元件、密封枪、脚踏泵和操纵仪等组成，密封元件有防腐橡胶制成的圆锥形、楔形两种形状，分别适用于孔状泄漏和裂缝泄漏，如图 5-5-2 所示。

小孔堵漏枪使用时，将密封枪与脚踏泵连接，套上截流器，并选择合适的密封元件与之连接，而后再与操纵仪连接，最后将脚踏泵充气软管与操纵仪连接。消防员打开操纵仪，两手握住密封枪，将枪头堵漏袋的 75% 插入裂缝处，脚踏充气，直至泄漏处密封。

4. 真空吸附式堵漏器

真空吸附式堵漏器主要用于对稍呈拱形与平滑结构面的裂缝进行密封，利用真空进行密封排流。真空吸附式堵漏器主要由压缩空气瓶、减压器、控制阀、供气软管、排流管和吸附盘组成，如图 5-5-3 所示。

真空吸附式堵漏器使用时，先将吸附盘上的排流口与排流阀和排流管依次连接好，将减压器一端接到压缩空气瓶上，再将减压器另一端与供气软管连接，供气软管的另一端连接到吸附盘的进气口上，然后把吸附盘中心对准容器或罐体的泄漏点，放置在其表面上。依次打开压缩空气瓶瓶阀和排流阀，气流通过排流管流出，产生负压将吸附盘紧紧地吸附在罐体表面，达到导流的作用。

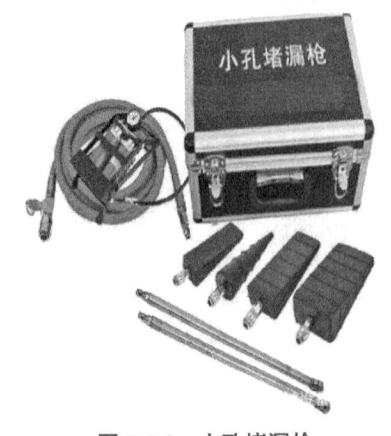

图 5-5-2 小孔堵漏枪

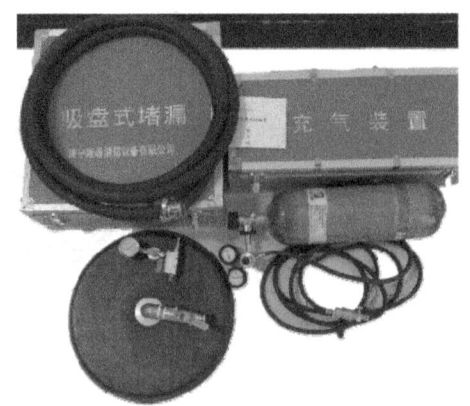

图 5-5-3 真空吸附式堵漏器

（二）手动机械加压堵漏器材

手动机械加压堵漏器材主要通过手动机械力对泄漏口加压封堵泄漏，主要有金属堵漏套管、木制堵漏楔等。

1. 金属堵漏套管

金属堵漏套管（图 5-5-4）主要用于各种金属管道的孔、洞、裂缝的密封堵漏。金属堵漏套管外部由金属铸件制成，内嵌具有化学耐抗性的橡胶密封套，可用于介质温度为 –70~+150℃，工作压力不大于 1.6MPa 的场合。

使用金属堵漏套管时，注意使泄漏点位于橡皮胶套的中央处，橡皮胶套的开口处要对准堵漏套管一半的中间；堵漏套管在泄漏点一侧时，螺钉不能拧紧，推至泄漏点后方可拧紧。

2. 木制堵漏楔

木制堵漏楔用于各种容器的点、线、裂纹产生泄漏

图 5-5-4 金属堵漏套管

的临时堵漏，也可与快速堵漏胶、胶带和各种柔性材料配合使用对泄露点进行堵漏处理。木制堵漏楔适用于介质温度为 –70~+100℃、压力为 –1.0~+0.8MPa 的堵漏。木制堵漏楔由圆锥形、方楔形和棱台形三类木楔和木槌组成，如图 5-5-5 所示。

图 5-5-5 木制堵漏楔

（三）磁力加压堵漏器材

磁力加压堵漏器材主要通过永磁体产生的磁力对泄漏口加压封堵泄漏。磁力加压堵漏器材主要用于各种罐体和管道表面点状、线状泄漏的堵漏作业，如图 5-5-6 所示。

磁力加压堵漏器材采用超强永磁体构成，它通过操纵手柄控制工作面上的磁通量，达到器材和泄漏本体之间的压合和释放。使用时，选择合适的铁楔安装在器材本体上，快速堵漏胶调匀后堆于铁楔中央，迅速将器材压向泄漏口，同时扳动通磁手柄，数分钟内胶固化后，堵漏即告完成。该器材可用于介质温度为 –70~+150℃、工作压力小于 2.0MPa 的场合。

图 5-5-6　磁力加压堵漏器材

二、粘接式堵漏器材

粘接式堵漏器材主要利用堵漏胶的粘接作用封堵泄漏口，主要有快速堵漏胶、注入式堵漏器材和粘贴式堵漏器材。

（一）快速堵漏胶

快速堵漏胶为双组分胶，由金属或非金属制成，用于储存、运输各类水、油、酸、碱、盐、气体及有机溶剂等介质的容器泄漏的堵漏。快速堵漏胶的抗剪切强度 ≥ 30MPa；使用温度范围为 –70~+250℃；修复后耐内压力 ≥ 30MPa。

（二）注入式堵漏器材

注入式堵漏器材适用于化工、炼油、煤气、发电、冶金等装置管道上的各种静密封点堵漏密封，如：法兰、阀门、接头、弯头、三通管等破损泄漏及储油塔、煤气柜、变压器等泄漏。

注入式堵漏器材采用无火花材料制作，由手动高压泵、注胶枪及一组注胶接头构成。注入式堵漏器材的堵漏过程是：在泄漏部位周围先用注胶夹具制作一个包含泄漏口在内的空腔，然后用注胶枪将专门的密封剂注入空腔并将其完全填充，以此制止泄漏。该器材适用于压力大于 30MPa 的场合，使用温度范围为 –200~+600℃，根据所选堵漏胶棒确定。手动高压泵最高工作压力为 76MPa。

（三）粘贴式堵漏器材

粘贴式堵漏器材主要用于各种罐体和管道表面点状、线状泄漏的堵漏作业，由组合器材和快速堵漏胶组成。组合器材由多种不同的器械构成，这些器械既可单独使用，又可配合使用。

粘贴式堵漏器材采用无火花材料制作，使用时根据泄漏口的形状，选用一块与之相吻合的仿形钢板，将快速堵漏胶按 1:1 调好后敷在钢板上，待快速堵漏胶达到固化临界点时，用预先选好的组合工具将钢板迅速压至泄漏口上，几分钟后胶体固化撤除工具，堵漏即告完成。该器材可堵介质温度为 –70~+250℃，压力为 –1.0~+2.5MPa 的泄漏。

【思考题】

1. 压力式堵漏器材有哪些种类？

2. 堵漏过程中的注意事项有哪些？
3. 对比压力式堵漏器材和粘接式堵漏器材的特点。

单元六　输转器材

一、输转泵

输转泵是用于灾害事故现场对有毒、有害液体进行收集、储存、转移的器材，主要包括手动隔膜抽吸泵（图 5-6-1）、防爆输转泵、多功能液体抽吸泵等。

（一）手动隔膜抽吸泵

手动隔膜抽吸泵由泵体、传动杆、吸液管、出液管、吸附器、吸液器等部件构成。

1. 主要技术性能

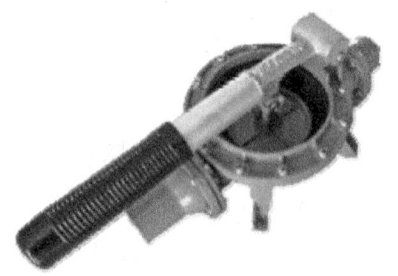

图 5-6-1　手动隔膜抽吸泵

以某型号手动隔膜抽吸泵为例，泵体、橡胶管接口由不锈钢制成，隔膜及活门由氯丁橡胶或特殊弹性塑料制成，可抗碳氢化合物；最大吸入颗粒直径 8mm；接口直径为 40mm 或 50mm；每分钟可抽吸 100L 液体，传动杆每摇动一次，可抽吸 4L；抽吸和排出高度达 5m。

2. 适用范围

一般情况下的少量液体（含化学液体）的输转都可使用。

3. 使用方法

把抽吸泵出液软管的一头接在抽吸泵的出口处，另一头放入有毒物质密封桶内，扳动传动杆，抽吸泄漏物即可。泵回收过有毒液体后一定要清洗干净。

（二）防爆输转泵

防爆输转泵（图 5-6-2）用于容器到容器的液体输送，由泵管、防爆发动机、不锈钢软管接头、软管、不锈钢喷枪等组成。可输转液体最大密度：强酸碱为 1.8kg/dm^3，其他危险液体为 1.6kg/dm^3。

（三）多功能液体抽吸泵

多功能液体抽吸泵（图 5-6-3）主要由电机、泵体、带自动调节开关的抽吸泵抽吸口、连接器、4m 长连接管和 5m 长延长管组成。

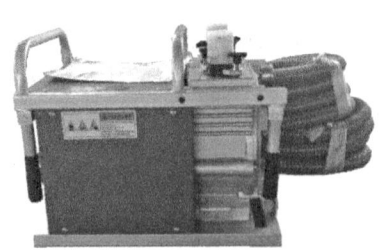

图 5-6-2　防爆输转泵

图 5-6-3　多功能液体抽吸泵

1. 主要技术性能

多功能液体抽吸泵有自动保护装置，无水情况下不会运行；最多连续使用 5h；泵上配有辅助电子仪器，用于控制发动机和传动装置。

2. 使用方法

将多功能液体抽吸泵置于危险区与安全区的交界处使用，使用时一般与有毒物质密封桶联用。将接地线用无火花工具钉入地下 300mm 以下，插接电源。将出液软管的一头接在多功能液体抽吸泵的出口处，另一头放入有毒物质密封桶内，扳动抽吸泵电源开关即可工作。使用完毕先关闭电源，再拆除接地线。泵回收过有毒液体后一定要清洗干净。

二、有毒物质密封桶

有毒物质密封桶（图 5-6-4）用于输转有毒物体和污染严重的土壤等。

有毒物质密封桶由特种塑料制成，防酸碱、耐高温。有毒物质密封桶由两部分组成，在上端预留了观察和取样窗，便于及时对物体进行观察和取样；容量 300L，直径 79.4cm，高 108.5cm，质量 26kg。

三、围油栏

围油栏主要用于陆地及水面上发生油品泄漏时，围堵有毒有害物质泄漏，防止油类污水蔓延。围油栏由防腐材料制成，长 100m、高 60cm。如图 5-6-5 所示，将围油栏沿指定位置围成一圈，在较粗管道中注入气体，较小管道中注入水，使围油栏浮于水面，可防止油类及污水蔓延。每次使用后用清水或液体肥皂清洗，也可用中性消毒液进行清洗。

图 5-6-4　有毒物质密封桶

图 5-6-5　围油栏

四、吸附垫

吸附垫主要用于在有毒液体泄漏的场所对小范围内的酸、碱和其他腐蚀性液体的吸附回收。其吸附能力为自重的 25 倍，吸附后不外渗。

使用时，不要将吸附垫直接置于泄漏物表面，应将吸附垫置于泄漏物周围。使用后的吸附垫不得乱丢，应回收进行技术处理。

五、集污袋

集污袋主要用于收集洗消的污水，是洗消帐篷的配套设备。集污袋由聚乙烯材料制成，可耐酸碱，容量大小有 1t、3t、4t 等。

使用时，将污水泵的出口直接与集污袋的进口相连。展开集污袋时，须将红色环软垫朝上。使用后，应及时将集污袋内部污水排净，折叠时大口朝上。在收集污水时，不能盲目行事，要确认所收集的污水是否对集污袋有损害，如有损害则不能使用。

【思考题】

1. 简述输转泵的分类。
2. 简述多功能液体抽吸泵的使用方法。
3. 简述集污袋的使用注意事项。

单元七 洗消器材

一、洗消站

洗消站又称公众洗消帐篷，它主要是供多名中毒人员洗消的场所，也可以作为临时会议室、指挥部、紧急救护场所等。洗消站一般包括一个运输包（内有帐篷、放在包里的撑杆）和一个附件箱（内有一个帐篷包装袋、一个拉索包、两个修理用包、一个充气支撑装置、塑料链和脚踏打气筒）。帐篷内有喷淋间、更衣间等场所，可根据污染物质的类别分区使用，如图 5-7-1 所示。

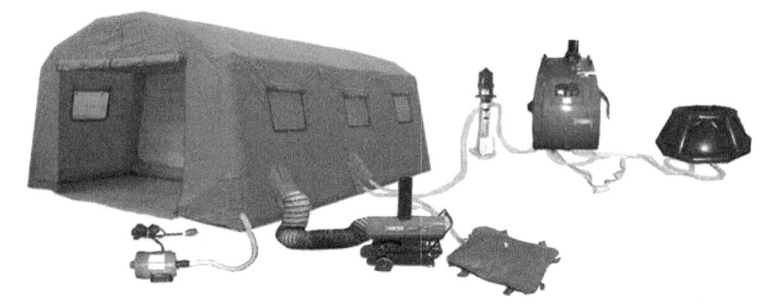

图 5-7-1 洗消站

使用时，将帐篷在平地上铺设，使用供气器材（电动充气泵、充气软管箱、空气送风机、送风软管、分流器、恒温器、45m 卷线盘一盘）逐个给帐篷的气柱充气。充完一根气柱后用撑杆固定，使帐篷成型，将洗消用具（6 个喷淋头、更衣间、喷淋槽、洗消篷）和供水器材（4000L 水袋、水加热器、排污泵、15L 均混桶及相应的连接用软管）与帐篷连接。

二、单人洗消帐篷

单人洗消帐篷由帐篷、供水排水设施和气源等组成，主要用于单个消防员离开污染现场时，对所穿着的特种服装进行洗消，如图 5-7-2 所示。其使用方法如下。

图 5-7-2　单人洗消帐篷

1）将折叠存放在运输袋内的单人洗消帐篷打开，确定帐篷入口供水及排水接头的位置，确定充气阀门的安装位置。

2）将电动充气泵和充气软管及电线盘连接好，给单人洗消帐篷接上充气软管，分别给两个软管充气。在充气的同时把帐篷 4 个角拉挺，充气完成一半后可以放开。在风大的时候要给帐篷拉下固定带，把铁尖打入地下，使帐篷不被风吹倒。

3）将供水泵放至离帐篷 2m 处，供水软管的一头接在供水泵上，另一头接在从消防车上放过来的水带上，供水泵与均混桶相接。

4）将排水泵及回收水袋放到离帐篷 4m 处连接好，回收水袋的接头开关一定要开足，排水泵与帐篷的一个排水口相接，将排水泵的电线接上电源。

三、简易洗消喷淋器

简易洗消喷淋器主要用于消防及救援人员战后快速洗消，如图 5-7-3 所示。

简易洗消喷淋器的主要技术性能如下：

接口形式为 65mm 水带接口；操作压力 $2\sim7\times10^5$Pa；展开高度 2.2m；水流量 20 L/min；质量 24 kg；收纳箱材质为铝合金。

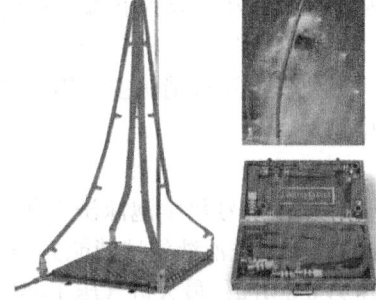

图 5-7-3　简易洗消喷淋器

四、其他洗消装备

（一）电动充（排）气泵

电动充（排）气泵由一根 20m 长电源线、一个进气口、一个出气口组成，电压为 220 V，主要用于搭建洗消帐篷时给洗消帐篷供气。其使用方法如下。

1）将充气泵电源插头插在线盘上，然后发动洗消车发电机。

2）将充气软管的接头接在充气泵的出气口上，将充气软管的另一端连接于帐篷的第一个充气节流阀。

3）打开第一个节流阀，关闭其他节流阀。

4）打开电源，充气泵开始工作。

5）等第一个气柱充足气后，关闭第一个节流阀，拔下充气管，盖上阀门盖子，接着充第二个，以此类推，直至将所有气柱充完为止。

6）如需排气，只需将充气软管接在充气泵的抽气接口即可。

（二）空气加热送风机

空气加热送风机用于向洗消站内输送暖风或自然风，实现空气流通，并通过恒温器保持适宜的室内温度。

1. 主要技术性能

以某型号空气加热送风机为例，主要技术性能如下：电源为 220V/50Hz，送风温度由恒温器自动控制；双出口柴油热风机，耗油量为 3.65L/h，油箱为 51L；工作时间 14h；供热量 35000K/h；最高风温 95℃；质量 70kg。

2. 使用方法

将空气加热送风机的送风软管连接好，并置于帐篷内，连接时要用铁钉座固定，然后安装排烟管道，打开电源开关，根据需要启动开关按钮，调节适当的风量和温度。

（三）高压清洗机

高压清洗机由带长手柄的高压水管、喷头、开关、进水管、接头、捆绑带、手柄、喷枪、消洗剂输送管、高压出口等组成，主要用于洗消各类机械、汽车、建筑物、救援工具上的有毒污染物。电源启动，能喷射高压水流，必要时可添加洗消剂，如图 5-7-4 所示。

使用方法：先连接好水源，再连接电源，选用枪头，手握枪杆距离被污染车辆和器材约 30cm。启动按钮，按照从高到低、从上风到下风的方向进行洗消。

（四）化学泡沫洗消机

化学泡沫洗消机主要用于洗消放射、生物、化学类污染物。

图 5-7-4　高压清洗机

1. 主要技术性能

以某型号化学泡沫洗消机为例，主要技术性能为：水流量为 4L/min 时，喷沫量为 $8m^2$/min；一箱洗消液的洗消能力为 $40m^2$；一瓶气可供 4 箱洗消液使用；钢瓶为 6L/30MPa；工作压力 0.8MPa；最大进气压 1.6MPa。

2. 使用方法

（1）洗消剂调配　洗消剂的选用要视洗消现场的具体需要而定。Tl 泡沫洗消剂可与 T2 泡沫洗消剂、B1 洗消剂合用，T2 泡沫洗消剂可与 B1 洗消剂合用，B1 洗消剂为生物洗消（杀菌）专用，甲醛可与 T2 泡沫洗消剂合用。

（2）储液桶洗消液的混合比例　生物洗消分量瓶 100mL 和 250mL 各 1 个，混合后形成洗消液，可洗消口蹄疫病毒；100mL 分量瓶 1 个，500mL T2 分量瓶 1 个，同时配合 250mL Tl 可洗消炭疽病毒等。

3. 操作步骤

1）两人操作，需穿一级化学防护服。

2）以配制炭疽洗消液为例，取储液桶（空）加 200mL B1、500mL T2、250mL Tl，然后加入 17.25 L 水，无须搅拌，将主机软管插入桶内即可完成调配。

3）打开主机上气瓶保护套保险装置，将 6 L/30 MPa 气瓶与主机连接，锁定保险，检查主机各接口、阀门是否插入好用。打开气瓶调节压力，打开每个环球阀门检查软管接口是否漏气，工作压力是否正常。

4)迅速取出泡沫枪与主机上软管连接,并拖到洗消现场,打开泡沫枪开关,即喷出泡沫。

4. 注意事项

1)使用气瓶时,工作压力降到低于 0.8MPa 时更换气瓶,进气工作压力最高不得超过 1.6MPa。

2)每次使用时,先将添加剂装进塑料桶里,然后再装入水,否则不能保证均匀混合。

3)每次洗消都需要专门的洗消剂,上述混合比例是针对混合总量为 20 L 而言的,计量不足将达不到预计洗消效果,过量则会导致对人体和环境产生伤害。

4)确定剂量应使用分量瓶。

5)每次使用后将设备用清水清洗干净。

6)每次洗消应由上而下进行。

7)在每次使用前必须先做好有针对性的个人防护,穿一级化学防护服。

8)洗消完毕后,注意个人洗消,防止二次污染。

【思考题】

1. 简述单人洗消帐篷的使用方法。
2. 简述洗消站的使用方法。

单元八 照明、排烟器材

一、照明器材

照明器材是用于提高火场和救援现场光照亮度的器材。照明器材按性能分为防水型、防爆型和防水防爆型;按携带方式分为便携式、移动式和车载固定式。便携式又分为佩戴式和手提式。

(一)手提式强光照明灯具

手提式强光照明灯具(图 5-8-1)是一种可手持的移动照明和应急照明灯具,是消防救援队伍常用的一种照明装备。手提防爆探照灯由壳体、灯尾、提手和灯头等部件组成,适用于火灾和应急救援现场以及水下消防作业,其主要技术指标见表 5-8-1。

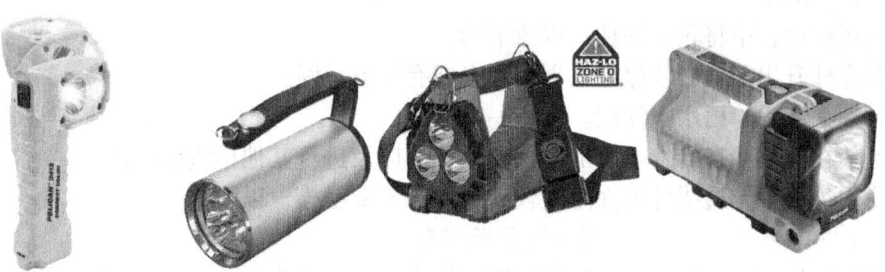

图 5-8-1 手提式强光照明灯具

表 5-8-1　手提防爆探照灯的主要技术指标

电池额定容量/(A·h)	工作电压/V	灯泡				平均使用寿命/h	连续放电时间/h		充电时间/h	电池使用寿命（循环次数）
		电流/A		光通量/lm						
		强光	工作光	强光	工作光		强光	工作光		
2.7	12	1.7	0.5	1200	600	≥1200	1.5	≥3.5	8~10	约1000

（二）移动式消防照明装备

1. 带有发电机（组）的移动式消防照明装备

移动式消防照明灯组

（1）结构及原理　带有发电机（组）的移动式消防照明装备（图 5-8-2）由灯盘、伸缩杆、电动气泵和发电机组四大部分组成。灯盘由多盏高压双端卤钨灯组成，按现场需要可使每个灯头单独做上下、左右角度调节，旋转实现 360° 全方位照明；也可将灯头在灯盘上均匀分布向四个方向照明；整体照明远近兼顾，照明亮度高，范围大。选用伸缩气缸作为升降调节方式，用气泵或手动气阀控制伸缩杆的升降，可无线或有线控制灯的开启和关闭。

图 5-8-2　带有发电机（组）的移动式消防照明装备

（2）主要技术性能　移动照明灯组上下转动灯头可调节光束照射角度，灯光覆盖半径为 30~50m。灯具可直接使用发电机组供电，也可接通 220V 市电长时间照明；采用发电机组供电，一次注满燃油连续工作时间可达 13h。

（3）注意事项

① 在运载过程中将轮子锁住，以免滑动。

② 升降杆升出前，必须保证其周围和上空有足够空间。

③ 严禁在室内、雨水中使用。

④ 严禁在开机状态给发电机加注燃油、机油以及进行其他检查和维护。

⑤ 使用过程中，透明件表面温度较高，注意不要触摸，以防烫伤。

2. 不带发电机（组）的移动式消防照明装备

不带发电机（组）的移动式消防照明装备有全方位泛光工作灯。以某型号为例，该装备由三脚支撑架、气泵、伸缩杆和金属卤化物灯盘四大部分组成。灯盘由四个 500W 金属卤化物灯头组成，可根据现场需要将灯头在灯盘上均匀分布向四个不同方向照明，也可将每个灯头单独做上下、左右大角度调节、旋转，实现360°全方位照明。

使用时，可采用电动或手动气泵来快速控制伸缩气缸的升降；无线遥控可在30m范围内分别控制每盏灯的开启和关闭。供电电源可用220 V市电长时间供电，也可另外接发电机供电。

（三）车载固定式消防照明装备

车载固定式消防照明装备包括伸缩式照明装备、曲臂式照明装备等。

伸缩式照明装备通过固定在汽车底盘上的升降杆，利用压缩空气在气动装置的作用下实现升降杆的灵活升降，云台控制器可将主灯进行俯仰、水平旋转等。在使用时，应特别注意：电动云台和照明灯必须复位和下降到最低点，不能在升降杆升起时开动照明车；升降杆升出前，必须保证其周围和上空有足够空间，无高空电线或其他障碍物，避免触电危险。

曲臂式照明装备是由臂架、回转升降机构、灯具、采用车辆动力驱动的发电机组、电控柜灯等组成，整个系统在液压装置的作用下，将臂架灵活地进行回转升降，并且通过电控柜，能随意将灯组进行俯仰、水平旋转。

二、排烟器材

排烟器材用于灾害事故现场的排烟和送风。排烟器材按照使用方式可以分为正压式、负压式和正负压式排烟机；按照移动方式可以分为手提式、手推式和拖车式排烟机；按照使用时有无风管分为有风管式和无风管式排烟机；按照驱动方式可以分为内燃机式、电动式和水力式排烟机。

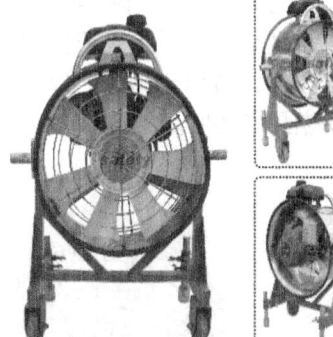

内燃机式消防排烟机

排烟机可以独立完成各类建筑火灾的排烟作业，也可以与建筑防排烟系统配合使用，发挥更好的排烟作用，还可以用于向灾害现场输送新鲜空气，稀释或抽除有毒有害气体。正压式排烟机还能给救生气垫供气。

（一）内燃机式排烟机

目前消防救援队伍配备的内燃机式排烟机主要是汽油机式排烟机，如图5-8-3所示。

1. 结构

内燃机式排烟机大多采用小型四行程汽油发动机，主要由汽油机、风机（包括风机筒体、叶轮）和机架等组成。其中风机大多采用轴流式结构，叶轮大多采用汽油机直联传动。

图5-8-3 汽油机式排烟机

2. 主要技术性能

某内燃机式排烟机主要技术性能见表5-8-2。

表5-8-2 某内燃机式排烟机主要技术性能

功率/kW	最大排烟量/(m³/h)	最大转速/(r/min)	宽度/mm	厚度/mm	高度/mm	质量/kg
4.0~5.0	17000~34000	2950~3740	480~720	500~600	540~762	28~38

3. 使用与维护

1) 应根据使用场合或现场环境正确选择正压式或负压式排烟机；不能在易燃易爆场所启

动排烟机。

2）使用前，应使排烟机处于水平位置。检查汽油机曲轴润滑油油位和汽油箱油量。加汽油时应远离火源且在通风良好处进行。加汽油后仔细清除溅落在机器表面的汽油，拧紧油箱盖。

3）接通汽油开关，关闭阻风阀门，略微打开汽油机油门。

4）启动汽油机。使用电动开关启动；对于手动启动汽油机，需轻拉启动手柄直到感到阻力，然后用力快速一拉。注意不要突然放开手柄使其弹回撞击发动机，而应慢慢顺着回弹力放回。使用时排烟机附近不应放有任何物品以避免吸入，造成排烟机损坏或伤及操作者。

5）工作完毕后，首先将汽油机油门置于急速位置，让机器在急速工况下运转 2~3 min，再将点火电路开关关闭，即可使发动机停止运转，最后关闭汽油开关。

6）每次使用完毕后，应擦拭吸、排烟管道和排烟机，保持清洁。

（二）电动式排烟机

电动式排烟机（图 5-8-4）是利用火灾现场的电源或者消防车自带的电源为动力源，以电动机为动力驱动的排烟机，适用于大型容罐内、隧道内有毒气体以及烟气、粉尘排送等，是常用的消防排烟机之一。电动式排烟机采用电机为动力源，体积小，重量轻，容易启动，能够快速投入火场和应急救援战斗，转速较快，排烟量大，噪声小，操作方便；其缺点是在现场没有电源的情况下无法使用，并且不能在易燃易爆场所使用。

（三）水力式排烟机

水力式排烟机（图 5-8-5）是由水轮机作为动力驱动的排烟机，所用的压力水通过消防水带取自消防车、手抬泵或固定供水装置。水力式排烟机使用时，能够快速展开作业，压力水获取方便，适用于高层、地下建筑、石油化工等各种场合，在满足一定要求条件下还可以用于易燃易爆场所。

图 5-8-4 电动式排烟机

图 5-8-5 水力式排烟机

水力式排烟机主要由风机、叶轮、机壳、网罩、水轮机和支架等部件组成。水轮机是水力式排烟机的重要部件,它是水力式排烟机的原动机。

【思考题】

1. 照明器材分为哪些类型?
2. 排烟机如何分类?
3. 简述内燃机式排烟机的使用与维护方法。

模块六 消防泵

单元一 消防泵的分类与型号编制

一、消防泵的分类

消防泵是安装在消防车、消防船、固定灭火系统或其他消防设施上,用于输送水或泡沫溶液等液体灭火剂的专用泵。消防泵主要有以下几种分类方式。

(一)按是否有动力源分类

1. 无动力消防泵

无动力消防泵在设计、定型、生产时均不带动力源,待后期安装时(如安装到消防车或手抬机动泵时)才与动力源连接。需要注意的是,无动力消防泵并非真的没有动力源。

无动力消防泵根据使用场合不同,可分为车用消防泵、船用消防泵、工程用消防泵、其他用消防泵;根据出口压力等级不同,可分为低压消防泵(出口压力不超过 1.6MPa)、中压消防泵(出口压力为 1.8~3.0MPa)、中低压消防泵、高压消防泵(出口压力在 4.0MPa 以上)、高低压消防泵;根据用途不同,可分为供水消防泵、稳压消防泵、供泡沫液消防泵;根据辅助特征不同,可分为普通消防泵、深井消防泵、潜水消防泵。

2. 消防泵组

消防泵组在设计、定型、生产时就包含动力源,可用于消防工程中的远程供水系统。

消防泵组根据动力源形式不同,可分为柴油机消防泵组、电动机消防泵组、燃气轮机消防泵组、汽油机消防泵组;根据用途不同,可分为供水消防泵组、稳压消防泵组、手抬机动消防泵组;根据辅助特征不同,可分为普通消防泵组、深井消防泵组、潜水消防泵组。

(二)按安装和应用方式分类

消防泵根据安装和应用方式不同,可分为车用消防泵、机动消防泵和固定式消防泵组三种类型。

(三)按输送介质分类

消防泵按照其输送的介质不同,可分为消防水泵、泡沫液泵、消防引水泵等几种类型。其中,消防水泵主要采用离心泵,用于输送水流或泡沫混合液。

二、消防泵的型号编制

（一）无动力消防泵型号编制

无动力消防泵一般用于消防车、消防船，也称车用消防泵或船用消防泵，其型号由泵特征代号、主参数、企业自定义代号3个部分组成，如图6-1-1所示。

（二）消防泵组型号编制

消防泵组型号由泵特征代号、驱动机特征代号、主参数、用途特征代号、辅助特征代号、泵法兰通径、驱动机额定功率及企业自定义代号8个部分组成，如图6-1-2所示。

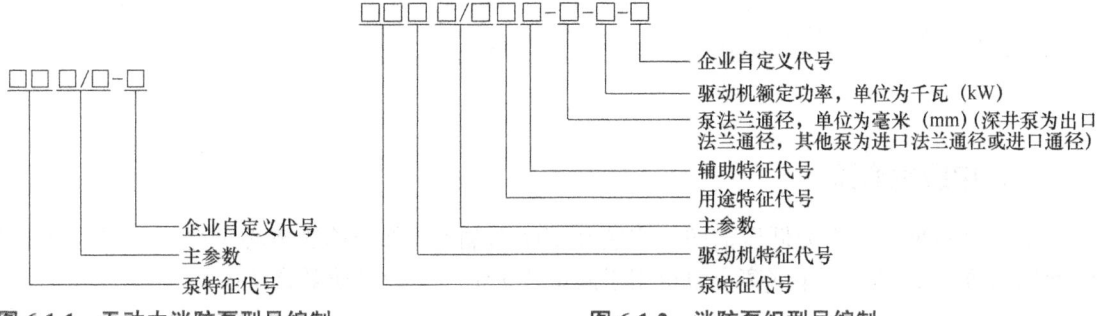

图6-1-1　无动力消防泵型号编制　　　图6-1-2　消防泵组型号编制

各特征代号见表6-1-1。

表6-1-1　各特征代号

特征		代号
泵特征	车用消防泵	CB
	船用消防泵	HB
	手抬机动消防泵	JB
	固定式消防泵	XB
	拖车式消防泵	TB
	增压消防泵	ZB
泵组特征	柴油机	C
	电动机	D
	燃气轮机	R
	汽油机	Q
	水轮机	S
主参数	压力/流量	10×额定压力/额定流量
用途特征	稳压	W
	供水	G
	供泡沫液	P
辅助特征	深井泵	J
	普通泵	省略

主参数中，额定压力单位为 MPa，额定流量单位为 L/s。以高低压车用消防泵为例，高压额定压力为 4.0MPa，低压额定压力为 1.0MPa，高压额定流量为 6L/s，低压额定流量为 40L/S，则其型号为 CB 40.10/6.40。

【思考题】

1. 低、中、高压消防泵的压力区间分别是多少？
2. CB16/40 表示什么泵？

单元二 离心泵

一、单级离心泵

单级离心泵主要作为低压消防泵安装在消防车辆上（部分单级离心泵也可以作为中压或中低压消防泵），同时，单级离心泵也用于固定式泵组、手抬机动泵等设备。

（一）单级离心泵的结构

单级离心泵主要由泵体、叶轮、泵轴等构成，如图 6-2-1 所示。

（二）单级离心泵的工作原理

当泵内充满液体后，随着叶轮的转动，泵内液体在泵体内部高速转动，在离心力作用下，由叶轮中心甩向四周，汇集后由泵出口流出，完成压水过程。与此同时，叶轮中心部分的水被甩出，在叶轮入口处形成真空，水在大气压作用下，由吸水管进入泵体吸入室，完成吸水过程。离心泵就是在叶轮连续转动下，不断完成压水和吸水过程而工作的（图 6-2-2）。

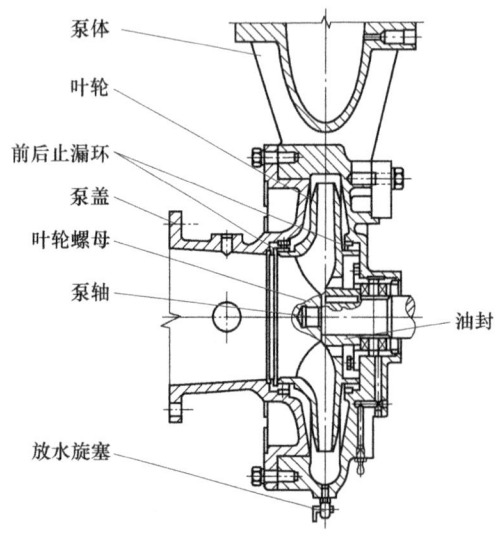

图 6-2-1 单级离心泵的结构

图 6-2-2 单级离心泵的工作原理

应当指出的是，离心泵工作的必要条件是事先要给泵灌满水。这是因为离心泵没有排气引水的能力。在固定泵系统中，为使泵能开始正常工作，常采用水源自灌或用自来水注水的方式使泵内充满水。而对车用消防泵来说，这样做都不方便，因而需要安装排气引水装置来灌水。当排气引水装置工作时，泵及吸水管中的空气被排出，形成一定真空度，在大气压作用下，将水源的水引入离心泵内。当泵正常工作后，则离心泵自身能保持内部的真空度要求。

二、离心泵的主要参数

离心泵的主要参数有流量、扬程、功率、转速、效率、吸深、汽蚀余量等。

（一）流量

水泵在单位时间内输送的液体量称为流量。消防泵通常采用体积流量，常用单位为 L/s 或 m^3/min。体积流量 Q 和重量流量 G 的关系为

$$G=Q\gamma$$

式中　G——重量流量，单位为 N/s；

　　　γ——输送液体的重度，单位为 N/m^3，水的重度 $\gamma=9.8\times10^3 N/m^3$；

　　　Q——体积流量，单位为 m^3/s。

（二）扬程

单位重量的液体通过水泵所获得的总能量以泵能将水竖直面上推的高度来表征，这个高度称为扬程，也称水头或给水高度，用符号 H 表示，单位为 m。扬程也可理解为泵体内叶轮对单位重量的液体所作的功，即从泵的进口到出口间传给单位重量液体的总能量。扬程表示泵内的能量传递关系。

（三）功率和效率

水泵的功率分为有效功率、轴功率（也称输入功率）和配用功率，分别用 N_e、N、N_g 表示，单位为 W、kW 或 hp。

若水泵在单位时间内把流量为 Q 的液体压送至扬程为 H 的高度上去，则水泵传递给液体的有效功率

$$N_e=GH$$
$$=\gamma QH$$

在流量、扬程一定的情况下，原动机施加在水泵轴上的功率叫轴功率。由于水泵运动副之间存在摩擦损失和局部阻力损失，因此轴功率 N 总是大于有效功率 N_e。N 与 N_e 之间的差值叫损失功率，N_e 与 N 的比值叫效率，记作 η。

$$\eta=\frac{N_e}{N}\times100\%$$

效率是评定一台水泵设计、制造优劣的一项重要指标。目前，小型离心泵的效率通常为 70%~80%，而大型离心泵的效率高达 90% 以上。

水泵所需配用原动机的功率叫配用功率。

（四）转速

转速是指水泵轴或叶轮在一分钟内的旋转周数，记以符号 n，单位为 r/min。以电动机作为原动机为例，转速通常有 960r/min、1450r/min、2900r/min 等。而消防离心泵的转速均在 2820r/min 以上，这是因为在满足一定流量和扬程的情况下，选用较高的转速，水泵的尺寸可以小一些。但要指出的是，车用消防泵在实际使用中转速是变化的，水泵的转速随车上发动机的转速变化而变化。

（五）吸深

消防泵的吸深 H_{SZ} 是泵基准面和吸入液面之间的高度差，其单位是 m。对卧式安装的消防泵来说，吸深是指其轴心线距水平面的垂直高度。若水平面高于轴心线，则为正吸入，反之则为负吸入。

（六）特性曲线

离心泵特性曲线示例如图 6-2-3 所示。由该图可以看出，离心泵的扬程随流量增大而下降，仅在流量极小时可能有意外。这是离心泵的重要特性。而泵的效率在开始时随流量增大而上升，达到一个最大值后，又随流量增大而下降。当流量为 0 时，扬程最大，但效率为 0，此时轴功率以热的形式被散失了。曲线上最高效率点对应的 Q、H、N 即为泵的最佳工况点。操作水泵时，应尽可能使泵在最佳工况点附近运行，一般以不低于最高效率的 92% 为合理。

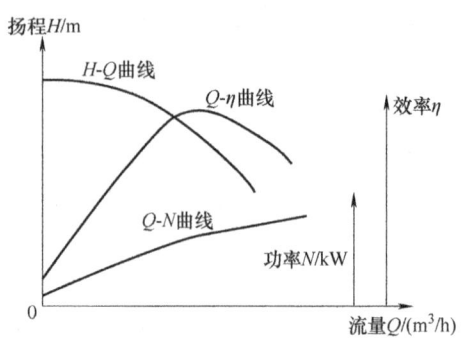

图 6-2-3　离心泵特性曲线示例

应当指出，不同的泵，其特性曲线是不一样的；即使是同一台泵，在不同转速时，其流量也是变化的，同时，其他性能参数也随之变化。水泵铭牌上给定的数值，均反映该泵在效率最高点的性能。离心泵在不发生过载和汽蚀的情况下，可以在很广的流量扬程范围内运行。

三、泵的级数与串联、并联

（一）泵的级数

泵的级数指单个泵体内叶轮的数目。单级泵指的是泵体内只有一个叶轮的泵，二级泵是指泵体内有两个相同叶轮的泵，同理，多级泵就是泵体内有多个叶轮的泵。例如：某品牌管道泵的某型号一级泵的流量为 10000L，扬程 20m，该型号泵的级数与流量、扬程的关系见表 6-2-1。

表 6-2-1　泵的级数与流量、扬程的关系

级数	一级泵	二级泵	三级泵	n 级泵
流量	10000L/h	10000L/h	10000L/h	10000L/s
扬程 /m	20	40	60	$20n$

由此可见，二级或多级泵的流量取决于第一级叶轮的流量，流量不随级数的增加而增加，但是扬程随着级数的增加而成倍数地增加。

（二）泵的串联与并联

1. 泵的串联

泵的串联，是指多台泵首尾相连形成一串，前泵的出水口接后泵进水口，目的是获得更高的压力。泵的串联常用于长距离输水和增压供水的情况。简单来说，多台相同泵串联系统的流量与单台泵流量相等，但扬程为单台泵的扬程之和，即

$$H_{串联}=H_1+H_2+H_3+\cdots$$

2. 泵的并联

泵的并联是指多台泵单独进水，但共用一根出口管，每台泵都有单独的止回阀，主要目

的是获得更高的流量。简单来说，多台相同泵并联运行后，扬程与单台泵扬程相等，但流量为单台泵的流量之和，即

$$Q_{并联}=Q_1+Q_2+Q_3+\cdots$$

1. 单级离心泵由哪些主要部件组成？
2. 若有额定流量 40L/s、额定压力 1.6MPa 的两个泵串联，其流量和压力如何变化？
3. 若有额定流量 60L/s、额定压力 1.0MPa 的两个泵并联，其流量和压力如何变化？

单元三　车用消防泵

车用消防泵安装在消防车上，用于消防车出枪出炮或给消防车水罐注水。

车用消防泵主要由离心泵、齿轮箱（或轴承座）、引水用真空泵等辅助装置组成；有些车用消防泵还具有泡沫比例混合器等辅助管路装置；集成的车用消防泵还包括全自动泡沫比例混合器、进口管路、出口管路、阀门、快换接头等部件。

图 6-3-1 是 BD60 低压车用消防泵结构示意图。

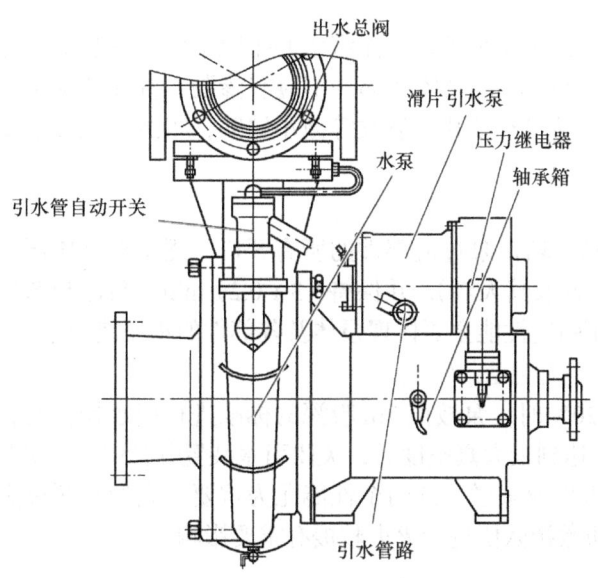

图 6-3-1　BD60 低压车用消防泵结构示意图

车用消防泵属于无动力泵，其动力来源是消防车的发动机。车用消防泵的主体是离心式叶片泵，由于叶片泵没有自吸能力，因此必须在其泵上设置引水泵，以实现吸水功能。

一、车用消防泵的分类

车用消防泵有多种类型，根据压力不同，可以分为低压车用消防泵、中压车用消防泵、中低压车用消防泵、高低压车用消防泵等。不同压力的车用消防泵，其结构也有所不同：低

压车用消防泵的常见结构为单级离心泵；中压车用消防泵的常见结构为串联离心泵；中低压车用消防泵的常见结构为串联离心泵和多级串联离心泵；高低压车用消防泵的常见结构为多级串联离心消防泵。

二、车用消防泵的通用技术特点

（一）车用消防泵的额定工况

车用消防泵的额定工况见表6-3-1。

表6-3-1 车用消防泵的额定工况

参数		单位	代号	额定工况
低压	额定流量	L/s	Q_n	20, 25, 30, 35, 40, 45, 50, 55, 60, 70, 80, 90, 100
	额定压力	MPa	P_n	≤ 1.6
中压	额定流量	L/s	Q_{nz}	10, 15, 20, 25, 30, 35, 40, 45, 50, 55, 60, 65, 70, 75, 80
	额定压力	MPa	P_{nz}	1.6~2.5
高压	额定流量	L/s	Q_{ng}	4, 5, 6, 7, 8, 9, 10
	额定压力	MPa	P_{ng}	>2.5

（二）车用消防泵的机械性能

1. 密封性能

根据国家标准要求，堵住泵进口，注满水并排除空气，逐步对泵加压至最大工作压力的1.1倍，并保持（15±0.2）min，泵体和部件不应有渗漏、冒汗情况出现。水泵泵壳一般为铸铁材质，铸造过程中容易出现砂孔、裂纹等微小缺陷，密封性能要求就是针对这类缺陷所做的防范。

2. 静水压强度性能

根据国家标准要求，堵住泵过流部件的所有开口，逐步对承压部件加压至最大工作压力的1.5倍或2.0MPa（两者取其大者），并保持（3±0.2）min，泵体和部件不应有影响性能的变形和裂纹出现。静水压强度性能主要体现泵体及各部件的承压能力。

（三）最大真空度和真空密封性能

在标准大气压和20℃时，泵按照7m吸深的标准进行引水操作时，引水装置产生的最大真空度不小于85kPa；达到最大真空度后，关闭引水装置并计时，一分钟内真空度降落值不能大于2.6kPa。对于引水作业来说，这两个性能尤为重要，它们直接决定了泵在极端环境下是否能顺利引水，对消防救援队伍进行灭火救援有重要影响。

（四）泵的吸深

按照国家标准，车用消防泵在标准大气压和20℃时，必须达到7m吸深。当大气压偏离标准大气压或水温不为20℃时，应对吸深进行修正。

三、低压消防泵

低压消防泵一般用作固定式泵组、手抬机动泵、车用消防泵，其出口压力不大于1.6MPa。低压消防泵主要有单级离心泵和双级离心泵两种形式，其工作原理相同，主要零部件的形状相近。单级离心泵的泵壳多为蜗壳式，双级离心泵式的泵壳一般为导叶式（泵壳内有导向叶轮）。

（一）低压消防泵的技术性能

常用低压消防泵的性能参数见表 6-3-2。

表 6-3-2　常用低压消防泵的性能参数

型号	流量/ (L/s)	扬程 /m	转速/ (r/min)	效率 (%)	轴功率/ kW	最大吸深/ m	配用功率/ kW	进、出水口径/ mm
CB10/20	20	110	3100	78.94	29.3	7	65	80/65
CB10/30	30	110	3240	60	42.5	8.2	95	100/80
CB10/40	40	110	2950	—	49.2	7	99	100/80
CB12/50	50	130	2950	72.7	79.8	7.4	132	150/80
CB12/60	60	130	3000	75	76.8	8	132	150/80
CB13/70	70	138	2950	—	88	6.5	—	150/80

（二）低压消防泵的特点

低压消防泵作为一种离心泵，具有以下优点：一是能与电动机、内燃机等高速（1000~16050r/min）运转的原动机匹配使用，动力配用方便；二是能在很大的流量、扬程范围内使用；三是体积小、重量轻，运行时振动小，能连续供水；四是工作适应性好，即使水中混有细小泥沙等，也不容易产生故障。由内燃机驱动时，不会因水枪关闭、水带阻塞或曲折而使压力升得很高。但是，低压消防泵也具有离心泵的一般缺点：一是没有自吸能力，故必须配用引水装置或预先向泵内灌满水；二是吸进空气会恶化扬水性能，有时甚至无法吸水；三是与轴流泵相比，流量小、扬程高时效率低；四是转速的变化对流量、扬程的影响大。

四、中低压消防泵

中低压消防泵是指既能供中压又能供低压液流的消防泵。它是为满足扑救高层建筑火灾及远距离供水的要求，适应一车多能、快速反应的需要而设计的。

中低压消防泵按主要结构分中低压单级离心泵、中低压双级离心泵、中低压串联离心泵、中低压串并联离心泵四种类型。

（一）中低压单级离心泵

中低压单级离心泵的基本构造类似常压单级离心泵，泵室内仅有一只叶轮。其形成中压的基本原理是：通过增大水泵转速来调节压力。中低压单级离心泵的转速一般为 3500~6000r/min，而常压单级离心泵的转速一般在 3500r/min 以下。

中低压单级离心泵的主要性能参数见表 6-3-3。

表 6-3-3　中低压单级离心泵的主要性能参数

	型号	CB18·10/15·30	CB18·10/40·40	CB18·10/50·50	CB18·12/50·60
低压 工况	流量 Q/(L/s)	30	40	50	60
	出口压力 P/MPa	1.0	1.0	1.0	1.2
	转速 n/(r/min)	4350	4200	4300	4900
	功率 N/kW	≤ 60	≤ 62	≤ 75	≤ 120

(续)

	型号	CB18·10/15·30	CB18·10/40·40	CB18·10/50·50	CB18·12/50·60
中压工况	流量 Q/(L/s)	15	40	50	50
	出口压力 P/MPa	1.8	1.8	1.8	1.8
	转速 n/(r/min)	5150	5337	5560	5560
	功率 N/kW	≤60	≤106	≤140	≤140
	引水泵	活塞泵	活塞泵	活塞泵	活塞泵
	引水时间/s	17	25.4	26.4	26.4
	质量/kg	120	100	125	125

(二) 中低压双级离心泵

中低压双级离心泵的结构原理类似常压双级离心泵，泵室内有串联在一根轴上的两级叶轮。其形成中压的基本原理是：通过增大水泵转速来调节压力；同时可以通过减少流量来增大压力。

中低压单级离心泵和中低压双级离心泵一般没有中低压联用工况。

(三) 中低压串联离心泵

中低压串联离心泵主要由两个独立泵腔组成，一是低压叶轮泵室，二是中压叶轮泵室，中间用隔板分开。两泵室利用装有中压转换阀的导管连通。需要常压时，直接由低压叶轮泵室吸水，同时出水，即形成常压供水。需要中压时，开启中压转换阀，压叶轮泵室压力水通过导管进入中压叶轮泵室再次加压，同时打开中压出水口，即形成中压供水（中压是通过泵的串联实现的）。需要中低压联用时，开启中压转换阀，同时打开低压出水口和中压出水口。

图 6-3-2 为中低压串联离心泵的结构简图。

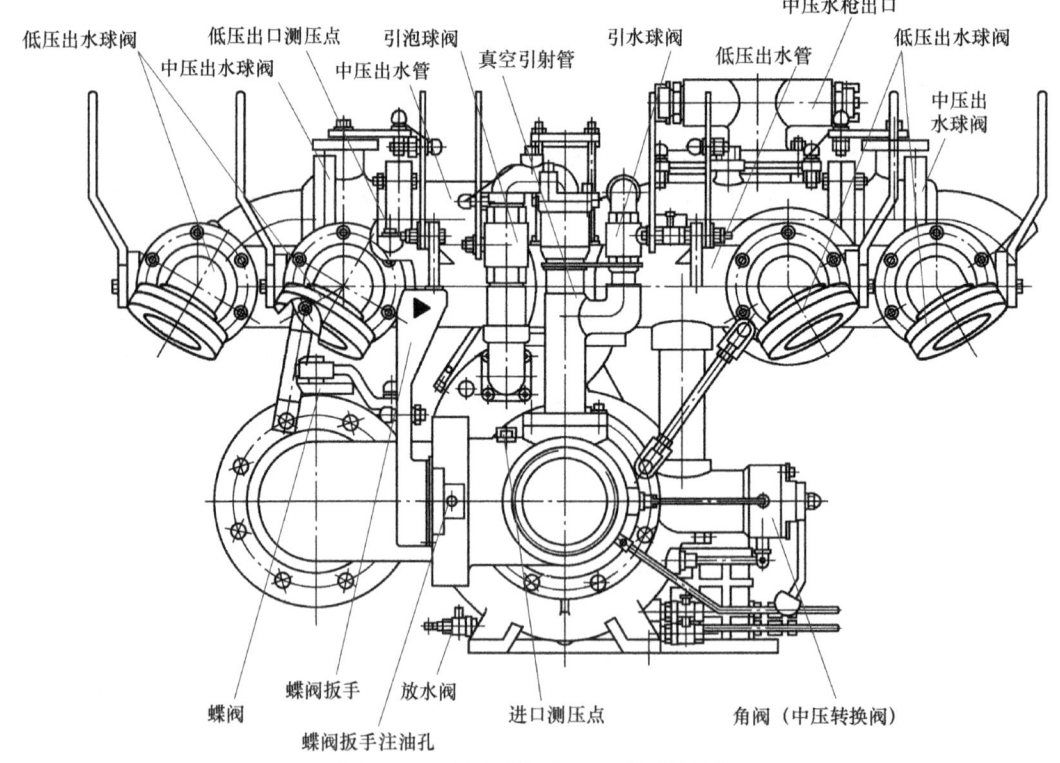

图 6-3-2 中低压串联离心泵结构简图

中低压串联离心泵的主要性能参数见表 6-3-4。

表 6-3-4 中低压串联离心泵的主要性能参数

	型号	CB20·10/ 15·30	CB20·10/ 20·40	CB20·10/ 25·50	CB20·10/ 30·60	CB20·10/ 35·70
低压 工况	流量 Q/(L/s)	30	40	50	60	70
	出口压力 P/MPa	1.0	1.0	1.0	1.0	1.0
	转速 n/(r/min)	4100	4300	4300	4510	4600
	功率 N/kW	≤60	≤80	≤98	≤118	≤138
中压 工况	流量 Q/(L/s)	15	20	25	30	35
	出口压力 P/MPa	2.0	2.0	2.0	2.0	2.0
	转速 n/(r/min)	4120	4320	4330	4680	4400
	功率 N/kW	≤60	≤80	≤86	≤123	≤138
联合 工况	低压流量 Q/(L/s)	20	20	25	30	35
	低压出口压力 P/MPa	1.0	1.0	1.0	1.0	1.0
	中压流量 Q/(L/s)	10	25	25	30	35
	中压出口压力 P/MPa	2.0	2.0	2.0	2.0	2.0
	转速 n/(r/min)	4200	4260	4400	4410	4500
	功率 N/kW	≤70	≤86	≤120	≤124	≤145
	引水泵	活塞泵	活塞泵	活塞泵	活塞泵	活塞泵
	引水时间/s	25.4	25.4	26.4	26.4	30.4
	质量/kg	165	165	180	180	190

（四）中低压串并联离心泵

中低压串并联离心泵由两级形式相同的叶轮组成，在两级叶轮的共同出口处设置转换阀，实现两级叶轮形成的压力水串联或并联。并联时实现常压供水，串联时实现中压供水，但不能实现中、低压同时供水。

当转换阀处于串联位置时，第一级叶轮的压力水进入第二级叶轮吸水腔室，经第二级叶轮再次加压后由出水管流出。这时泵处于串联工作状态，活门关闭，隔断第二级叶轮与吸水口的联系，泵呈中压供水。当转换阀处于并联位置时，阀芯使第一级叶轮与出水管直接相通，并隔断第一级叶轮汇流出口与第二级叶轮吸水腔室的联系，此时，活门在负压下打开，两个叶轮互不干涉，并联供水，泵呈低压供水。

五、高低压消防泵与多压消防泵

（一）高低压消防泵

高低压消防泵是指可输出高压和低压两种压力水的消防泵类。通常它既可单独输出低压或高压，也可同时输出高压和低压。

高低压消防泵按主要结构不同分为高低压离心—离心消防泵和高低压离心—漩涡消防泵

两种类型，其中，高低压离心—漩涡消防泵效率低、流量小，目前基本不再使用，本书主要介绍高低压离心—离心消防泵。

高低压离心—离心消防泵由单级离心泵和单级或多级离心泵串联而成，两泵室各自独立，中间用隔板分开，两泵室由导水管相连通。

高低压离心—离心消防泵的性能参数见表 6-3-5。

表 6-3-5 高低压离心—离心消防泵的性能参数

	型号	CB40·10/6·30	CB35·10/6·50
低压工况	流量 $Q/(L/s)$	30	50
	出口压力 P/MPa	1.0	1.0
	转速 $n/(r/min)$	4250	4300
	功率 N/kW	≤ 66	≤ 98
高压工况	流量 $Q/(L/s)$	6	6
	出口压力 P/MPa	4.0	3.5
	转速 $n/(r/min)$	3800	5100
	功率 N/kW	≤ 78	≤ 110
高低压联合工况	低压流量 $Q/(L/s)$	15	25
	低压出口压力 P/MPa	1.0	1.75
	高压流量 $Q/(L/s)$	6	6
	高压出口压力 P/MPa	4.0	3.5
	转速 $n/(r/min)$	3860	5200
	功率 N/kW	≤ 86	≤ 135
	引水泵	活塞泵	活塞泵
	引水时间 /s	17	145
	质量 /kg	25	150

（二）多压消防泵

多压消防泵按主要结构不同可分为多压离心—漩涡泵和多压离心—离心泵，其性能参数见表 6-3-6。

表 6-3-6 多压消防泵的性能参数

	型号	CB40·20·10/4·20·40	CB40·18·10/6.6·15·30
低压	流量 /(L/s)	40	30
	出口压力 /MPa	1.0	1.0
	转速 /(r/min)	2600	—
中压	流量 /(L/s)	20	15
	出口压力 /MPa	2.0	1.8
	转速 /(r/min)	2970	—
高压	流量 /(L/s)	4	6.6
	出口压力 /MPa	4.0	4.0
	转速 /(r/min)	3125	—
	引水装置	水环泵	活塞泵

六、车用离心泵的运行

水泵的运行包括启动前准备、启动、运行及停止等环节。在此,仅以车用离心泵的运行为例讨论。

(一)启动前

注意润滑轴承,但注油不宜过多。吸水阀、出水阀处于关闭状态。查看吸水管的安装状况,吸水管不应有隆起,以免产生"气室"。确认辅助开关、阀门不漏气。若使用滑片引水泵,要查看油箱的油量是否足够。

(二)启动时

1)引水操作采用真空泵,要打开真空泵吸入阀。
2)引水结束时,要切断真空泵的传动(某些泵型可以自动切断)或使其空转。
3)引水完成后慢慢升速,打开出水阀。为避免水锤的产生,出水阀不要急速开启。

(三)运行中

1)要使轴承温度保持在 70℃以下。
2)注意密封部位的渗漏情况,密封部位有少量滴水表明松紧适当。
3)尽可能避免断流运行。
4)注意出水压力和真空度,若有变化,则水泵可能有异物阻塞或吸入空气。
5)从水罐吸水开始,随时注意罐中水位变化。
6)使水泵在效率最高点附近运行较经济。

(四)停止时

1)慢慢关闭出水阀后停止水泵运行,阀门急速关闭会产生水锤。
2)放净管道中的存水。
3)刮片式真空泵的油箱加足油。
4)关闭各辅助开关。
5)各仪表的指针回到零位。
6)如果短时暂停供水,应保持泵内及吸水管内充满水。

【思考题】

1. 车用消防泵一般由哪些部件组成?
2. 车用消防泵的最大真空度和最大吸深分别指什么?其数值有什么要求?
3. 中低压单级离心泵是否能实现联合工况出水?为什么?
4. 中低压串联泵如何实现联合工况出水?

单元四 消防引水泵

消防引水泵又叫真空泵,它的作用是将离心泵及其吸水管路内的空气抽吸出去,使离心泵及吸水管内达到一定的真空度,从而把水源内的水引入泵内。常用的消防引水泵有水环引水泵、滑片引水泵、喷射引水泵、活塞引水泵等。

一、水环引水泵

水环引水泵主要靠在泵腔内形成的水环而工作,因此又称液环式容积泵。

(一)特点

水环引水泵的优点是结构简单、工作可靠、运转平稳;泵内用水环密封,无摩擦面,制造精度要求不高,也无须进行润滑。水环引水泵的缺点是效率较低,一般只有30%~50%。另外,水环引水泵还需设储水箱,在冬季需考虑防冻措施。

(二)结构

水环引水泵(图6-4-1)主要由泵壳、泵盖、叶轮、泵轴等组成。其泵壳一般为离心泵泵壳的一部分,上面设有月牙形的吸气孔和排气孔。吸气孔通过一个腔室与进气管、进水管连通,排气孔通过一个腔室与排气管相连通。泵壳底部设有排水口,它与排水管相连,还设有放水旋塞以放掉泵内余水。泵盖与泵壳为叶轮工作提供合适的空间。叶轮由轮毂和叶片组成,在结构上与泵壳偏心安装。水环引水泵的叶轮一般和离心泵叶轮使用同一泵轴,有的虽设有独立泵轴,但要靠摩擦轮等机构由离心泵泵轴取得动力。

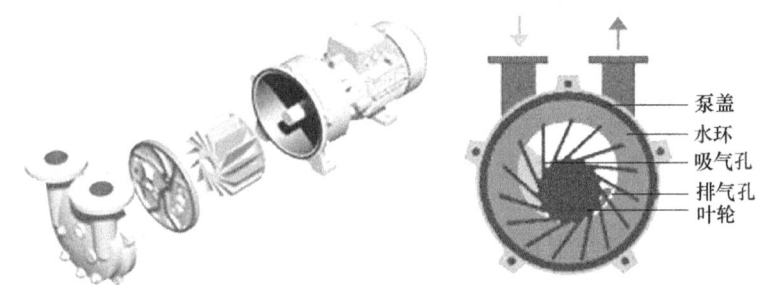

图 6-4-1 水环引水泵

(三)工作原理

如图6-4-1所示,当由进水管向泵内注入一定量水后,随着叶轮的转动,在离心力作用下,沿泵壳周向形成等厚度水环。若水量适当,则可使水环内表面与叶轮轮毂面在某一处相切。这样就在两相邻叶片、水环内表面、叶轮轮毂面以及泵壳、泵盖之间形成若干个工作容腔。按图中旋转方向,每一容腔在右侧180°转动时,容积不断增大,则由于压力降低,因此可由吸气孔吸入气体;而每一容腔在左侧180°转动时,容积不断减小,由排气孔排出气体。随着每一容腔周而复始地吸气排气,水环引水泵将离心泵及吸水管内空气通过吸气管抽吸出去,形成一定真空度。

由以上分析可知,水环引水泵要想正常工作,必须同时满足三个条件:叶轮要有一定转速,以形成等厚度水环;叶轮与泵体要有一定偏心距,以形成容积不等的工作容腔;泵腔内水量适当,使水环内表面恰好与叶轮轮毂相切。

(四)应用

水环引水泵主要用在消防车上,作为离心泵的排气引水装置。

水环引水泵在车用消防泵上运用时,其工作状况靠一个三通旋塞控制。当旋塞处于非排气引水位置时,水环引水泵排水管开启而进气管、进水管均关闭,泵处于空转状态。当旋塞处于排气引水位置时,水环引水泵进水管、进气管开通而排水管关闭,水环引水泵即进行排气引水作业。

(五)常见问题

水环引水泵在使用过程中的常见故障是真空度降低和气量不足。真空度降低的主要原因是泵本身故障或管道系统密封性不好。泵本身故障可能是由于轴承歪斜或前后盖不同心或水环发热而引起的。管道系统密封性不好可能是由连接松动或填料损坏或垫片损坏造成的。气量不足的原因可能有原动机转速太低、端面间隙过大、轴封漏气、供水不足、水环发热以及泵中出现水垢等。水环引水泵使用硬度较高的水时，结垢会相当严重，水垢会堵塞部分吸、排气孔，还会使叶片增厚，降低有效工作容积，引起气量降低。水垢可用机械方法铲除，或用除垢剂冲洗进行清除。

二、滑片引水泵

滑片引水泵又叫刮片泵或旋片泵，属于容积泵类，也是一种使用较多的引水泵，如图6-4-2所示。

(一)特点

滑片引水泵的转子偏心地装在壳体内，转动时会产生离心力，使分布在转子滑槽内的叶片向外滑动，并与壳体内表面接触，把转子与壳体之间的空间分隔成若干个小空间，具有吸气、排气的功能。其优点是引水性能好，结构紧凑，体积小，能形成高真空度，使用方便。其缺点是技术要求比较高，加工困难，成本较高；如使用不当，叶片易发生卡阻现象。

图 6-4-2　滑片引水泵

(二)结构

滑片引水泵主要由壳体、转子、泵轴、滑片和轴承等组成。转子具有若干狭槽，滑片位于槽中，滑片与槽之间有一定间隙。转子由泵轴带动。滑片引水泵的动力来自离心泵转轴。离心泵转动后，即驱动滑片引水泵工作，直到把水引上来并具有一定压力后，滑片引水泵才自动停止工作。

(三)工作原理

转子旋转时，滑片在离心力的作用下压向壳体内表面。转子旋转一周，滑片完成一个往复运动，其最大行程为壳体内表面半径与转子半径之差。滑片之间的空间随转子转动的变化为小——大——小，依次循环。当滑片之间的容积增大时形成真空，即进入吸气过程；当滑片之间的容积减小时压力增大，即进入排气过程。滑片引水泵利用这种吸排气过程来排除离心泵内的空气，使其形成预定的真空度，从而达到吸水的目的（图6-4-2）。

(四)应用

滑片引水泵可用于消防车或手抬机动消防泵上，作为离心泵的排气引水装置。滑片引水泵与其传动齿轮、电磁离合器、压力继电器、引水管路、引水自动开关等构成水泵的引水装置。

滑片引水泵工作前应检查小机油箱内是否有足够的机油。机油应保持清洁，不得有泥沙或其他固体颗粒。滑片引水泵切忌长时间空运转（不宜超过3min），否则将导致过热而损坏。

三、喷射引水泵

喷射引水泵也称排气引水装置。它以汽车发动机排出的废气或其他有压气体（液体）作为喷射动力，即当气体通过喷嘴后形成真空，带走离心泵内的空气，并随着喷射的废气排出泵外。

（一）特点

喷射引水泵的优点是结构简单，没有运动零件，性能可靠，是消防车比较理想的辅助引水装置。但是，该引水装置由于喷射动力主要是发动机排出的废气，引水时间较长，对发动机的使用寿命有一定影响，因此一般作为水泵引水的备用装置。

（二）结构

喷射引水泵主要由真空室、喷嘴、小弯头、本体、阀门和排气管等组成，如图6-4-3所示。

图 6-4-3　喷射引水泵

（三）工作原理

喷射器工作时，摇臂带动阀板将消声器进气口盖死，强迫废气从喷射器喷嘴高速喷射，带走离心泵及吸水管内的空气，形成真空，水在大气压力的作用下被引入水泵，完成引水过程。

四、活塞引水泵

活塞引水泵又叫活塞式真空泵。活塞引水泵工作时依靠活塞在壳体内作轴向往复运动，通过改变容积完成吸气、排气的过程。根据引水操作方式不同，活塞引水泵可分为两种，一种为手动操作型，排气引水作业需要人为操作；另一种为全自动型，其进气口与离心泵的出水口连接，引水作业时的启动和停止由离心泵的出水压力控制，引水过程全自动进行。活塞引水泵的优点是结构精密，引水效率高，引水速度快。

（一）结构

活塞引水泵由泵轴、凸轮、压力推杆、活塞、壳体、进气口、排气口等组成，如图6-4-4所示。

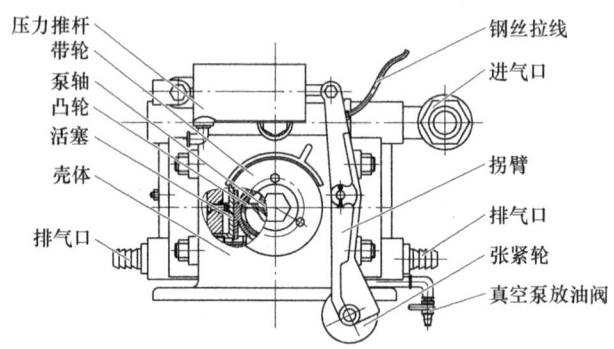

图 6-4-4　活塞引水泵结构简图

（二）工作原理

活塞引水泵的顶杆在弹簧力的作用下，始终与装于离心泵轴的凸轮接触。当泵轴转动时，在凸轮和弹簧力的作用下，顶杆和活塞作直线往复运动。活塞向外移动时，容积增大，进入吸气过程。反之，容积减小，进入排气过程。

（三）应用

活塞引水泵在车用消防泵上的一种应用情况参见图6-4-5。活塞引水泵（图6-4-6）装在水泵的齿轮箱上方,包括带轮、张紧轮、压力推杆等。

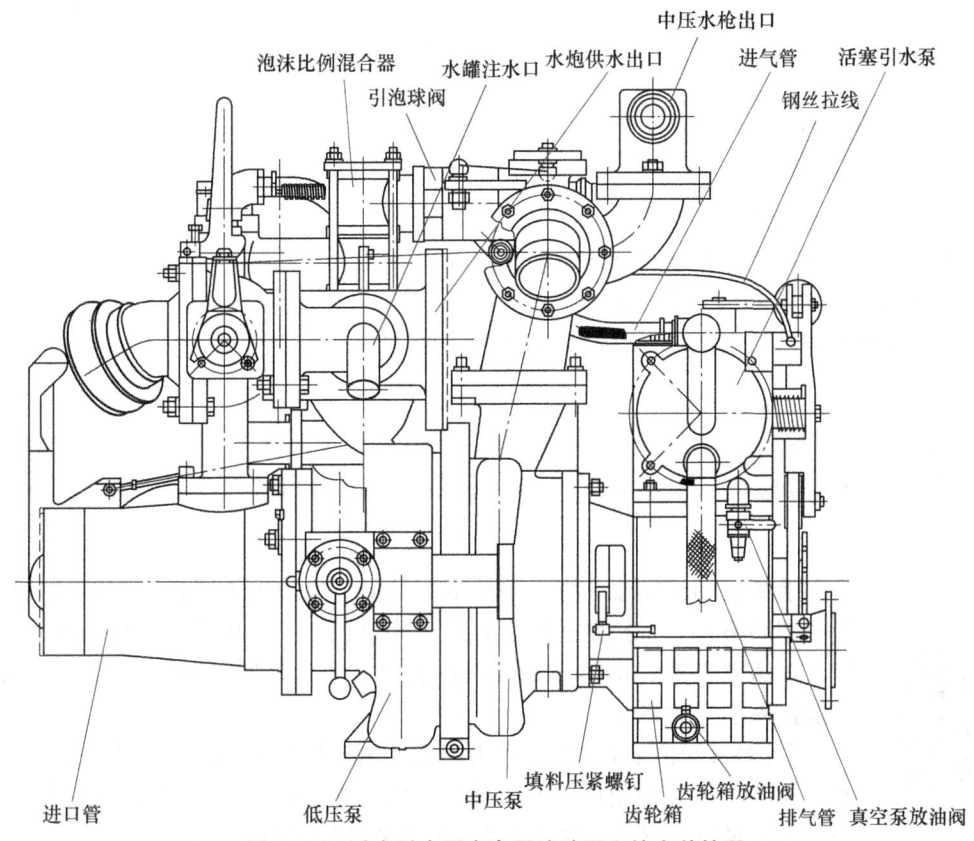

图 6-4-5 活塞引水泵在车用消防泵上的安装简图

使用活塞引水泵引水的操作方法是:首先,将离心泵出口球阀关闭,吸水管一端与离心泵进口管相连,另一端放入水中;其次,启动消防泵,短时间内调节水泵转速至 3500r/min 左右(严禁泵在无水状态下长时间运转,运转时间不超过 1min);然后,迅速将引水球阀手柄拉下,这时活塞引水泵工作,50s 内水就会被引入离心泵内。当离心泵内水压 ≥ 0.25MPa 时,活塞引水泵自动停止工作,这时先将引水球阀手柄推上,然后打开出口球阀,将泵转速提到工作转速,就可由离心泵出水灭火。

五、引水泵的性能要求

引水泵的性能包括其引水时间、可靠性、引水次数、防冻性等。

图 6-4-6 活塞引水泵与离心泵组合体

引水时间是指自引水装置开始工作至消防泵的出口压力表开始显示压力的时间。引水泵引水时间要求与相关的离心泵有关。对不同额定流量的消防泵,其配备的引水泵的引水时间应符合表 6-4-1 的规定。表中所规定的额定流量,对于中低压、高低压消防泵,指的是低压额定流量。

表 6-4-1　引水泵的引水时间要求

离心泵额定流量 /(L/s)	$Q_n<50$	$50 \leq Q_n<80$	$80 \leq Q_n<120$	$Q_n \geq 120$
配用引水泵的引水时间 /s	≤ 35	≤ 50	≤ 100	≤ 120

【思考题】

1. 什么情况下需要引水作业？
2. 按工作原理分，引水泵有哪些种类？
3. 简述水环引水泵和滑片引水泵的优缺点。
4. 若有 CB 10/50 泵，其配用的引水泵引水时间不应超过多少秒？

单元五　手抬机动消防泵

手抬机动泵

　　手抬机动消防泵（简称手抬泵）是指可以用人力搬运并与轻型发动机组装的消防泵组。手抬泵适用于扑救中小城镇、工矿码头、粮棉仓库等一般火灾，对道路狭窄、消防车难以通过的地方尤为适用。如再配以空气泡沫枪，还能扑灭小型油类火灾。

　　手抬泵以轻型汽油发动机为动力，由汽油发动机、单级离心泵、排气引水装置和手抬架等组成，并配备吸水管、水带和水枪等附件。目前，国内使用的手抬泵型号较多，部分手抬泵的主要性能参数见表 6-5-1。

表 6-5-1　部分手抬泵的主要性能参数

	型号	BJ10	BJ15	BJ20	JBQ5.0/13	V20D2	VD202S
发动机	型式	四行程汽油机	二行程汽油机	四行程汽油机	四行程汽油机	二行程汽油机	二行程汽油机
	缸数和排列	单缸	单缸	双缸水平对置	单缸	单缸	单缸
	冷却方式	风冷	风冷	风冷	风冷	风冷	风冷
	缸径 × 行程 /mm	75×70	75×65	75×70	82×64	66×58	66×58
	压缩比	7.7	7.5	7	—	—	—
	最大功率时转速（r/min）	4000	5000	4200	3600	—	—
	燃油箱容积 /L	4	—	7	6.0	3.5	3.5
	燃油混合比（体积比）（汽油∶机油）	—	15∶1	—	—	30∶1	30∶1
	启动方式	手拉绳轮	手拉绳轮	手拉绳轮自复式	手拉绳轮电启动	复绕启动	电启动和复绕启动

（续）

型号		BJ10	BJ15	BJ20	JBQ5.0/13	V20D2	VD202S
水泵	型式	单级离心泵					
	进水口径/mm	65	75	75	65	65	65
	出水口径/mm	65	65	65	65	65	65
	喷口工作压力/MPa	0.50	0.55	0.60	0.50	0.50	0.50
	出水量/(L/min)	510	560	750	720	500	500
	吸水深度/m 额定	3.5	3.5	3.5	—	—	—
	吸水深度/m 最大	6.5	6	7	7	9	9
一般数据	外形尺寸（长×宽×高）/mm	530×490×620	540×455×615	560×720×665	510×510×450	555×470×532	555×470×532
	总质量/kg	60	62	68	52	36	42

现以某型号常用手抬泵为例，介绍其构造和使用方法。

一、手抬泵构造

手抬泵的构造如图 6-5-1 所示，主要由汽油机、单级离心泵、引水装置和手抬架等几部分组成。

（一）汽油机

手抬泵汽油机多为单缸四行程风冷式，主要由曲柄连杆机构、配气机构、燃料系统、冷却系统、润滑系统、点火系统和启动系统组合而成。

1. 曲柄连杆机构

曲柄连杆机构的作用是把燃油燃烧后释放的能量转化成曲轴旋转的机械能，以带动水泵工作。曲柄连杆机构由机体（包括气缸体、气缸盖、曲轴箱）、活塞连杆组、曲轴飞轮组三部分组成。曲柄连杆机构在发动机做功行程时，利用燃烧气体压力推动活塞移动，并通过活塞销、连杆，使活塞的直线运动变为回转运动，再由飞轮向外输出动力。

图 6-5-1 手抬泵

同时，依靠飞轮和曲轴的旋转惯性，完成进气、压缩、做功和排气四个行程的动作。

如图 6-5-2 所示，四行程汽油机的曲轴旋转两周，活塞向上、下运动各两次（即经过四个活塞行程），完成一次工作循环过程。

当活塞由上止点向下止点运动时，气缸容积迅速增大，内部压力下降，形成一定真空度。这时进气门开启，排气门关闭，气缸将汽油蒸气与空气组成的混合气由进气门吸入，如图 6-5-2a 所示。进气行程结束时，进气门关闭；当活塞由下止点向上止点运动时，气缸内的混合气体被压缩，其压力和温度逐渐升高。这一过程为压缩行程，如图 6-5-2b 所示。活塞至上止点后，装在气缸盖上的火花塞发出电火花，点燃混合气体。混合气体燃烧后放出大量热量，使气缸内气体迅速膨胀，产生强大的压力作用于活塞顶部，推动活塞由上止点向下止点运动，如图 6-5-2c 所示。做功行程结束后，曲轴在飞轮惯性的带动下继续旋转，推动活塞由下止点向上止点运动，如图 6-5-2d 所示，此时排气门打开，气缸内废气被强制排到大气中去。

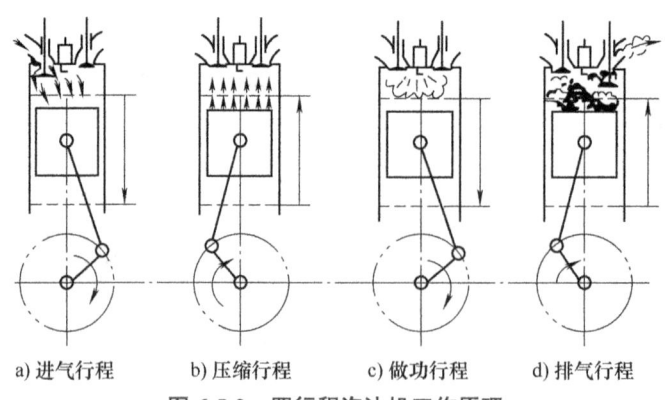

a) 进气行程　　b) 压缩行程　　c) 做功行程　　d) 排气行程

图 6-5-2　四行程汽油机工作原理

2. 配气机构

配气机构的作用是定时开启和关闭发动机的进气门和排气门，使可燃混合气准时进入气缸，废气及时排入大气。其主要零件包括曲轴齿轮、正时齿轮、凸轮轴、推杆、挺杆、摇臂、进排气门、进排气门弹簧、上下弹簧座、气门卡锁、进排气门座等。

当曲轴转动时，曲轴齿轮带动正时齿轮，正时齿轮带动凸轮轴转动；当凸轮轴转动时，凸轮轴上的凸轮按照配气相位给出的进、排气门启闭角度，定时顶动推杆，推杆顶动挺杆，挺杆顶动摇臂，因此摇臂就定时地打开进、排气门，使气门按照四行程工作过程的要求进行工作。

3. 燃料系统

燃料系统的作用是根据发动机需要，随时将干净的汽油和空气配制成适当比例的可燃混合气供入气缸，并在点火燃烧后将废气排入大气。燃料系统由汽油供给装置（包括油箱、油管和汽油滤清器）、空气供给装置（空气滤清器）、可燃混合气配制装置（化油器）以及进气和排气装置（包括进气管、排气管和消声器）等组成。这里，汽油的供给不是靠液压泵而是采用自流式，故汽油箱的位置高于化油器。同时，空气因气缸吸力作用，经空气滤清器滤去尘粒，也进入化油器。化油器使汽油雾化并与空气混合，形成可燃混合气而进入气缸燃烧做功。燃烧后形成的废气，经排气管进入消声器，在消声器里灭掉火星并减压后排放到大气中。为便于检查汽油箱油量，在油箱的一侧装有油位管。油箱开关可防止在发动机停止运转时汽油流入化油器。

应该指出的是，汽油与空气的混合成分对汽油机性能影响很大。其混合成分常用空燃比 R 或过量空气系数 α 来表示。

$$R = \frac{A}{B}$$

$$\alpha = \frac{C}{D}$$

式中　A——空气含量；
　　　B——汽油含量；
　　　C——实际吸入气缸的空气量；
　　　D——汽油完全燃烧所需的理论空气量。

根据理论计算，1kg 汽油完全燃烧需要 15kg 空气，这时 $R=15$，故把 $R = 15$ 的混合气称为标准混合气；$R>15$ 的混合气称为稀混合气，其中 $R=17\sim20$ 的混合气称为过稀混合气；$R<15$ 的混合气称为浓混合气，其中 $R=13\sim6.4$ 的混合气称为过浓混合气。

当发动机冷启动时，因为温度低，汽油蒸发困难，加之曲轴由外力拖动，转速较低，这时进入化油器的空气流速降低，汽油不易被吹散雾化，致使混合气过稀，引燃困难。所以，启动时应供应过浓混合气，以保证其迅速引燃发动。此外，为保证发动机在怠速情况下运转，也应供应较浓混合气。

4. 点火系统

点火系统的作用是将低压电变为高压电，并适时地送入气缸以点燃混合气，使发动机工作。点火系统按生产高压电的方法不同，分为蓄电池点火和磁电机点火两种。在蓄电池点火系统中，由蓄电池供给的低压电流，通过点火线圈和断电器变为高压电流，再送到火花塞产生电火花。磁电机点火系统中，不需另设低压电源，由磁电机本身产生高压电。

5. 启动系统

启动系统的作用是启动发动机。启动是指曲轴在外力的作用下开始转动到发动机开始进入怠速运转的过程。发动机的启动方式分为手启动方式和电启动方式。

6. 润滑系统

润滑系统的作用是向发动机相对运动零件的摩擦副表面提供适量的润滑油，形成油膜，减少机件的磨损，以确保机器的正常运行。

四行程汽油机的润滑系统有压力式和飞溅式。压力式润滑系统由机油泵、机油滤清器、机油管组成；飞溅式润滑系统在连杆上装有拨油勺，将油底壳内的润滑油拨溅成细小的颗粒，并飞落到各个运动件摩擦副表面进行润滑。

7. 冷却系统

冷却系统的作用是保证发动机的温度不致过高，使机件保持在适宜的温度下工作。

发动机冷却方式有风冷式和水冷式两种。风冷式是通过风扇将空气吸入甩出，经过导风罩扩散增压后，吹向气缸体及气缸盖，将热量带走。手抬泵的发动机多采用风冷式，其冷却系统包括风扇、蜗壳、导风罩等。

（二）手抬架

手抬架由架身、手柄、支承组成。两个人可借助手抬架上的四个手柄搬运手抬泵。

二、手抬泵工作原理

由于离心泵的泵轴直接与发动机曲轴相连接，因此发动机正常运转后，泵轴也随之转动。这时，只要按操作程序进行引水和出水，手抬泵即可正常投入工作。

三、手抬泵操作使用方法

1. 做好使用前准备

1）按比例加注汽油、机油、并检查油量是否达到最低液位线。

2）将吸水管的一端连接在水泵进水口上，并将吸水管的另一端放入水源；水泵出水口处连接好水带、水枪。

3）关闭离心泵出水阀、放水阀。

2. 启动发动机

启动发动机时，应根据气候条件先将化油器上的阻风门调到适当位置，低温条件下将阻风门关闭，并稍开油门（节气门），然后通过手拉启动绳方式或电启动方式启动发动机。

（1）手拉启动绳启动　将启动钥匙插入启动控制盒，并旋到中间（ON）位置（使点火电路接通），抽拉绳轮，发动机即可启动。

（2）电启动　将启动钥匙插入启动控制盒，并旋到启动（START）位置，发动机即可启动。

发动机启动后，再将阻风门缓慢开足。若启动操作数次后发动机仍未启动，可将节气门关到开度为 1/4 或略小些，避免气缸吸油过多而不利火花塞点火。

3. 引水和出水

将油门（节气门）逐渐开大，提高发动机转速；向外拉滑片引水泵的引水手柄，使传动带带动滑片引水泵工作。若引水泵的排气口有水雾连续喷出，则表示水已引上。这时，将引水手柄推回，打开水泵出水阀，水即从水泵喷出。

4. 停机

关闭节气门，将启动钥匙旋到停止（OFF）位置。

【思考题】

1. 手抬机动消防泵由哪些主要部件组成？
2. 简述二行程发动机与四行程发动机的特点。
3. 若有使用滑片引水泵的手抬机动消防泵一台，在一个较脏的水塘中抽水灭火，请简述操作方法和注意事项。

模块七

>>> 灭火类消防车

单元一　水罐消防车

水罐消防车是指主要装备消防泵和水罐，以水为主要灭火介质的消防车。水罐消防车主要用于扑救一般固体物质火灾，如与泡沫比例混合器、泡沫枪和泡沫炮等泡沫灭火设备联用，可扑救油品火灾。当采用高压喷雾射水时，还可扑救电气设备类火灾。此外，还可以向其他消防车和灭火喷射装备供水，在缺水地区也可作运水之用。

一、结构组成

水罐消防车主要由底盘、驾乘室、水罐、水泵系统、消防水炮、功率输出及传动装置、电气系统、器材厢等组成，如图7-1-1所示。

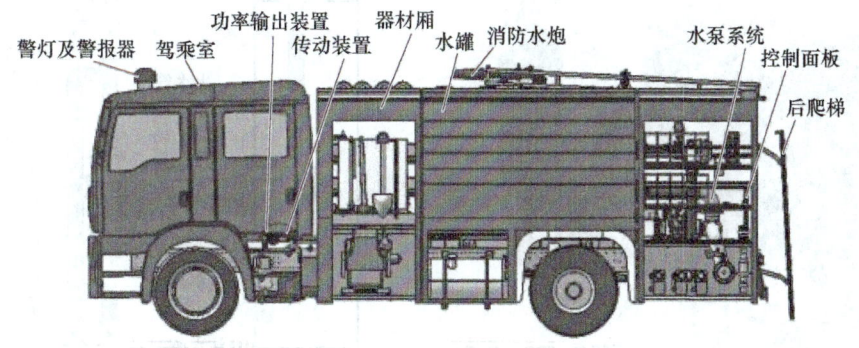

图7-1-1　水罐消防车结构

1. 底盘

水罐消防车底盘目前多采用特种作业车二类底盘或进口二类底盘。

2. 驾乘室

驾乘室由驾驶室和乘员室组成，一般可乘坐2~8名消防队员，分为独立式和一体式两种结构形式。驾乘室通常在座椅靠背上安装机械锁止机构，将空气呼吸器锁住，机械锁止机构的解除手柄保证乘员戴防护手套时也方便操作。

3. 水罐

水罐罐体按结构分有内藏式和外露式，按材质分为碳素钢、不锈钢等的金属罐体和采用高强度复合材料的非金属罐体两种。国内企业多采用金属材料的水罐，而欧美等发达国家多采用非金属材料作为水罐材料。常用罐体结构如图 7-1-2 所示。

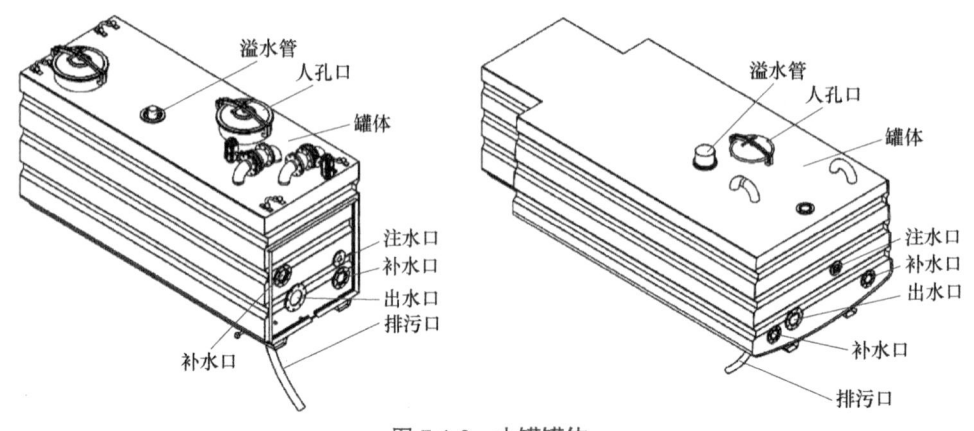

图 7-1-2　水罐罐体

4. 水泵系统

水泵系统主要由消防泵、管路、操作系统及引水泵等组成，如图 7-1-3 所示。

水泵通过支承架固定在底盘的大梁上。水泵管路系统由进水管路、出水管路、冷却水管路和相应的阀门等组成，如图 7-1-4 所示。水泵管路系统应采用不同颜色区分，进水管路和水罐至水泵的注水管路为国标规定的绿色，出水管路为国标规定的红色。

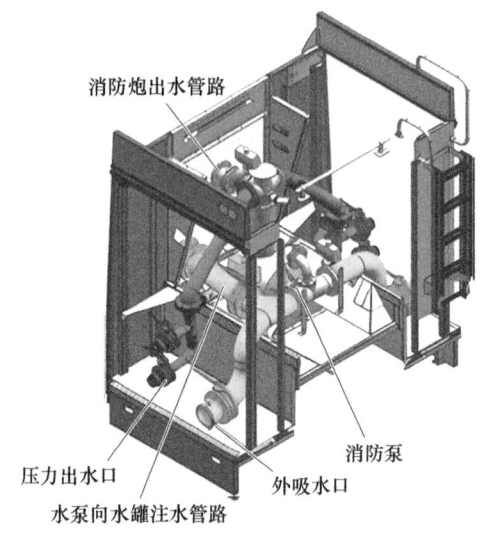

图 7-1-3　水泵系统结构组成

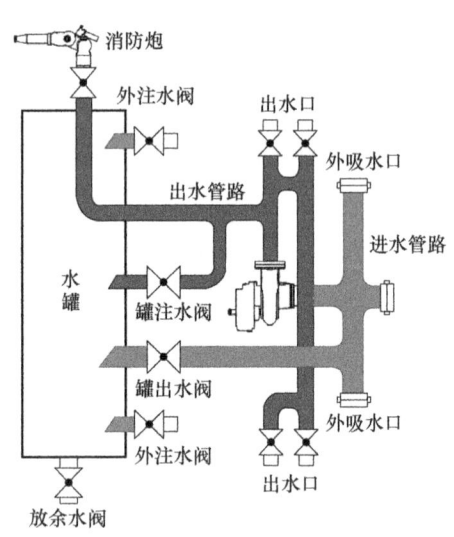

图 7-1-4　水泵管路系统（局部）

进水管路由水罐向水泵的进水管路和外供水源向水泵的进水管路组成。

出水管路由水泵向外供水（包括外出水口和向水炮出水管路）和向水罐注水管路组成。

对于装配中低压消防泵的水罐消防车，出水管路有中压和低压之分。中低压水罐消防车中没有中低压联用工况的，低压出水管路和中压出水管路为同一套管路；有中低压联用工况的，中压出水管路和低压出水管路为两套管路。

对于装配高低压消防泵的水罐消防车，出水管路有高压和低压之分。高压出水管路有小流量高压软管卷盘出水管路和大流量高压供水管路两种，低压出水管路则有低压水带出水管路和水炮出水管路。某中低压消防泵系统如图 7-1-5 所示。

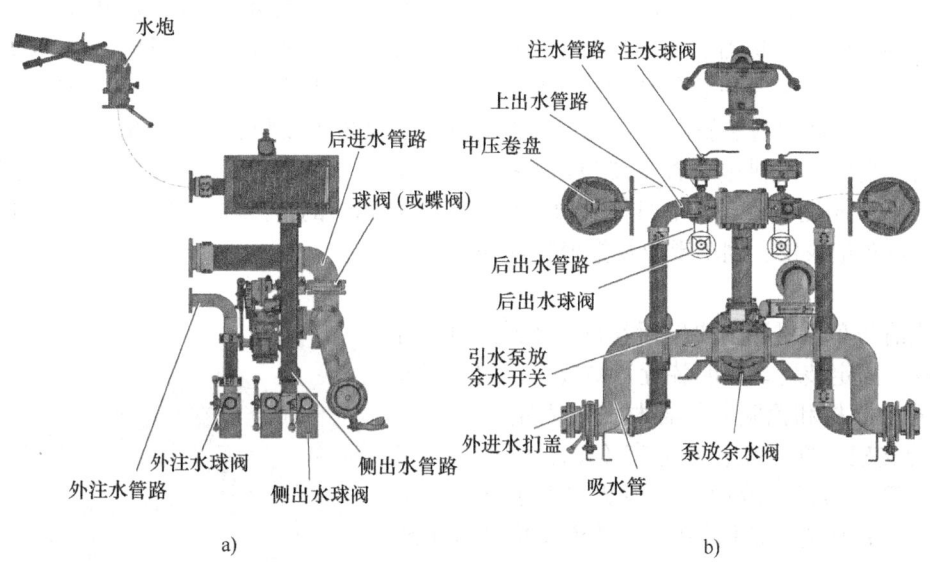

图 7-1-5　某中低压消防泵系统

冷却水管路由冷却水管、发动机附加冷却器、取力器冷却器、阀等部分组成。

5. 消防水炮

消防水炮如图 7-1-6 所示，一般安装在消防车车顶或车辆驾乘室前部，其额定流量应与水泵系统流量相匹配。装车后，消防水炮的回转及俯仰范围因车顶器材的限制而不同。部分水罐消防车还配有可升降水炮。按照控制方式的不同，消防水炮通常分为手动消防水炮、电控消防水炮、液控消防水炮，前两者的应用相对更为广泛。

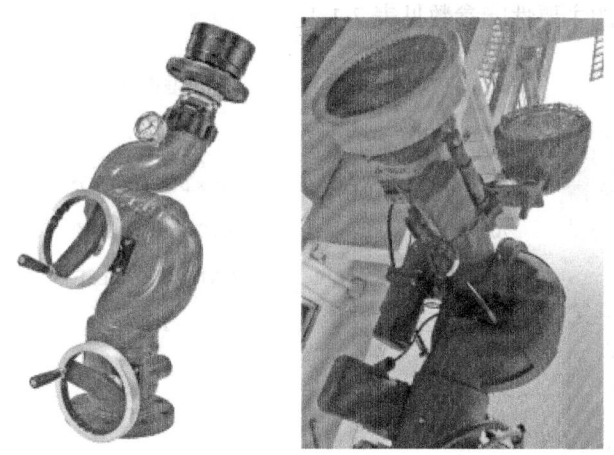

图 7-1-6　消防水炮

6. 功率输出及传动装置

功率输出及传动装置包括全功率取力器和部分功率取力器两种。全功率取力器主要有夹心式、断轴式等，部分功率取力器主要有变速器侧取力器等。水罐消防车主要采用夹心式功率输出装置和断轴式功率输出装置。

7. 电气系统

电气系统指消防车底盘电气设备以外增装的上装电气设备，一般包括警示装置、照明装置、通信装置、报警装置、充供电装置、操控显示装置、监控装置和相应的电路等。警示装置主要包括警灯、警报器、频闪灯等；照明装置主要包括驾乘室、器材厢、泵房工作灯、外部探照灯等；通信装置主要包括无线通信装置、GPS定位装置等；报警装置主要包括液位报警装置、门未关闭报警装置、水泵超温报警装置、水泵超压报警装置、润滑油低压报警装置、倒车报警装置等；充供电装置主要包括外接充电装置、车载器材充电装置等；操控显示装置主要包括水泵操控装置、配电盘操控显示装置，以及相应的传感器；监控装置主要包括摄录像装置、行车记录仪、倒车影像及报警装置等。

8. 器材厢

水罐消防车器材厢主要包括卷帘（合页）门、骨架、蒙皮、固定装置、照明装置、踏板等，用于存放射水、输水器材和抢险救援器材等。固定装置主要包括旋转支架、推拉盘、固定座（架）、整理箱、卡槽、绑带等。器材布放原则一般为"上小下大、上轻下重、左右平衡、常用易取"。北方寒冷地区水罐消防车应设置防冻保温装置，常用措施为加装暖风机、水罐罐体加热、消防管路加装保温层和球阀电加热等。针对冬季特别冷的地区，如黑龙江、吉林、辽宁、内蒙古、新疆、青海和西藏等地区，除配置消防泵房暖风装置以外，通常还应增加管路保温装置，如图7-1-7所示。

图 7-1-7 管路保温装置

二、主要性能参数

部分水罐消防车的主要性能参数见表 7-1-1。

表 7-1-1 部分水罐消防车的主要性能参数

型号	轻型	中型	重型
	×××5100GXFSG20	×××5180GXFSG50	×××5370GXFSG180
外形尺寸/mm	7079×2200×3140	9250×2500×3630	11530×2500×3880
底盘型号	OL1100TKARY	CA1160P19K2L3E	ACTROS 4158
发动机额定功率/kW	129	270	425
最高车速/(km/h)	100	100	100
满载总质量/kg	9830	18370	37250
载水质量/kg	2000	5170	18000
驾乘室人数/个	6	6	2
比功率/(kW/t)	≥10	≥10	≥7

(续)

型号		轻型	中型	重型
		×××5100GXFSG20	×××5180GXFSG50	×××5370GXFSG180
消防泵型号		CB10/30	CB10/50	CB10/150
消防泵额定流量/额定压力/[(L/s)/(MPa)]		30/1.0	50/1.0	150/1.0
引水时间/s		≤60	≤60	≤100
最大吸深/m		7	7	7
消防炮	流量/(L/s)	25	40	120
	射程/m	≥50	≥60	≥90

三、使用方法

1. 水罐取水

停车，置空档，驻车制动。连接好消防水带，操作功率输出装置，使消防泵开始低速运转。打开水罐至水泵出水阀及水泵（炮）出水口阀门。调节油门，控制消防泵的出水压力。停止供水时，先减小油门，再关闭出水口阀门。

2. 消火栓取水（图7-1-8）

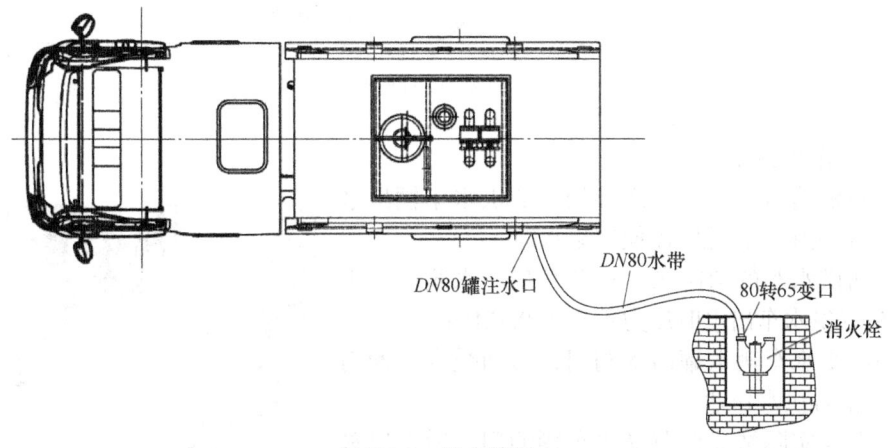

图7-1-8　消火栓取水

（1）用吸水管取水　用吸水管连接消火栓出水口与水泵进水口，如口径不符应加变径接口，然后按上述水罐取水操作步骤进行。

（2）用水带给水罐补水　用水带连接消火栓出水口与水罐补水口，然后按上述水罐取水操作步骤进行。

3. 天然水源取水

正确连接吸水管、滤水器，并放入天然水源内。连接好消防水带及水枪，操作功率输出装置，低速运转消防泵。打开引水开关，加大油门使水泵出水压力大于0.1MPa，关闭引水泵。打开水泵（炮）出水阀，然后按上述水罐取水操作步骤进行，如图7-1-9所示。

4. 耦合供水

耦合供水就是将多台消防车的水泵串联起来供水，即后车向前车水泵吸水口供水，以提高受水车辆的出水能力，图7-1-10为两车耦合供水常用的方式。某车型耦合供水口如图7-1-11所示。

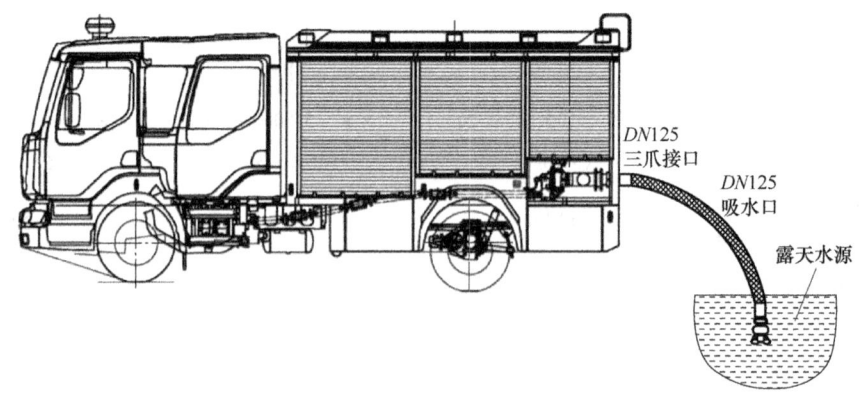

图 7-1-9 天然水源取水

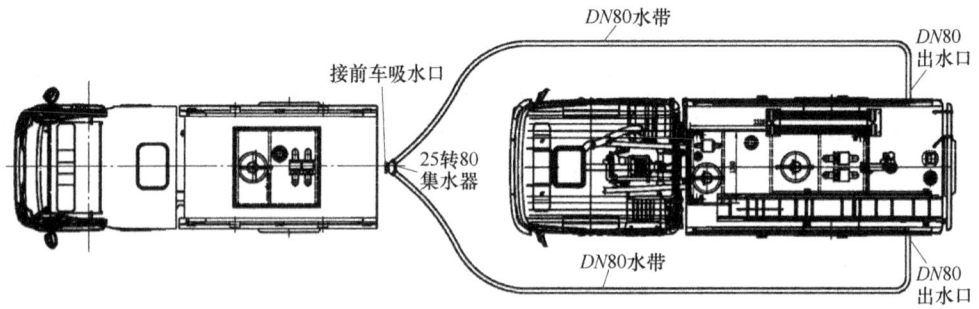

图 7-1-10 两车耦合供水常用方式

耦合供水的操作步骤如下。

1）用两根消防水带分别连接相邻的供水车辆出水口与受水车的吸水口，此时需使用集水器。

2）启动供水车的消防泵，打开其罐注水阀门及出水阀门，建议供水车出水时压力不高于 0.7MPa。

3）关闭受水车辆水罐出水阀门，启动受水车辆消防泵，进行耦合供水作业。

4）可根据实际情况调节受水车辆油门，增大出水压力。

四、维护保养

1）定期检查取力器、齿轮箱、真空泵润滑油液位，并及时补充润滑油；定期对消防泵各润滑点加注润滑脂。

图 7-1-11 某车型耦合供水口

2）水泵使用后，应及时放掉泵、管路内的存水，及时清理进水口滤网。水泵进出水口用扣盖盖好；定期在各管路球阀、接口等处涂上润滑脂。

3）冬季水环泵贮水箱内应添加防冻剂，及时排净附加冷却器内余水。

4）定期对最大吸深、引水时间、额定流量进行实测，如不符合性能指标应及时进行修复。

5）定期检查吸水管、水带、水枪等各类随车器材，如有缺损应及时更换补充。
6）定期进行维护检查，保证器材厢卷帘门、照明装置、固定装置等完整。
7）消防车底盘部分维护保养按原车要求进行。

五、注意事项

1）当利用水池、河流或湖泊等自然水源向水罐注水或进行灭火作业时，在吸水管的入口处必须连接滤水器；使用后必须及时用清水运行水泵数分钟，将水泵系统、管路及水罐进行清洗，以防腐蚀。
2）消防系统在每次使用完毕后都应及时清洗和放水，特别在冬季寒冷的天气情况下，更应及时排放干净，以防止系统中管路及其他元件内部结冰。
3）水泵工作时，应将功率输出装置的附加冷却开关打开，进行强制冷却。
4）水泵在无水状态下运行，不得超过 1min。
5）严禁消防泵（真空泵）连续抽吸真空（引水）时间超过 5min。
6）保证水泵变速器润滑油达到标定刻度，润滑油牌号为 90 号工业齿轮油。
7）应经常开启、旋转所有球阀及阀门，以确保工作时这些装置易于操作。

单元二　泡沫消防车

泡沫消防车是指装备了消防泵、水罐、泡沫液（不包含 A 类泡沫液）罐和水—泡沫液混合设备的消防车，主要用来扑救 B 类火灾和一般固体物质火灾，也可向火场供水和泡沫混合液。

一、结构组成

泡沫消防车结构在水罐消防车的基础上，增加了泡沫液罐、泡沫系统、消防炮（枪）等部分，如图 7-2-1 所示。

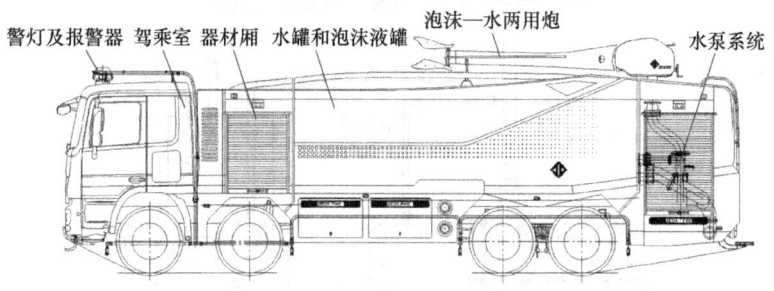

图 7-2-1　泡沫消防车结构

1. 泡沫液罐

泡沫液罐与水罐结构基本相同，主要区别如下。
1）泡沫液罐采用经防腐蚀处理的金属材料或非金属耐腐蚀材料制成，进口企业多采用聚丙烯（PP）罐或聚乙烯（PE）罐。
2）泡沫液罐设有呼吸口，呼吸口应保证正常输送泡沫液。

3）泡沫液罐所有管路、螺栓、阀门等均使用防腐材料制造。

如图 7-2-2 所示为泡沫消防车水罐和泡沫液罐的常用罐体结构。

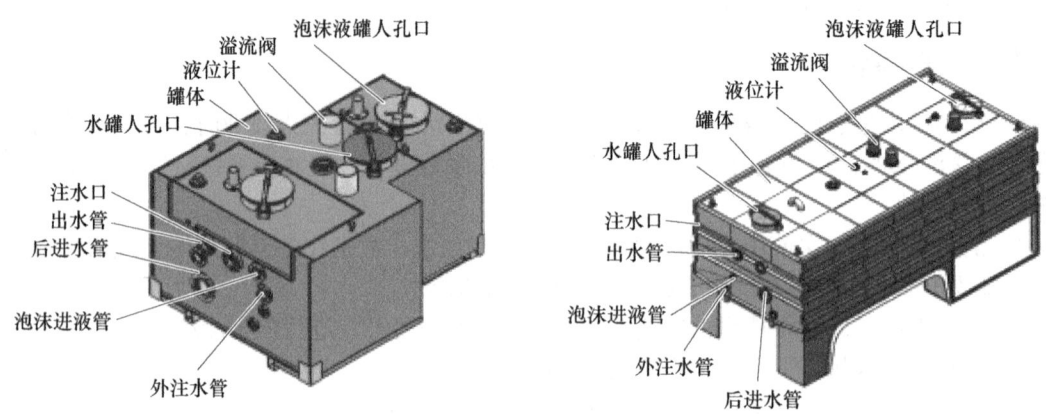

图 7-2-2　泡沫罐罐体

2. 泡沫比例混合装置

泡沫比例混合装置主要由泡沫比例混合器、消防管路和操作系统组成。泡沫比例混合器按泡沫液加入方式的不同，可分为环泵式泡沫比例混合器和正压式泡沫比例混合器。

（1）环泵式泡沫比例混合器　环泵式泡沫比例混合器属于负压式泡沫比例混合方式，如图 7-2-3 所示。消防泵启动后，部分压力水经进水阀进入环泵式泡沫比例混合器。在环泵式泡沫比例混合器内，水流高速从喷嘴喷出形成负压，在其内部与泡沫液罐之间产生负压力差，泡沫液罐中的泡沫液在大气压的作用下，经吸液管和吸液阀进入混合器的混合室与水混合，再通过消防泵进水管进入消防泵，进一步搅拌混合。经混合均匀的泡沫混合液大部分由消防泵输往泡沫灭火系统，少部分返回环泵式泡沫比例混合器继续泡沫液循环。在吸液管内设有控制泡沫液流量的控制阀，进而形成稳定混合比例的泡沫—水混合液。

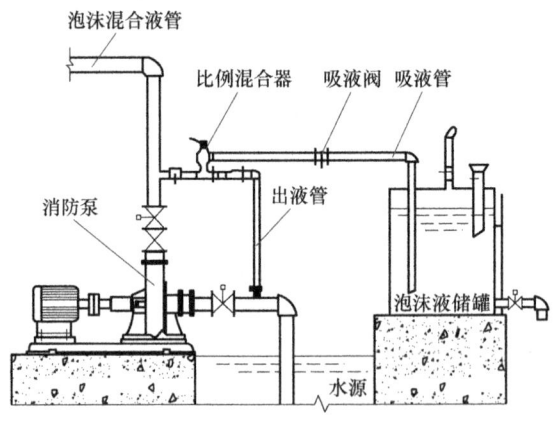

图 7-2-3　环泵式泡沫比例混合器

① 手动比例调节式泡沫比例混合器：手动比例调节式泡沫比例混合器由机械式调节手柄、指示牌、调节阀和混合室组成，在比例混合器的混合室上铸有箭头表示流向，如图 7-2-4 所示。指示牌上标识不同的数值，其数值与产生的混合液流量值相应，调节手柄根据指示牌相应调节泡沫混合液流量。

模块七　灭火类消防车　189

图 7-2-4　手动比例调节式泡沫比例混合器

② 全自动泡沫比例混合器：全自动泡沫比例混合器是一种由微电脑控制的环泵式泡沫混合系统，泡沫量随出水口流量变化而自动增减，使泡沫比例始终保持在设定比例上，如图 7-2-5 所示。文丘里管安装在消防泵的环路上，泡沫液经文丘里管被吸入消防泵中。

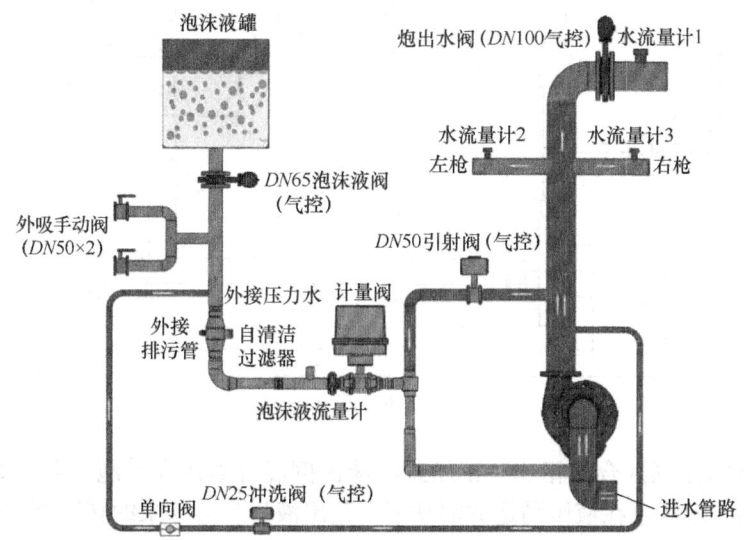

图 7-2-5　全自动泡沫比例混合器

全自动泡沫比例混合器的比例设定确认后，系统自动检测消防泵出水流量和泡沫液的流量，进而动态调整计量阀的开度，使泡沫液与水的混合比始终稳定在设定值上，泡沫液的流量随出水流量的变化而相应变化，从而保证泡沫混合比例恒定。全自动泡沫比例混合器的比例设定界面如图 7-2-6 所示。

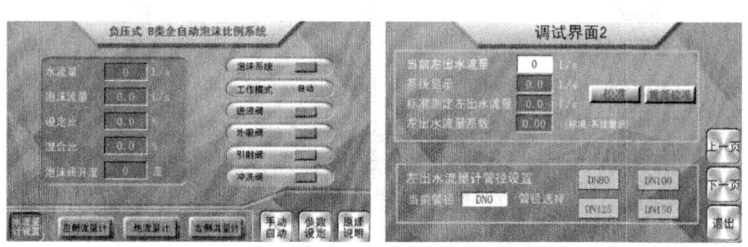

图 7-2-6　全自动泡沫比例混合器的比例设定界面

（2）正压式泡沫比例混合器　正压式泡沫比例混合器是通过可编程逻辑控制器控制的泡沫混合系统，其泡沫原液注入量能随水流量自动调节，使混合比例稳定维持为设定值。其工作原理如图 7-2-7 所示。

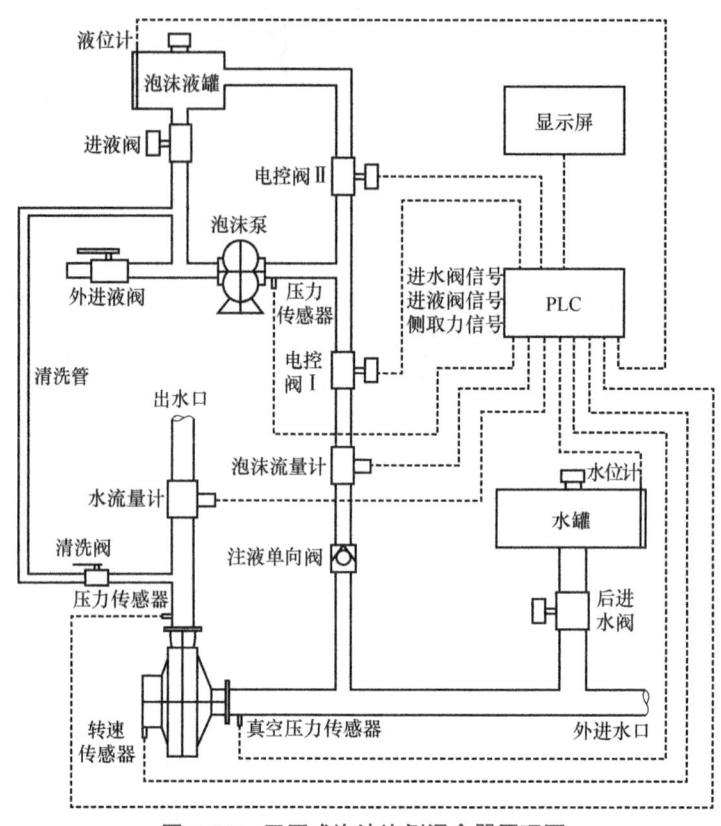

图 7-2-7　正压式泡沫比例混合器原理图

与环泵式泡沫比例混合器相比，正压式泡沫比例混合器还设有泡沫泵，如图 7-2-8 所示。从该图可以看出，泡沫泵在液压马达的驱动下，其出液量与泡沫泵的转速有关。

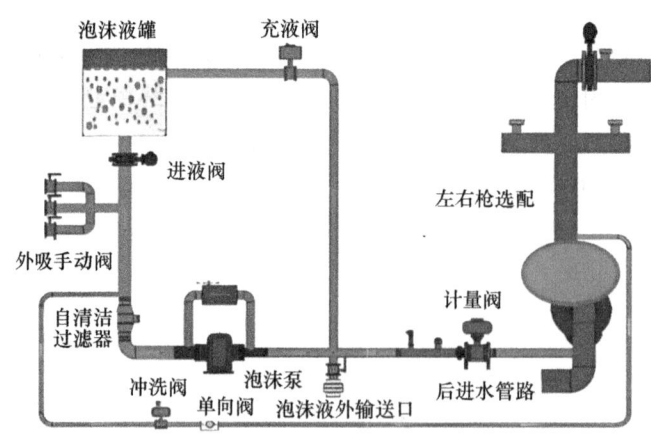

图 7-2-8　正压式泡沫比例混合器

3. 泡沫消防车管路

泡沫消防车管路布置如图 7-2-9 所示。从该图可以看出，泡沫消防车管路由泡沫比例混合器输入管路、输出管路和相应的阀门组成。与水罐消防车管路相比，泡沫消防车管路增加了泡沫管路及相应的控制阀。

4. 消防炮

泡沫消防车配备的消防炮通常如图 7-2-10 所示。

泡沫消防车配备的消防炮在水炮的基础上再增加一段发泡桶，起到发泡机的作用，用于在喷射时吸进空气，便于泡沫发泡用。消防炮的发泡桶通常如图 7-2-11 所示。

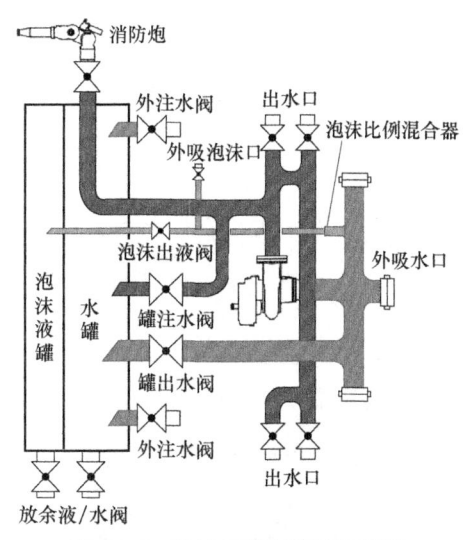

图 7-2-9 泡沫消防车管路布置图

 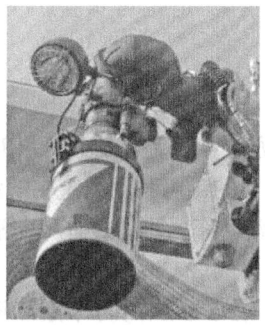

图 7-2-10 消防炮

图 7-2-11 消防炮发泡桶

二、主要技术参数

部分泡沫消防车的主要性能参数见表 7-2-1。

表 7-2-1 部分泡沫消防车的主要性能参数

型号		轻型	中型	重型
		××5100GXFPM36	××5161GXFPM60	××5381GXFPM180
外形尺寸 /mm		7050×2230×3150	8250×2500×3400	11663×2500×3800
底盘型号		QL1100TKARY	TGM18.280	TGS41.480
发动机额定功率 /kW		129	206	353
最高车速 /(km/h)		90	100	90
满载总质量 /kg		10000	16000	37600
比功率 /(kW/t)		≥10	≥10	≥7
灭火剂质量 /kg	水	2600	4200	15150
	泡沫液	1000	1900	3250
驾乘室人数 /个		6	6	6

(续)

型号		轻型	中型	重型
		××5100GXFPM36	××5161GXFPM60	××5381GXFPM180
消防泵型号		GB10/40	GB10/60	GB10/150
消防泵额定流量（L/s）/额定压力（MPa）	低压	40/1.0	60/1.0	130/1.0
	中压	—	—	—
	高压	—	—	—
引水时间/s		≤60	≤60	≤100
最大吸深/m		7	7	7
消防炮	流量/(L/s) 水	32	48	—
	混合液	32	48	120
	射程/m 水	≥50	≥60	≥85
	泡沫	≥45	≥55	≥80

三、使用方法

1. 加注泡沫液

向泡沫消防车的泡沫液罐加注泡沫液有两种方法：一是从罐顶人孔口直接加注；二是从车辆外注液口加入。采用正压式泡沫比例混合器（装置）的，可利用系统中的泡沫液泵外吸向泡沫液罐加注泡沫液；对于自带移动式泡沫液输转泵的泡沫消防车，可通过外吸向泡沫液罐加注泡沫液。

2. 使用泡沫灭火

（1）内吸泡沫液　内吸泡沫液是指泡沫比例混合器从消防车泡沫液罐内吸取泡沫液。

（2）外吸泡沫液　外吸泡沫液是指从车外的泡沫液桶吸取泡沫液。

四、维护保养

1）定期检查泡沫液罐内泡沫液的质量，超期或变质的应及时更换。

2）定期检查水泵、水泵齿轮箱、功率输出装置等处的油位是否处于标定位置，油质是否符合标准。

3）更换不同种类、不同品牌的泡沫液时，必须对泡沫液罐和管路进行全面清洗。

4）定期检查、维护泡沫比例混合器，防止其因腐蚀、锈蚀而影响正常使用。

5）经常检查水泵、引水泵及水泵进出水管路的密封性。

6）经常检查电路、油路及消防系统是否正常，各种仪表、信号灯、开关、照明灯和阀门是否完好。

7）各阀门及活动部位要经常进行润滑，定期（建议每周不少于两次）检查其灵活性。

五、注意事项

泡沫消防车除水罐消防车使用注意事项外，还应重点注意如下事项。

1）使用环泵式泡沫比例混合器时，如消火栓等压力水源，压力水必须先加入水罐减压后再供环泵式泡沫比例混合器使用。

2）为了保证消防泵能够可靠工作，每次使用泡沫液后，应及时冲洗消防泵、消防管路和泡沫比例混合器。

3）使用天然水源时，在水泵引水及出水之前不要打开泡沫系统各阀门。

4）如泡沫液发生变质，应及时更换泡沫液并清洗泡沫液罐。

单元三　压缩空气泡沫消防车

压缩空气泡沫消防车是指主要装备水和泡沫液罐，通过压缩空气泡沫系统喷射泡沫的消防车，主要用于扑灭建筑物等固体物质的初期火灾和保护毗邻可燃物。

一、结构组成

压缩空气泡沫消防车的结构与水罐消防车相比，主要增加了泡沫液罐和压缩空气泡沫灭火系统（CAFS），如图 7-3-1 所示。

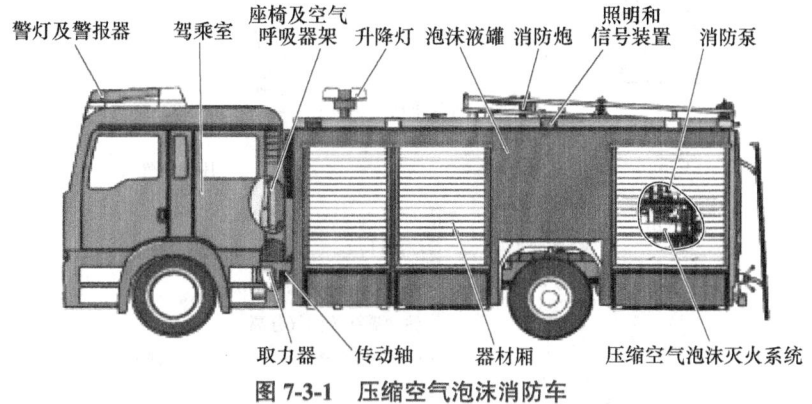

图 7-3-1　压缩空气泡沫消防车

1. 泡沫液罐

压缩空气泡沫消防车的泡沫液罐与泡沫消防车的泡沫液罐结构相同，主要差别是 A 类泡沫液罐容积较小，没有设置人孔，但液罐和阀门均采用耐腐蚀材料。

2. 压缩空气泡沫灭火系统

压缩空气泡沫灭火系统主要由水泵、空气压缩系统、泡沫比例混合系统、控制系统和各种附件组成，如图 7-3-2 所示。

① 空气压缩系统：主要用于向压缩空气泡沫灭火系统提供持续、稳定、达到系统要求压力的压缩空气。一般采用螺杆式空气压缩机，主要包括空气压缩机、自动压力调节系统、自动循环润滑冷却系统、显示和控制系统等，如图 7-3-3 所示。

自动循环润滑冷却系统中的热交换器，将空气压缩机加压后的压缩空气进行冷却和油、气、水分离，降温分离后的压缩空气一般降至 0.8MPa 左右。

② 泡沫比例混合系统：用于将压力泡沫液和压力水按比例混合，形成泡沫混合液。泡沫比例混合系统主要包括泡沫液泵（用于将泡沫液罐的泡沫液加压送至泡沫比例混合器）、流量传感器（反馈水的流量）、压力平衡装置（用于平衡水和泡沫液的压力）及附属管路等部件。

③ 控制系统：用于采集相关信息，调节泡沫液和水的流量、比例、泡沫干湿度以及压缩空气的压力，控制各喷射口的启闭、低液位报警和空气压缩机油温超温报警等。

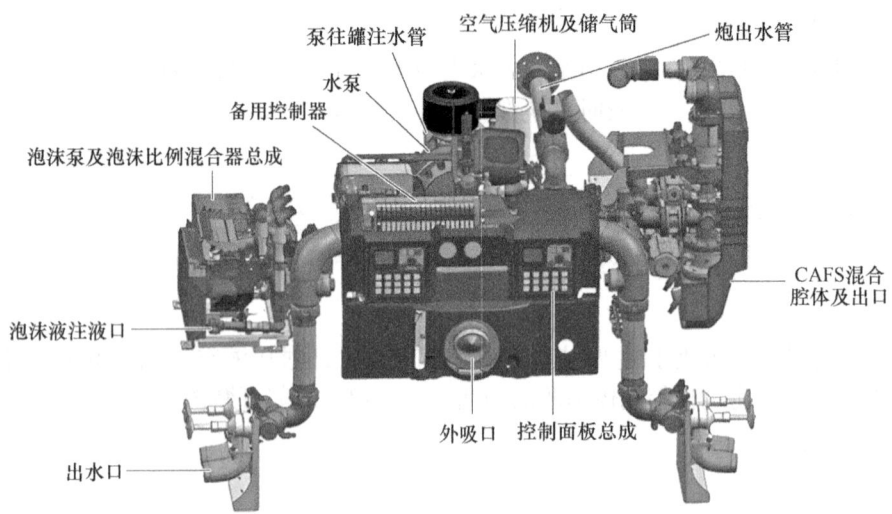

图 7-3-2 压缩空气泡沫灭火系统结构

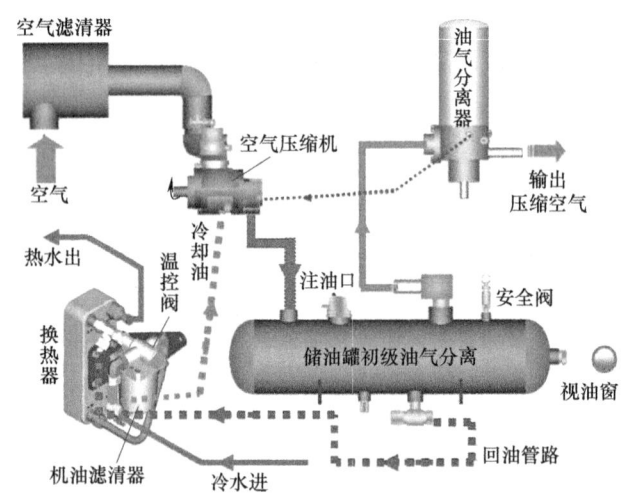

图 7-3-3 空气压缩系统

美国普遍采用断轴式取力装置，操作面板分布在车辆的两侧，一般采用机械机构控制，如图 7-3-4a 所示。欧洲国家大多采用夹心式取力装置，操作面板位于车辆后部，采用电子化集成控制，如图 7-3-4b 所示。目前国产消防车以后者为主。

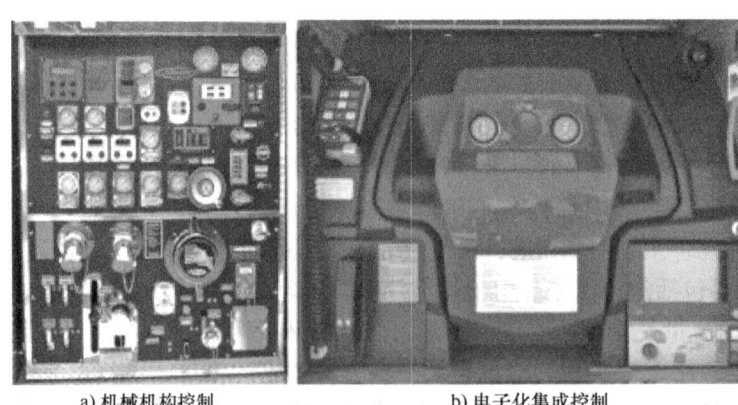

a) 机械机构控制　　　　b) 电子化集成控制

图 7-3-4 控制系统操作面板

二、主要技术参数

部分压缩空气泡沫消防车的主要技术参数见表 7-3-1。

表 7-3-1 部分压缩空气泡沫消防车的主要技术参数

型号			轻型	中型	
			×××5070GXFAP20	×××5190GXFAP70	某进口 A 类泡沫车
外形尺寸 /mm			6940×1880×2600	8360×2490×3480	8455×2500×2900
底盘型号			NKR77PLLWCJAY（皮卡）	DND1163CKB273H	专用底盘
发动机额定功率 /kW			96	246	294
最高车速 /(km/h)			100	100	95
满载总质量 /kg			6800	18600	16800
灭火剂质量 /kg	水		1500	6450	3680
	A 类泡沫		100	300	220
	B 类泡沫		—	—	—
驾乘室人数 / 个			5	6	6
消防泵型号			CB10/20	CB10/60	CB10/80
消防泵额定流量 / 额定压力 /[(L/s)/(MPa)]	低压		20/1.0	60/1.0	80/1.0
	中压		—	—	3.030
空气压缩机	额定供气量 /(L/s)		60.0	60.0	70.0
	额定压力 /MPa		0.6	0.8	0.8
进水口径 /mm			125	150	150
出水口径 /mm			65	80/65	80/65
压缩空气泡沫出口口径 /mm			65	65	65
出枪数量 / 支			2	2	2
使用 CAFS 系统时，水 / 泡沫混合比[①]范围（%）			0.3%~1% 可调，步长为 0.1%	0.3%~1% 可调，步长为 0.1%	0.1%~1% 可调，步长为 0.1%
使用 CAFS 系统时，空气 / 混合液的比率[①]（%）			13	15	17.5
消防炮	流量 /(L/s)		—	48	64
	射程 /m		—	≥55	≥60

① 这里指体积比。

三、使用方法

压缩空气泡沫消防车操作的一般步骤如下。

1）启动发动机，挂功率输出装置，启动水泵。
2）启动空气压缩机，连接泡沫枪（炮），打开出水阀门，使泡沫枪（炮）处于喷射状态。
3）调节泡沫比例混合器，设定泡沫混合液比例。
4）启动泡沫液泵，泡沫枪（炮）喷射泡沫混合液。
5）调节干湿泡沫转换开关至需要的泡沫类型。
6）打开供气阀开关，泡沫枪（炮）喷射压缩空气泡沫。
7）调节发动机转速，观察水和压缩空气的压力表，使压力处于额定工作压力。
8）使用完毕后，先适度降低发动机转速，再关闭空气压缩机开关。
9）打开清洗阀，清洗泡沫液管路，关闭泡沫液泵，待水带持续喷出清水后，减小油门，摘掉功率输出装置。
10）打开所有管路和水泵的放余水开关，放掉管路及泵内余水。

四、维护保养

压缩空气泡沫消防车的日常维护保养应遵守以下准则。
1）除压缩空气泡沫灭火系统外，其维护与保养基本与水罐消防车相同。
2）定期更新空气压缩机机油、过滤器及空气滤清器。
3）定期对泡沫液罐进行清洗，将罐内残余的泡沫液清除干净。
4）使用完压缩空气泡沫消防车后，应及时冲洗泡沫泵及泡沫管路，以防止零部件被泡沫液腐蚀、黏结、损坏或无法启闭与调节。

五、注意事项

压缩空气泡沫消防车除水罐消防车和泡沫消防车使用注意事项外，还应注意如下事项。
1）压缩空气泡沫灭火系统必须根据实际要求使用相应的泡沫液，一般为 A 类泡沫液。
2）更换不同型号的泡沫液前，必须先清空泡沫液罐，并清洗相应管路。
3）为防止泡沫枪剧烈抖动伤人，应在泡沫枪流出泡沫混合液后，再打开空气开关。
4）清洗泡沫液过滤器时，应关闭管路中的截止阀，并将过滤器中残留的泡沫液装入防腐容器内，以防其污染车内环境。
5）不同企业或同一企业生产的不同型号的压缩空气泡沫消防车，其操作使用方式不尽相同，应严格按照该型号说明书操作使用。

单元四　干粉消防车

干粉消防车是指主要装备干粉灭火剂罐、成套干粉喷射装置的消防车，主要用于扑救易燃液体（如油类、液态烃、醇、酯、醚等）、可燃气体（如液化石油气、天然气、煤气等）和电气设备火灾，其中 ABC 类干粉灭火剂还可用于扑救一般固体物质火灾。

一、结构组成

干粉消防车主要由底盘、驾乘室、干粉系统、干粉炮（枪）、器材厢、附加电气设备等部分组成，如图 7-4-1 所示。

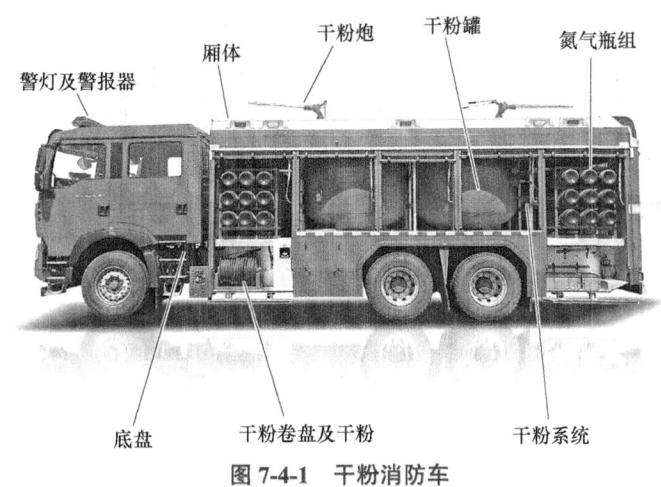

图 7-4-1　干粉消防车

干粉消防车结构与水罐消防车相比，主要增加了干粉系统。干粉系统主要由动力氮气瓶组、供气系统、干粉罐、出粉管路、吹扫管路、放余气管路等装置构成，如图 7-4-2 所示。当高压气瓶打开后，高压氮气由高压钢管汇集至减压阀并降压到干粉系统所需工作压力（1.1~1.7MPa）后，打开干粉罐进气球阀，氮气经高压管路充入干粉罐内。当干粉罐内气压达到系统工作压力时，减压阀即处于压力平衡状态。高压氮气通过管路从底部进入干粉罐，强烈地搅动干粉，使罐内充满气粉的混合物。打开出粉球阀后，氮气挟裹干粉由枪（炮）口高速喷出。打开干粉枪（炮）的出粉球阀喷射后，随着干粉罐内压力逐渐降低，减压阀自动开启，不断向干粉罐内补充高压氮气，直至系统压力降低到最低工作压力（大约 0.5MPa），干粉枪（炮）便停止喷射。

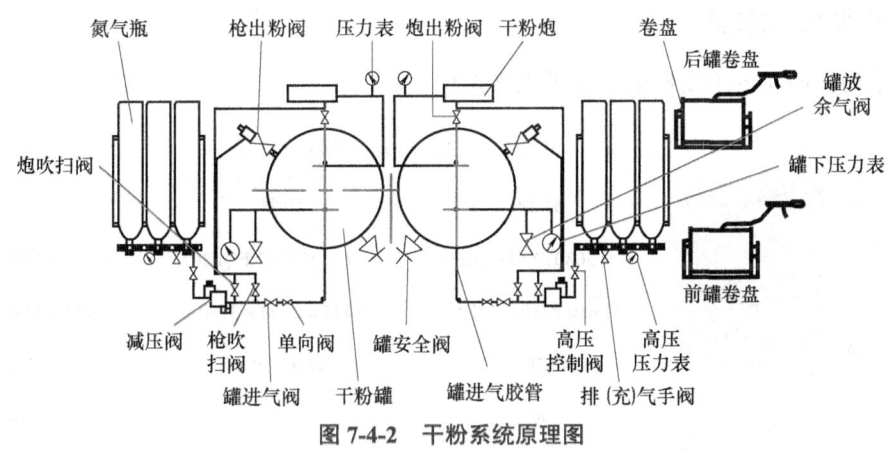

图 7-4-2　干粉系统原理图

1. 氮气瓶组

氮气瓶组由若干只 15MPa、40L 或 70L 的钢制气瓶组成，安装在车厢内，固定在车厢钢瓶架上，并设有防震橡胶垫。

2. 供气系统

供气系统（图 7-4-3）的作用是将喷射干粉的压缩氮气经减压后（小于 1.7MPa）输送到干粉罐内，以推动干粉通过干粉管路由干粉炮或干粉枪喷射到火场。氮气瓶由高压钢管分组或全部相连，经减压阀与干粉罐相连。供气系统分为高压供气系统和低压供气系统两部分。

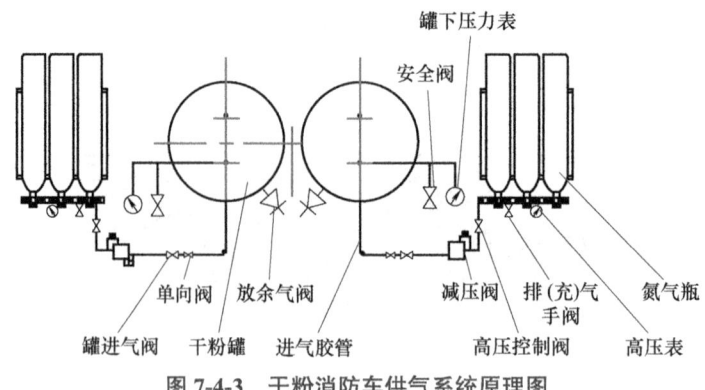

图 7-4-3 干粉消防车供气系统原理图

3. 干粉罐

干粉消防车通常设有 1~2 个干粉罐，干粉罐的下部有进气环管，顶部设有安全阀，罐体设有泄压阀和压力表。进气机构上设有单向阀，防止干粉倒流。

4. 出粉管路

干粉消防车的出粉管路主要有两条：炮出粉管路和枪出粉管路，出粉管路上设有球阀。

5. 吹扫管路

干粉消防车在喷射干粉完毕后，必须将枪、炮及管路中的余粉清除干净，否则会影响下次使用。为此，在干粉消防车上装有吹扫管路。吹扫管路由吹扫总管路、炮吹扫管路、枪吹扫管路、分配管及管路控制阀门等组成。

6. 放余气管路

放余气管路的作用是等干粉停止喷射后，将罐内的余气放掉，以免发生危险。

二、主要性能参数

部分干粉消防车的主要性能参数见表 7-4-1。

表 7-4-1 部分干粉消防车的主要性能参数

型号	轻型	中型	重型
	×× 5080TXFGF20E0	××× 5180TXFQF305	×× × 5240TXFGF60
外形尺寸 /mm	7230×2480×3370	8475×2500×3780	9975×2490×5770
底盘型号	EQI092F3GJ2	5X2165JN442	ZZ125754347C
发动机额定功率 /kW	99	213	276
最高车速 /(km/h)	100	90	90
满载总质量 /kg	9160	18100	23700
驾乘室人数 /个	6	6	6
干粉质量 /kg	2000	3000	6000（2个罐）
氧气瓶数量 /只	9	9	24
干粉罐最低工作压力 /MPa	0.5	0.5	0.5

(续)

型号	轻型	中型	重型
	×××5080TXFGF20E0	×××5180TXFQF305	×××5240TXFGF60
干粉罐最高工作压力 /MPa	1.40	1.40	1.45
氮气瓶最高工作压力 /MPa	15	15	15
干粉炮射程 /m	35	40	40
干粉炮喷射率 /(kg/s)	30	40	40

三、使用方法

1. 操作干粉炮

调整炮位,当罐内达到系统额定工作压力时,打开干粉罐至干粉炮的球阀,干粉即从炮口高速喷出。灭火后,应立即关闭进气球阀和出粉球阀,将炮操纵杆恢复至水平位置,并将炮筒水平朝前,依次紧定锁紧螺母,并将支撑杆复位后固定。

2. 操作干粉枪

从器材厢取出干粉枪,拉出胶管,对准火源。当罐内压力达到工作压力时,打开干粉罐至干粉枪的球阀,扣动扳机,干粉即从枪口高速喷出。当干粉罐压力 <0.5MPa 或灭火结束时,立即关闭罐进气手动球阀及枪出粉阀,停止喷射。工作完毕后,关闭干粉罐进气球阀、枪出粉球阀,对管路余粉进行吹扫;待吹扫干净放回原处。

需要特别注意的是,进行炮吹扫时,对应打开炮吹扫开关,将炮管路内余粉吹净后依次关闭氮气瓶阀门、高压进气总阀门及炮吹扫开关。进行枪吹扫时,须首先打开干粉喷枪,再对应打开枪吹扫手动阀,将胶管及枪内余粉吹净后依次关闭氮气瓶阀门、高压总进气阀门及枪吹扫阀。

四、维护保养

1. 填装干粉

1) 装粉前应检查干粉罐底部放余粉法兰螺栓是否松动,橡胶密封垫是否垫好,如有不当应重新安装,并均匀将螺栓拧紧。

2) 打开干粉罐上部加粉器,检查罐内有无积水、杂物和潮湿结块的剩余干粉,若有应清理干净。

3) 严禁将潮湿结块的干粉或杂质装入罐内,以免堵塞管道。

4) 安装加粉口盖时,必须将罐口、口盖密封面、密封垫等擦干净,不得有干粉或杂物,以免影响密封而漏气。

2. 定期检查

1) 检查吹扫球阀、放气球阀、进气球阀是否处在关闭位置。

2) 检查干粉炮上下、左右转动是否灵活。

3) 所有干粉管路阀门应经常启闭,以保持灵活可靠。

4) 干粉枪卷盘应经常检查,保证转动灵活。

3. 日常维护

1) 干粉系统要有专人管理,阀门、操作手柄不得随意乱动,操作人员必须熟悉操作规程,对各部件要加强检查,按照说明书要求确保设备完好无损。

2）按氮气瓶维护保养要求，每个月检查一次瓶内压力，氮气瓶压力低于 12MPa（20℃）时，应重新充装。

3）干粉罐每三年至少进行一次全面检查，同时对罐底部进气单向阀进行检查，有堵塞、锈蚀现象应及时清理和更换。

4）干粉罐上安全阀开启压力为 1.7~1.8MPa，安全阀每年至少进行一次定期检查和校验。

5）定期检查干粉炮，保证转动灵活，油杯里的润滑脂应加满，每次使用完毕时应对出粉球阀及干粉炮进行清理。

6）定期对气动球阀进行检查，不得有动作失灵、管路松动等缺陷。

7）定期对减压阀进行检查，其维修调整应由生产厂家和专业部门进行。

五、注意事项

1）干粉罐应由具有压力容器制造许可的企业生产，按规定进行水压强度试验。

2）干粉消防车所携带的干粉灭火剂应适合扑救所发生火灾的类别。

3）严禁将干粉罐消防车停在下风口或逆风喷射。

4）干粉系统的压力容器和压力管路不得随意敲打和改动，以防发生意外事故。

5）干粉罐充气结束后，如不立即进行喷射灭火，需将高压进气总阀关闭，在灭火喷射时再打开。

6）扑救油火时，干粉枪不得对准油面，以防溅起油层。

7）使用干粉炮喷射干粉时，必须使干粉罐充气至系统工作压力后再喷射，否则会因压力不足而影响射程和灭火效果。

8）在整个喷射过程中，干粉炮（枪）尚存部分干粉，应用压力气体进行。

【思考题】

1. 简述水罐消防车的结构及主要性能参数。
2. 简述操作水罐消防车的注意事项。
3. 简述干粉消防车的日常维护。

模块八

>>> **举高类消防车**

单元一 举高类消防车基础知识

一、举高类消防车按用途分类

举高类消防车装备有支撑系统、回转盘、举高臂架、工作斗（平台）和灭火装备，主要用于高层建筑、石油化工装置、仓库等火灾的扑救以及其他灾害事件中的抢险救援和社会救助。根据用途不同，举高类消防车分为登高平台消防车、云梯消防车和举高喷射消防车三种类型。

（一）登高平台消防车

登高平台消防车（图 8-1-1）是指装备折叠式或折叠与伸缩组合式臂架、载人平台、转台及灭火装置，用于扑灭高层建筑火灾以及救援的专用汽车。车上设有工作平台和消防炮（水枪），供消防员进行登高扑救高层建筑、高大设施等火灾，营救被困人员，抢救贵重物资以及完成其他救援任务。

（二）云梯消防车

云梯消防车（图 8-1-2）上设有液压伸缩云梯、工作平台、升降斗及灭火水枪，供消防员登高进行灭火和营救被困人员使用。其梯架结构为开口槽型桁架式，适用于高层建筑火灾现场的人员快速营救。

（三）举高喷射消防车

举高喷射消防车（图 8-1-3）装备折叠式或折叠与伸缩组合式臂架、转台及灭火装置，消防员可在转台手动操作或地面遥控操作臂架顶端的灭火喷射装置，在空中向施救目标进行喷射扑救，用于扑灭高层建筑火灾，特别是石油化工等火灾。

图 8-1-1 登高平台消防车

二、举高类消防车按臂架结构形式分类

（一）曲臂举高消防车

曲臂举高消防车的臂架由两个以上折叠臂或折叠臂与伸缩臂组成，臂架之间铰接而成。

车辆处于行驶状态时,臂架折叠;车辆处于工作状态时,通过各自的变幅机构实现臂架的俯仰和伸缩,使工作斗(平台)举升和变幅。

图 8-1-2 云梯消防车

图 8-1-3 举高喷射消防车

(二)直臂举高消防车

直臂举高消防车的臂架由多节同步伸缩臂组成。车辆处于工作状态时,由伸缩液压缸及链条或钢绳机构驱动。

(三)组合臂举高消防车

组合臂举高消防车的臂架由同步伸缩的多节臂和折叠臂共同组成。

三、车辆总体构造

举高类消防车从结构上分成上车和下车两大组成部分,上车以回转支撑、中心回转体与下车连接,通过液电控制系统将其紧密地连成一体。下车主要由底盘、副车架、支腿系统、器材厢、下车消防系统、取力装置、调平机构等部分组成。上车主要有转台、臂架、上车消防水路系统、工作平台、变幅机构、伸缩机构、液压电缆输送系统等部分。整车由取力器从发动机取出动力驱动高压液压泵为液压系统提供动力,电气系统与气路系统配合实现取力操纵和油门控制,整车的安全保护措施由电气系统实现。

(一)底盘

底盘是整车的基架,也是消防车的行驶装置,一般采用商用二类底盘。其主要作用如下。

① 作为上装各部件的承载总成:整机所有总成部件都直接或间接地安装在底盘上面,整车的行驶职能全部由底盘承担,并在行驶时底盘承担整车全部重量。

② 作为上装的动力和电力来源:上装所用液压泵、水泵等装置的工作均由底盘发动机提供动力。上装电气系统所用电力也由底盘提供。如图 8-1-4 所示为消防车专用底盘。

(二)取力装置

取力装置由取力器、传动轴和液压泵及水泵等组合而成。一般消防车结构,液压泵和水泵的运转是靠发动机动力和通过取力器传动轴来驱动的。目前国产消防车取力装置按取力部位不同,有下列四种形式。

图 8-1-4 消防车专用底盘

（1）侧置式取力器　动力从变速器侧窗取出，它的输出功率较小，不能全功率输出。

（2）副轴取力器　动力从变速器后端的二轴取出，它位于变速器后部，取力器的前端面紧贴变速器的后端面。输出输入轴中心平面在纵轴线的垂直平面内，有两根输出轴分别驱动消防上装和底盘。

（3）断轴式取力器　动力从变速器后端传动轴处取力，分动箱设置在变速器后部的前后传动轴之间，并悬置在两纵梁之间。

（4）夹心式取力器（全功率取力器）　动力从变速箱的第一轴（即输入轴）取出，它位于离合器飞轮壳后端和变速箱的前端，它的输出功率达到 90% 以上，带水泵的罐类消防车使用较多。

（三）副车架与支腿系统

副车架是与消防车底盘大梁装配成体的附加车架，由消防车企业加工生产，作为整车重量及载荷的承载体。副车架的主要作用有两个：一是为上车结构件提供装配及固定基础；二是为整车作业提供可靠的载荷承载体。在整车作业时，副车架由四个支腿撑起，承受着整车的重量和所有外部载荷，并能保证整车在 360° 范围内的任何位置作业都安全可靠，如图 8-1-5 所示。

支腿系统包括水平支腿、垂直支腿和操纵装置，是举高类消防车的作业支座，承载整车重量及上车力矩，直接有力地保证了整车的稳定作业。支腿系统通常与副车架连接在一起。举高类消防车的支腿形式主要有 H 形和 X 形，此外还有直落形、外摆形等。一般消防车使用 H 形支腿，其跨距较大，稳定性比较好。如图 8-1-6 所示为 X 形支腿，如图 8-1-7 所示为 H 形支腿。

图 8-1-5　副车架

图 8-1-6　X 形支腿

（四）变幅机构

变幅机构由变幅液压缸、平衡阀等组成，其功能是驱动臂架变幅，如图 8-1-8 所示。

图 8-1-7　H 形支腿

图 8-1-8　变幅机构

（五）伸缩机构

伸缩机构由伸缩液压缸、平衡阀、板式链或钢丝绳、链轮等组成，其功能是驱动臂架伸缩。如图 8-1-9 所示，左侧所示为一节臂和转台铰接处，伸缩液压缸尾部设置有平衡阀，右侧所示为伸缩机构所用的板式链和链轮。

图 8-1-9　伸缩机构

（六）中心回转体

中心回转体由旋转体、固定体、液压油道、电缆通道、水路通道及导电环组成，以此实现液、电的上、下车输送，保证上车在 360° 连续旋转时，油路、电路和水路畅通。中心回转体为全密封式，避免了因尘污、水浸而发生的断路或短路现象。图 8-1-10 所示为未进行安装的一种消防车用中心回转体。

（七）转台

转台是承上启下的重要结构件，向上通过销轴与臂架、变幅液压缸连接，向下通过回转支承与副车架连接。转台主要由台架、回转支承、回转驱动机构和控制台等部分组成。回转驱动机构、控制台安装于台架上。图 8-1-11 为某登高平台消防车的转台。

图 8-1-10　中心回转体

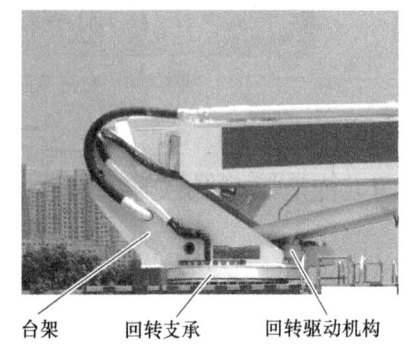
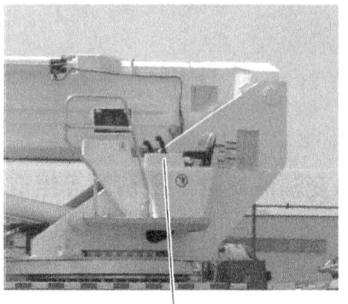

图 8-1-11　某登高平台消防车的转台

（1）台架　台架是转台的主体。臂架基本臂尾部通过销轴与台架铰接在一起，变幅液压缸通过销轴一端与台架连接在一起，另一端与基本臂连接在一起形成变幅机构。

（2）回转支承　回转支承位于转台的下部，是连接下车与上车的轴承，分为内外轮廓两部分，内轮廓连接转台，外轮廓连接副车架，如图 8-1-12 所示。

（3）回转驱动机构　回转驱动机构主要由回转马达、回转减速机组成，如图 8-1-13 所示，用于实现上车回转动作。回转马达，即液压马达，由液压驱动进行回转动作。为使回转操作更加柔和顺畅，通常配有回转缓冲阀。回转减速机通常为 2 级行星减速机构，可降低回转马达输出的转速，提高回转马达的输出扭矩。

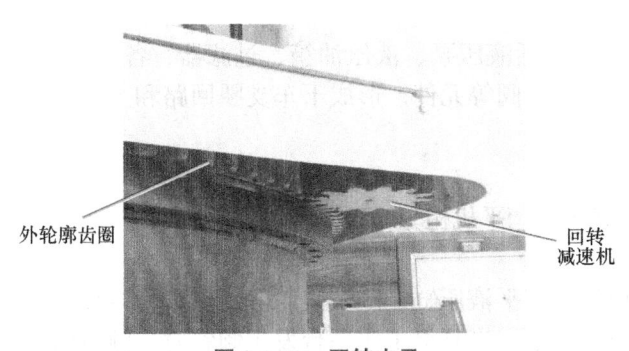
外轮廓齿圈　　　回转减速机
图 8-1-12　回转支承

图 8-1-13　回转驱动机构

回转马达运转时，驱动回转减速机的齿轮与回转支承外轮廓齿卷啮合进行转动，从而带动台架相对于副车架进行回转，即回转支承的外轮廓固定不动，台架所连接的内轮廓在外轮廓内回转。

（4）控制台　控制台主要由座椅、显示屏、操纵装置、对讲系统等组成，实现人机交互。操作人员通过操纵装置操控车辆动作，显示器向操作人员反馈车辆的状态信息。控制台上集成有对讲系统，能够实现控制台和平台上人员的对话交流，便于上下信息传递，如图 8-1-14 所示。

图 8-1-14　控制台

（八）电气系统

电气系统由电控器、安全保障系统、警报通信系统、照明系统等组成。电气系统与液压系统、气路系统配合实现整车的操作。

1. 电控器

电控器由电液比例手柄、放大板、电磁阀、逻辑电路等组成，实现对各类电液比例阀及液压缸等执行元件的控制。

2. 安全保障系统

安全保障系统由各类检测开关、传感器、逻辑电路、监控装置、备用动力及应急操作装置等组成，构成整车安全作业的防护体系。

3. 警报通信系统

警报通信系统由警灯、电子报警器、对讲机和电铃等组成，实现了上、下车之间的联系，保证了工作过程中的通信联络及预警。

4. 照明系统

照明系统由工作照明灯、探照灯、警示灯、标志灯等组成,保障安全作业。

(九)液压系统

液压系统采用电液比例控制技术,一般包括液压泵、液压油箱、过滤器、各种液压缸、发动机、控制阀、换向阀、溢流阀、平衡阀、锁阀等元件,形成下车支腿回路和上车回路两大部分。

(十)调平机构

调平机构保证工作平台始终保持水平状态,调平机构分为以下两类。

1. 自动调平机构

自动调平机构由角度传感器、控制模块、调平液压缸、链及链轮等组成,为电液比例闭环伺服控制系统。角度传感器固定在工作平台上,当测得工作平台发生倾斜时,倾斜信号传到控制模块,控制模块就命令调平液压缸动作,带动链、链轮及与链轮为一体的平台转动,从而自动调平。

2. 机械调平机构

机械调平机构采用平行四边形拉杆随动调平原理,由拉杆、滚子链、链轮以及辅助支撑、张紧装置组成。

(十一)消防水路系统

消防水路系统主要由水泵装置、消防液罐、通水管路、球阀、缓冲器、水(泡沫)炮及操纵机构、消防液进出接口等组成。

(十二)液压电缆输送系统

液压电缆输送系统由金属拖链和导向支架等构成。导向支架固定在缩臂头,装有液压管路和电缆束的输送拖链通过导向支架与伸缩臂一同伸缩,从而实现液压管路和电缆束与臂架的同步伸缩,如图8-1-15所示。

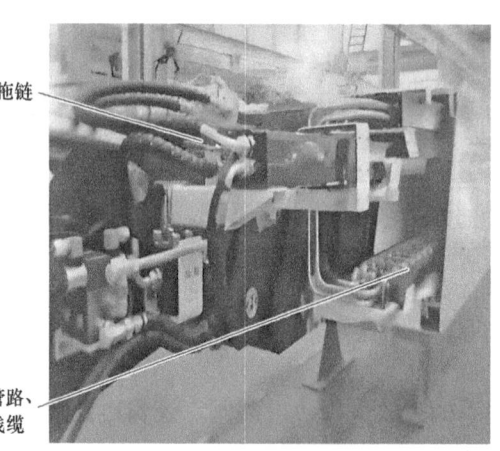

图 8-1-15　液压电缆输送系统

【思考题】

1. 举高类消防车按用途不同分为哪几种?
2. 举高类消防车的转台总成主要有哪几部分?功能分别是什么?

单元二　登高平台消防车

登高平台消防车（图 8-2-1）是指主要装备曲臂或直曲臂和登高平台，可向高空输送消防人员、灭火物资，营救被困人员，喷射灭火剂的举高类消防车。

一、车辆结构

登高平台消防车的结构组成如图 8-2-2 所示。

图 8-2-1　登高平台消防车

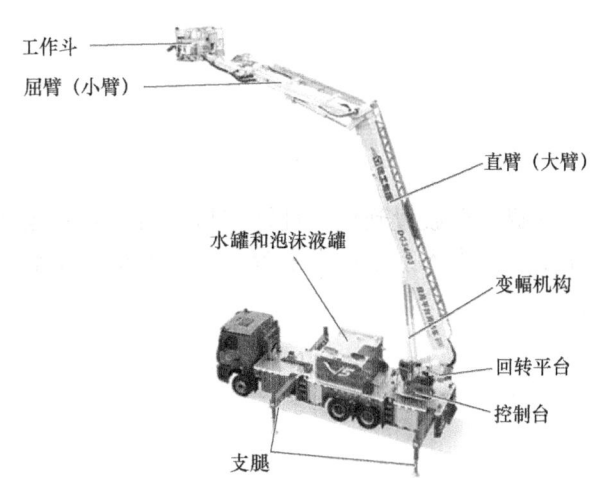

图 8-2-2　登高平台消防车的结构组成

二、参数性能

登高平台消防车的最大工作高度有 17m、32m、35m、42m、54m、72m 等规格，目前最大工作高度较大的车型有 88m、101m 等规格。

三、操作方法

（一）驻车与作业准备

1. 车辆就位

登高平台消防车必须在驻车状态下执行举高作业，因此必须选择合适的驻车位置。选择驻车位置，关键是保证车辆安全，要与火灾位置保持安全距离，正确选择车头方向，确保举高臂动作空间内无危险。

2. 作业准备

选定位置后，放下支腿前，要检查车辆是否整备正常。检查就绪后，接合取力器将动力输出至液压系统主液压泵，使液压系统运行。操作时要控制油门，保证主液压泵运行在合适的转速区间。

（二）支腿操作

放置支腿时，应首先采用自动操作，然后采用手动电控操作，最后采用液控手柄应急操作（图8-2-3）。调平车体时，必须将四个支腿水平全部伸出，并且全部垂直支撑地面。

若电控系统故障或操作某一支腿失灵，可利用车尾部下车操作控制面板（图8-2-4）的支腿液控操纵杆进行应急操作。手动液控或电控操作时，都需要对照水平仪（图8-2-5）调平车辆。

图 8-2-3　支腿电控操作面板

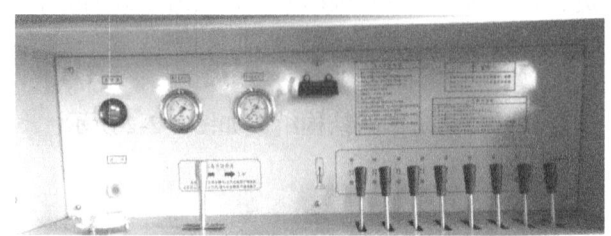

图 8-2-4　下车操作控制面板

（三）举高臂控制

1. 举高准备

支腿完全放置到位，且绕车检查后，才能操作举高臂。操作前，先将上下车转换开关转至上车，进入上车操纵平台，打开上车操作平台控制面板（图8-2-6）的电源开关和照明开关。

图 8-2-5　水平仪

图 8-2-6　上车操作平台控制面板

2. 直臂变幅操作

变幅指臂的抬起与放下。直臂变幅也称大臂变幅、下臂变幅。将上车操作台右侧电控手柄向后或向前扳动，就可以控制直臂向上抬起或向下落回。

3. 直臂伸缩操作

直臂伸缩也称伸缩臂伸缩、中臂伸缩，它是指直臂内的伸缩机构伸长或缩短。将上车操作台左侧电控手柄向前或向后扳动，就可以使直臂内 2~5 节臂伸出或缩回。

4. 曲臂变幅操作

曲臂变幅也称折臂变幅、小臂变幅，它是指曲臂改变与直臂的角度，以达到展开或缩回的目的。将上车操纵台座椅右侧电控手柄，按标牌指示向左或向右扳动，即可控制曲臂展开或收回的变幅运动,并可根据消防灭火实战的需要停止在安全动臂曲线范围内的任一位置上作业。

5. 安全操作

工作斗抬起到一定高度以上才能进行其他动作的操作,否则安全系统将禁止该操作并发出警报。

臂架回收必须满足的条件:直臂全缩回到位,曲臂收回到与直臂呈5°~10°之间,工作斗对中,回转对中;如不满足上述条件,安全系统将禁止变幅操作并发出警报。

操纵台座椅位置设有安全报警灯(图8-2-7),红灯熄灭表示正常操作状态;红灯闪亮表示当前动作正处于自动减速状态;红灯常亮表示当前动作已自动停止;红灯常亮并且报警喇叭鸣响,表示当前动作被禁止,继续操作会有危险。

(四)回转平台操作

回转平台操作也称上车回转操作,指平台旋转。将上车操纵台座椅左侧电控手柄,按标牌指示向左或向右扳动,即可实现臂架向左或向右做全方位回转运动。回转运动操作时,必须缓慢进行,不允许突然启动或突然停止,以减少液压冲击造成臂架的晃动。

(五)工作斗操作

工作斗操作分为在工作斗内控制举高臂和工作斗作业控制两个方面。

1. 在工作斗内控制举高臂

为了使进入平台内进行高空作业的人员能够更有效地展开抢险救援工作,操作者可在工作斗平台的操作面板(图8-2-8)上进行电控操作,控制举高臂的变幅、伸展、回转运动。

图8-2-7 安全报警灯

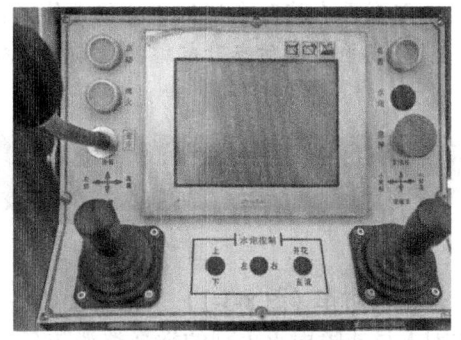

图8-2-8 平台操作面板

2. 工作斗作业控制

工作斗作业控制指使用工作完成各项作业,主要包括水炮(枪)控制、通信操作、照明操作等。各项操作都集成在平台操纵面板上,打开对应开关,根据屏幕文字提示即可进行相应操作。

(六)液压替代操作

上述操作都建立在电气系统对液压或其他机构的控制上。如果电气系统出现故障,也可用操作台座椅下方的液控手柄进行替代操作。

四、维护保养

车辆应停放在清洁、干燥、出入方便、有保温设施的车库或房内,长期停放时要进入非工作状态。应随时添加燃油、润滑油、液压系统工作的液压油,并加满水罐。

日常要检查和维护车辆各总成机构的连接情况，脱离或松动的部分要及时紧固，连接件和紧固件要保持完整、锁紧有效，确保各总成及连接部位安全、可靠。

日常要检查水路系统中进、出水口的球阀开、闭转动是否灵活、有效，应经常涂少量油脂，以免锈蚀卡死；如有损坏应随时更换。

保持液压油的清洁。车辆作业一段时间后还应需检查油量，油箱内的油缺少时，应予补充，以保证各机构的正常作业。液压系统的管路、接头有松动或漏油时，应采取紧固或更换密封垫等相应措施。车辆在日常演练中要随时检查液压系统或元件是否有性能失调、失控现象，如有问题应及时进行修理或更换。

经常检查电源、电瓶是否供电充足，报警器开关、喇叭、雨刮器、信号、照明等是否有效。检查水罐液位显示灯等控制开关或按钮是否灵敏、有效。检查中心回转接头，上、下导电系统的电刷接点是否牢固，接触是否良好，发现问题要及时调整和维护，做到上、下供电系统的畅通。要经常检查电器线路，检查接线盒是否有虚联、虚焊、虚接现象，发现问题要立即维修或更换元件。

定期进行喷水试验，检查取力器、消防泵等运转状况是否正常，检查消防炮、仪表、显示器、阀门开关、指示灯是否良好。检查引水泵，进、出水系统的密封性是否可靠，发现问题应进行检修或更换排除。

【思考题】

1. 登高平台消防车的用途有哪些？
2. 登高平台消防车的结构特征是什么？
3. 登高平台消防车升起举高臂前应做哪些安全检查？

单元三　云梯消防车

云梯消防车（图 8-3-1）是指主要装备伸缩云梯，可向高空输送消防人员、灭火物资，救援被困人员或喷射灭火剂的举高类消防车。

云梯消防车一般采用伸缩梯架结构，梯架重量较轻，伸展速度比登高平台消防车快。目前，部分云梯消防车在最上面一节梯架上增设了折叠梯，可以实现超越障碍物的功能。相对于同等工作高度、同等工作斗额定载荷下的登高平台消防车，云梯消防车上装相对较轻，整车质心高度较低。部分云梯消防车的工作斗与滑车可同时使用，增强了救援能力。

一、车辆结构

云梯消防车的结构如图 8-3-2 所示。

二、参数性能

以 YT53/G1 型云梯消防车为例，云梯消防车是集水罐车、举高喷射和高空救援等功能于一身的多功能消防车，主要用于城镇、工矿企业等中高层建筑以及石油化工企业、油罐、仓库等建筑物的火灾扑救。

图 8-3-1　云梯消防车　　　　图 8-3-2　云梯消防车的结构

（一）车辆基本参数

外形尺寸：13.0m×2.52m×4.0m，总质量：32420kg，支腿纵向跨距：6.6m，支腿横向跨距：5.2m，最高行驶速度：90km/h，驱动形式：6×4。

（二）举高系统参数

额定最大工作高度：53m，额定最大工作幅度：18m，梯架变幅范围：-8°~75°，工作斗载荷：300kg。

（三）灭火系统参数

水罐容量：1500L，消防泵类型：离心泵，消防泵额定流量：50L/s，消防泵额定压力：1.5MPa，水炮射程：≥65m。

三、操作方法

将云梯消防车停放于一个承载能力较强的地面。对于埋在地下的设施需要特别注意。在便于救援使用的建筑物或者物体附近设置云梯的有利位置后，将车辆设置空档，使用驻车制动。

（一）作业前的检查及准备

1. 作业前的检查

检查燃油量、液压油量、取力器（PTO）、电瓶等能否正常工作。

2. 作业前的准备

将工作目标放在车辆正后方或侧方，工作场地有足够的空间，以便能展开所有支腿或至少能展开一边的支腿。臂架上方没有障碍物，以便臂架伸展。工作场地的地面要足够坚硬，以便承受支腿压力。

（二）下车操作

1. 获取动力

接通液压泵取力器开关，如图 8-3-3 所示。

2. 支腿操作

支腿操作在支腿控制箱内完成。支腿操作根据操作方法的不同分为支腿遥控操作和支腿手动操作。

3. 垫木使用

该车自带 4 块支腿垫木，垫木放置在走台板上方垫木盒中。当车辆停放在斜坡上且斜坡较陡，或水平支腿全伸后垂直支腿液压缸不足以调平车辆时，可以增加垫木，将多块垫木错综垫到一个支腿的下面，如图 8-3-4 所示。

图 8-3-3　取力器开关

图 8-3-4　垫木放置

（三）梯架及上车回转操作

梯架的操作及上车的回转操作在转台控制台实现，如图 8-3-5 所示。要实现控制台操作，必须使所处控制台的脚踏开关处于接通状态。操作员通过控制操纵手柄的推拉倾角实现对梯架所有动作和上车回转运动的操作。

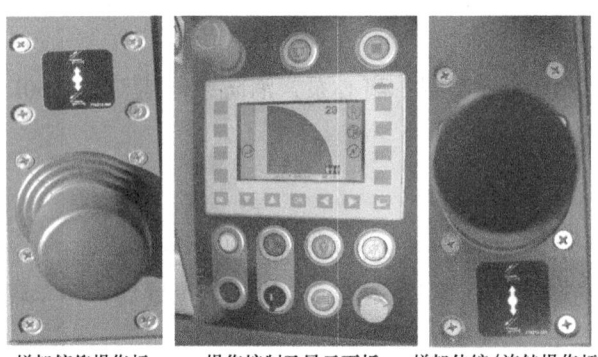

梯架俯仰操作杆　　操作控制及显示面板　　梯架伸缩/旋转操作杆

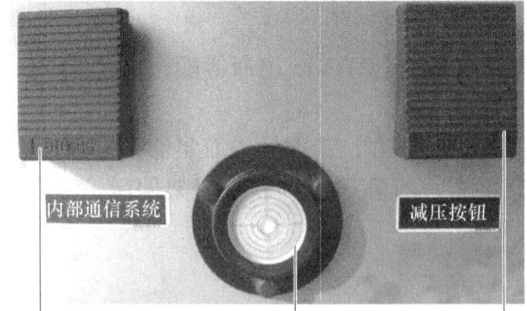

通信系统踏板开关　　转台及梯架水平仪　　提速踏板开关

图 8-3-5　转台控制台局部

（四）整车自动收车操作

1）在进行梯架自动收车操作前，确保梯架在 10° 以上，确保梯架上的所有人员已经撤离。在梯架收回到支架前，平台中的人员也要撤离。

2）在进行梯架自动收车操作时，操作人员必须保证梯架不会对其他人员或物品产生伤害，确保梯架运动范围内及 360° 回转时没有障碍物。

3）在自动收车过程中，如发现异常，应立即急停开关，使自动动作停止，并使发动机熄火。

4）当自动收车过程中，脚踏开关松开、出现软腿或按下急停按钮时，自动收车程序自动停止。

（五）单面作业

当操作场地只允许一侧的水平支腿全伸时，此时的操作范围被限制在支腿全伸侧的 180° 范围内。当一侧的水平支腿全部伸出后，操作另一侧水平支腿尽可能外伸；然后伸出所有的垂直支腿（先伸前垂直支腿，后伸后垂直支腿）。单面作业如图 8-3-6 所示。

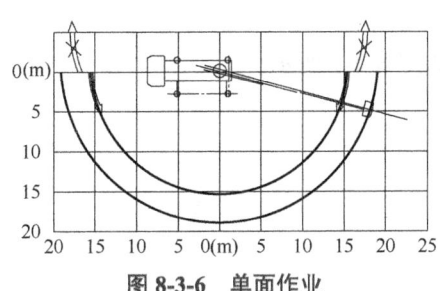

图 8-3-6　单面作业

四、贮存与维护保养

（一）贮存

云梯消防车需长期贮存时，应将燃油和水放尽，并将蓄电池正负极断开，停放在防雨、防潮、防晒以及通风良好的场所。当贮存期超过三个月，应每隔三个月进行一次空运转，每次运转不少于一个小时，并进行清洁保养。存放期超过一年半以上，使用前除进行清洁保养外，应更换老化的密封件。

（二）维护保养

操作员要经常检查牵引梯架升降的钢丝绳有无伸长、放松现象，对伸长的钢丝绳要通过调整螺栓及时进行调整。应不定时检查钢丝绳有无断丝、断股、脱节、变形及腐蚀等情况；如有上述情况发生，钢丝绳必须更换。钢丝绳要定期涂润滑脂，使其表面形成油膜，防止锈蚀，以确保云梯消防车使用过程中梯架的安全运行。

正常条件下，操作员应对云梯消防车整车各机构每 3 个月进行一次实战演练性全面检查，做到有备无患，随时出动。

【思考题】

1. 登高平台消防车的用途有哪些？

2. 简述云梯消防车消防系统使用的注意事项。
3. 云梯消防车日常保养维护应做到哪几点？

单元四　举高喷射消防车

举高喷射消防车在举高类消防车组成结构的基础上，主要装备了直臂、曲臂、直曲臂及供液管路，顶端安装消防炮或破拆装置。举高喷射消防车相对于云梯消防车和登高平台消防车，其举高臂轻便灵活，不载人。举高喷射消防车主要用于高空喷射灭火剂或实施破拆，对高层建筑、大跨度建筑、石油化工装置等的火灾有很强的灭火效能。目前比较先进的举高喷射消防车可以将水炮更换为破拆头、摄像头、喊话器等装置，可以执行一定条件下的破拆、侦察、喊话等任务。

一、车辆结构

举高喷射消防车的结构如图 8-4-1 所示。

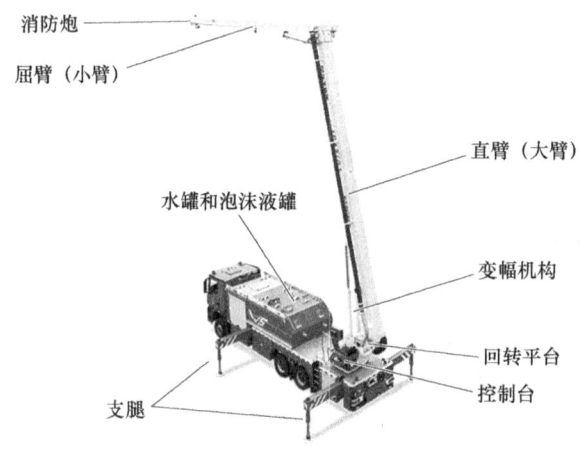

图 8-4-1　举高喷射消防车的结构

二、性能参数

举高喷射消防车常见车型的最大工作高度有 18m、32m、35m、42m、61m、72m 等规格，目前最大工作高度较大的车型有 88m、101m 等规格。

由于举高喷射消防车主要依靠水炮发挥灭火效能，因此需要有供水装置（水泵）和灭火剂罐（水罐、泡沫液罐）作为水源。常见车型的水罐容量有 5t、8t、10t、12t、15t、18t 等规格，泡沫液罐容量有 1.5t、1.9t、2t、2.9t、3t 等规格。总体上看，最大工作高度越大的车型，举高臂占用的车辆空间越大，因此其载灭火剂量越小，反之就越大。常见车型的水泵压力（扬程）在 1.3~1.7MPa 之间，水泵流量在 70~100L/s 之间。

要注意的是，从实战经验看，举高喷射消防车参与的任务都属于"急、难、重"任务，用水量很大，一般都需依靠其他水罐车和供水车供水。

最大工作高度不大于 35m 的举高喷射消防车，臂架从行驶位置举升到最大工作高度并回转 90° 的时间应小于 150s。最大工作高度大于 35m 的举高喷射消防车，超过 35m 部分每增加 10m，时间增加 40s，支腿伸展、支撑并调平的时间应小于 40s。

三、操作方法

（一）驻车与作业准备

1. 驻车

驻车位置要与火灾位置保持安全距离。正确选择车头方向，确保车辆上方没有障碍物，举高臂动作空间内无危险，地面坚硬平坦，有足够空间放置支腿。

2. 作业准备

选定位置后，放下支腿前，要检查车辆燃油是否充足，蓄电池是否正常，灯光和警报装置是否正常。检查就绪后，结合取力器，将动力输出至液压系统主液压泵，使液压系统运行。操作时要控制油门，保证主液压泵运行在合适的转速区间内。

（二）支腿（下车）操作

操作方法与登高平台消防车类似。

（三）举高臂和回转平台（上车）操作

1. 举高准备

操作方法与登高平台消防车类似。

2. 回转平台和举高臂操作

操作左数第一手柄，前后方向进行转台回转。操作第二手柄，前后方向进行曲臂伸缩。操作第三手柄，前后方向进行曲臂变幅起落。操作第四手柄，前后方向进行直臂伸缩。操作第五手柄，前后方向进行直臂变幅起落。打开水炮开关，按照文字说明按动操作面板上的按钮，进行水炮的上升、下降、左转、右转、开花、直流操作。在夜间操作时，可打开探照灯开关，进行火场照明。当遇到紧急情况，如臂架失控时，可按下急停开关或按熄灭按钮控制发动机熄火。

3. 安全操作

当屏幕上出现传感器不正确的提示时，应视为自动安全控制失灵，此时应小心缓慢操作，用后立即与厂家联系。当电控手柄失灵时，可以使用液压手柄进行操作。但是此时没有安全限制，也无法进行其他控制，一定要小心缓慢操作，用后立即与厂家联系。当在使用过程中发动机失灵时，应使用应急泵，把举高臂完全收回到行驶状态，并立即与厂家联系维修。

直臂要完全抬起至 86° 才能进行其他动作的操作，否则安全系统将禁止该操作并发出警报。直臂完全抬起后，要把曲臂变幅至与直臂夹角大于 3°，才能进行伸缩操作。

臂架回收必须满足的条件：直臂全缩回到位，曲臂完全缩回并折叠，回转平台回转对中；如有不满足上述条件者，安全系统将禁止变幅起落操作并发出警报。

虽然车辆设有自动控制系统，但为避免出现系统故障发生危险，操作人员要随时观察车臂位置，不能完全依赖自动系统。举高臂各个动作即将达到极限位置时，都会自动减速，确保各动作平稳地到达极限位置。

【思考题】

1. 举高喷射消防车的用途有哪些?
2. 举高喷射消防车的关键性能参数有哪些?
3. 举高喷射消防车上车操作和下车操作分别指什么?
4. 举高喷射消防车升起举高臂前应做哪些安全检查?

模块九

>>> 专勤类消防车

专勤类消防车指装备专用消防装置，担负除灭火和保障之外的某专项消防技术作业的消防车。常见的专勤类消防车有抢险救援消防车、排烟消防车、照明消防车、洗消消防车、核生化侦检消防车等。

单元一　抢险救援消防车

抢险救援消防车是指装备抢险救援器材、随车起重机或具有其中功能的随车叉车、绞盘和照明系统，用于处置灾害现场抢险救援工作的消防车。根据所配器材和设备的不同，抢险救援消防车可在现场实施发电、照明、排烟、破拆、救生、牵引、起重等多种抢险救援作业，如图9-1-1所示。根据整车满载质量不同，抢险救援消防车一般分为重型抢险救援消防车和中型抢险救援消防车。

一、结构组成

抢险救援消防车一般由照明系统、器材厢、发电装置、随车起重机（叉车）、绞盘、底盘和驾乘室等组成。

图9-1-1　抢险救援消防车

1. 照明系统

（1）升降照明灯组　在车体上固定安装电动或气动举升灯杆，顶端为云台，安装有两盏以上照明灯。目前抢险救援消防车多采用气动铝合金举升灯杆，一般由底盘压缩空气罐提供实现升降的压缩气体，也可单独配置小型空气压缩机。当气压达到工作压力后，灯杆可进行举升并在任意位置锁定。

根据举升高度不同，灯杆一般为3~5节。云台由电动机驱动，可实现照明灯的俯仰与回转，满足现场不同区域的照面需要。部分车辆还配备了远距离无线遥控操作装置，可在一定范围内进行无线遥控操作。

（2）移动照明灯组　包括移动式照明灯、支架及电缆卷盘等。移动照明灯组一般固定安装在器材厢内，需要时取出并安装在支架等处，然后放置在使用区域，并通过电缆连接在电控柜的电源输出口，实现照明。

2. 器材厢

根据所配装的各种器材和工具的外形不同，器材厢被分隔成大小不同的空间，一般采用高强度铝合金材料及内藏式连接件装配成一个整体，以便卡装所配置的各种器材和工具。

3. 发电装置

发电装置按动力形式不同，可分为底盘取力器驱动及自带汽油机驱动，通常以自带汽油机驱动的动力形式居多。自带汽油机驱动的发电装置主要包括移动式汽油发电机、配电装置、附属电气装置等。

4. 随车起重机

随车起重机是由底盘发动机通过变速箱侧取力器驱动液压泵，从而输出动力实现起吊功能的；部分随车起重机还设有卷扬钢丝绳，也可实现起吊功能。随车起重机通常固定安装在车辆的后部车架上或车体中部，设有两只液压支腿，在车体两侧均设有操作手柄。

5. 绞盘

绞盘驱动方式一般有液压驱动和电动驱动两种，安装位置一般有前保险杠和车体大梁中部两种，如图 9-1-2 所示。绞盘前部应安装在导向和排线装置，便于钢丝绳的牵引导向以及回收整理。

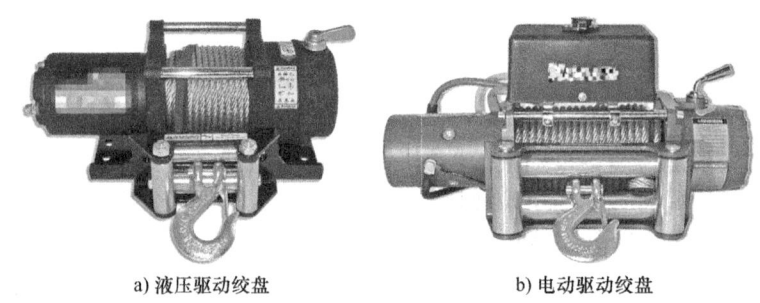

a) 液压驱动绞盘　　　　b) 电动驱动绞盘

图 9-1-2　绞盘

电动驱动绞盘通常安装在前保险杠上，通过螺栓进行固定连接，最大牵引力大于 50kN。电动驱动绞盘体积较小、安装方便、成本较低，但电动绞盘是间歇工作制，只能用于水平方向救援，不能用于垂直方向救援。底盘蓄电池电压不稳定，导致过载保护装置不能准确响应，存在安全隐患。

液压驱动绞盘的取力方式与随车起重机相同，牵引力一般为 50~100kN。液压驱动绞盘体积较大，安装较复杂，成本较高，但工作稳定，过载保护装置可靠性更高，可连续作业，能够应用于水平方向救援和垂直方向救援。目前较为先进的液压驱动绞盘为设置在车体大梁中部的恒力匀速绞盘，它设置有钢丝绳收纳装置。钢丝绳牵引作业时，首先经过该装置，再回到卷筒上。由于该装置钢丝绳受力卷筒的直径不变，因此钢丝绳的卷动线速度不变，从而实现恒定牵引速度和恒定牵引力的功能。同时由于液压驱动绞盘设置在车体重心附近，因此通过车体的导向装置，液压驱动绞盘还可实现后向、侧向等多方向牵引。

二、主要性能参数

以某型号多功能抢险救援消防车为例，抢险救援消防车的主要性能参数见表 9-1-1。

表 9-1-1 某型号多功能抢险救援消防车的主要性能参数

项目		性能参数
底盘型号		MANTGM 18.290 4×2 BB
外形尺寸（长×宽×高）/mm		8912×2465×3401
乘员数（含驾驶员）/人		6
质量参数	最大总质量/kg	18000
	满载总质量/kg	14000
发动机	最大功率/kW	213
主发电机组	额定功率/kW	12
	输出电压/V	380/220
照明灯	主照明灯功率/kW	4
	可移动灯功率/kW	0.5
灯杆	举升高度/m	7.5
云台	云台回转角/(°)	±360
	云台俯仰角/(°)	±150
液压起重机	最大理论起升质量/kg	5580
	最大工作半径/m	8.2
	支腿跨距/mm	4870
	液压系统额定压力/MPa	31.5
电动绞盘	单绳最大牵引力/kN	7560
	钢丝绳尺寸	$\phi 13mm \times 48m$
	钢丝绳工作长度/m	≤48

三、使用方法

以表 9-1-1 所示的多功能抢险救援消防车为例，该消防车的使用方法如下。

（一）准备工作

1）备有充足的燃料、润滑油、润滑脂。
2）蓄电池内有充足的电量，确保出车时顺利启动。
3）停车房在冬季应保持一定室温，确保发动机易于启动。

（二）发电机使用方法

1. 启动操作

1）将发电机上的自动空气开关柄扳向"OFF"（断开）。
2）打开燃油箱旋阀至"OPEN"（开启）。
3）把钥匙插入总开关，旋至"ON"（开）。
4）确认蓄电池充电灯和机油油压灯已点亮，旋转钥匙至"GLOW"（预热）。
5）旋转钥匙至"START"（启动），直至发动机顺利启动后再松开。
6）发动机启动后，应不加任何负载，让发动机空转 5min 后，再将发电机上的自动空气开关柄扳向"ON"（开）。

2. 停机操作

1) 将发电机上的自动空气开关柄扳向"OFF"(断开)。
2) 在发动机完全停机前,让发动机空转约 5min。
3) 把总开关(钥匙)旋至"OFF"(断开)。
4) 把燃油箱旋阀拨至"CLOSE"(关闭)。

(三)主照明灯使用方法

1) 打开驾驶室内面板上的气源开关,观察汽车气压压力表不低于 0.6MPa。
2) 打开前帘子门,使接地棒接地良好,启动发电机组,观察电压值在正常位置,待 3min 后合上电源输出开关。
3) 启动发电机,打开配电柜门,合上自动空气开关,关上配电柜门,可看到配电柜门板上三相指示灯亮,表明电源接通。
4) 按照门板上标识,可任意操作,按下(扭动)相应按钮(开关),进行灯杆的升、降、停,主灯的通、断以及云台的旋转、俯仰。

(四)电动绞盘使用方法

1) 打开面板上的电源开关,观察电压表不低于 24V。
2) 接合绞盘鼓的离合套手柄。
3) 如牵引其他汽车或重物时,首先评估被牵引物体重量,考虑是否用动滑轮组,其次应将汽车用手动制动,将车轮稳固。
4) 启动发动机,始终置于空挡,观察电瓶电压是否为 24V,否则需要充电。
5) 扳动手柄,此时钢丝绳放出,同时用手将钢丝绳拉到被牵引物前(钢丝绳在无负荷下可用手拉出,此时不用接离合器,并应分开鼓筒离合器)。
6) 将手柄留在空位,将钢丝绳挂在被牵引的汽车或物体上,将绞盘手柄放在收绳位置。
7) 在安全位置操作(可用在驾乘室内操作),适当收紧绞盘,在绷直的钢丝绳上铺设重物(如水带、纸盒、被褥等),以防钢丝绳断裂飞出造成人员伤亡。收卷钢丝绳,开始逐渐牵引,注意观察,发现故障及时停止。牵引完毕后,将手柄放回中间位置。
8) 使用绞盘自救时,在必要时允许接变速器一挡,从而使驱动轮能获得更大的牵引力。
9) 使用绞盘时必须严格控制钢丝绳拉钩上负荷的大小,否则将迅速磨损齿轮,导致绞盘早期损坏。当确实需要增加力量时,则应使用滑轮组来增加力量。
10) 使用绞盘时必须注意钢丝绳的方向,以保证钢丝绳能正确地缠绕在鼓筒上,钢丝绳收卷速度需根据拉钩上负荷的大小、负荷性质和所在地点而定。

注意:钢丝绳的工作长度不应超过 48m,剩下的钢丝绳应缠绕在鼓筒上不少于 5 圈,以保证和鼓筒连接处不致损坏,绞盘鼓筒的转速不应大于 15r/min。

(五)后吊使用方法

将置于车头前端平台上的转换开关手柄搬到与车体平行方向,即可使用后吊。

四、注意事项及维护保养

(一)照明系统的维护

(1)更换灯管 将灯杆下降到最低位置,切断系统电源取下外罩,旋下灯管固定螺母,取出灯管,将新灯管重新装入。安装灯管时,请带好手套,以防止弄脏灯管表面,从而降低灯管亮度。

(2)检查密封圈 检查密封圈有无损伤,确保灯罩的密封可靠性,将灯罩盖好。

（二）灯杆的维护

灯杆的维护每 1~2 个月进行一次，当出现下列现象时，应进行维护：灯杆外部有明显灰尘；灯杆工作有噪声；灯杆在升降时出现黏滞；灯杆在升降时出现弹射现象。

（三）灯杆的清洁和润滑

1）卸下主灯，将灯杆升起。
2）用无磨损的清洁剂擦拭灯杆表面。
3）通过灯杆出水孔或在油雾器中注入适量的润滑剂，将灯杆降低，使润滑油充分覆盖。
4）将灯杆反复升降，并擦去所有从灯杆中溢出的多余润滑油。

（四）牵引装置的维护

1）在每次使用前后，检查钢缆有无扭曲、打结，检查连接钩、销等是否完好。
2）保持绞盘、控制器等器件不受污染；如有污染，给绞盘套上防护套。
3）用润滑油保养钢缆及吊钩等，防止其氧化腐蚀。
4）在长时间的牵引工作后，检查车辆电瓶电压，及时充电。检查控制器与控制盒之间的连接是否牢靠。
5）检查遥控器是否完好，并将其存储于干燥的地方。

（五）随车起重机的维护保养

1）随车起重机必须进行定期检修，查看各个零件，尤其是安全装置的功能是否良好。检查动力线路连接。
2）检查整个动力管路，不能出现漏油或扭曲等现象。
3）检查油箱中的油量，油液水平面不能高于最高标记或低于最低标记。

【思考题】

1. 抢险救援消防车的随车起重机在使用过程中有哪些注意事项？
2. 抢险救援消防车的绞盘在使用过程中有哪些注意事项？

单元二　排烟消防车

排烟消防车是指主要装备固定排烟机的专勤类消防车，如图 9-2-1 所示。排烟消防车适用于高层建筑、地铁、隧道以及地下场所的排烟、通风、有害气体吸收及辅助灭火，还可用于改变火场方向。

根据配备的排烟机种类不同，排烟消防车可分为轴流式和离心式两种。固定安装在器材厢外的大型排烟机一般为轴流式排烟机。轴流式排烟机风量较大，目前排烟消防车装备的轴流式排烟机，其最大风量接近 800000m³/h。固定安放在器材厢内的小型排烟机一般为离心式排烟机，作为移动式消防装备使用。离心式排烟机风压较大，可形成较大的负压，目前较大型的离心式排烟机，其风压可达到 2000Pa 以上。

一、结构组成及器材配备

轴流式排烟消防车主要由底盘、驾驶室、动力传动系统、电气系统、轴流式排烟机、水泵系统、液压系统和接管机构等组成。离心式排烟消防车主要由底盘、器材厢、发电机、离心式排烟机、排烟风管等装置组成。

图 9-2-1　排烟消防车

排烟消防车的器材配备见表 9-2-1。

表 9-2-1　排烟消防车的器材配备

名称	单位	数量	备注
干粉灭火器	具	1	8kg，ABC 类灭火器
可充电式手提照明灯	只	2	
空气呼吸器	套	4	
消防水带	m	80	带喷水雾装置时配备
地上消火栓扳手	件	1	带喷水雾装置时配备
地下消火栓扳手	件	1	带喷水雾装置时配备
异径接口	个	4	带喷水雾装置时配备
护带桥	副	2	带喷水雾装置时配备
水带包布	件	4	带喷水雾装置时配备
排烟风管	m	60	具备负压功能时配备
排烟风管收放设备	套	1	单节风管大于 50kg 时配备

二、使用方法

下面以某型号排烟消防车为例进行介绍。

1. 驻车启动

选择距灾害现场 50~70m 上风头较为平坦坚硬的地方驻车。在空挡状态下，确保车载控制柜中断路器开关已经完全闭合，确保接地棒可靠接地。如图 9-2-2 所示，启动发动机，打开气源总开关，依次接合发电机结合开关、全功率取力器开关、变速箱取力器开关，轻踩离合器后慢慢松开（自动挡底盘轻踩油门并立刻松开），开关指示灯点亮，此时液压泵、发电机在怠速下运行。

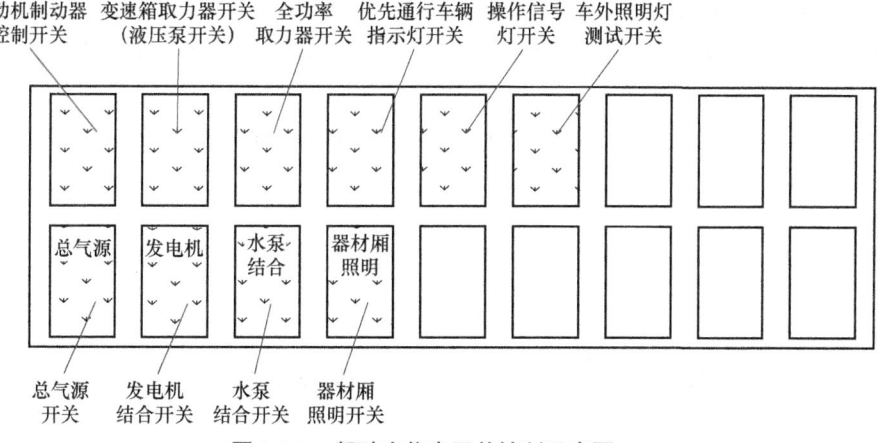

图 9-2-2 驾驶室仪表开关控制示意图

如图 9-2-3 所示,打开控制面板总电源开关,系统运行。反复拨动电子油门旋钮,观察液晶显示器上的 CN 电压值为 210~250V,其他电压值为 370~400V,使发电机、液压泵在额定工况下工作。打开液压转换开关指示到"下车",使后支腿下伸。观察液压压力表,当压力达到 18MPa 时将液压转换开关指示到"上车"。

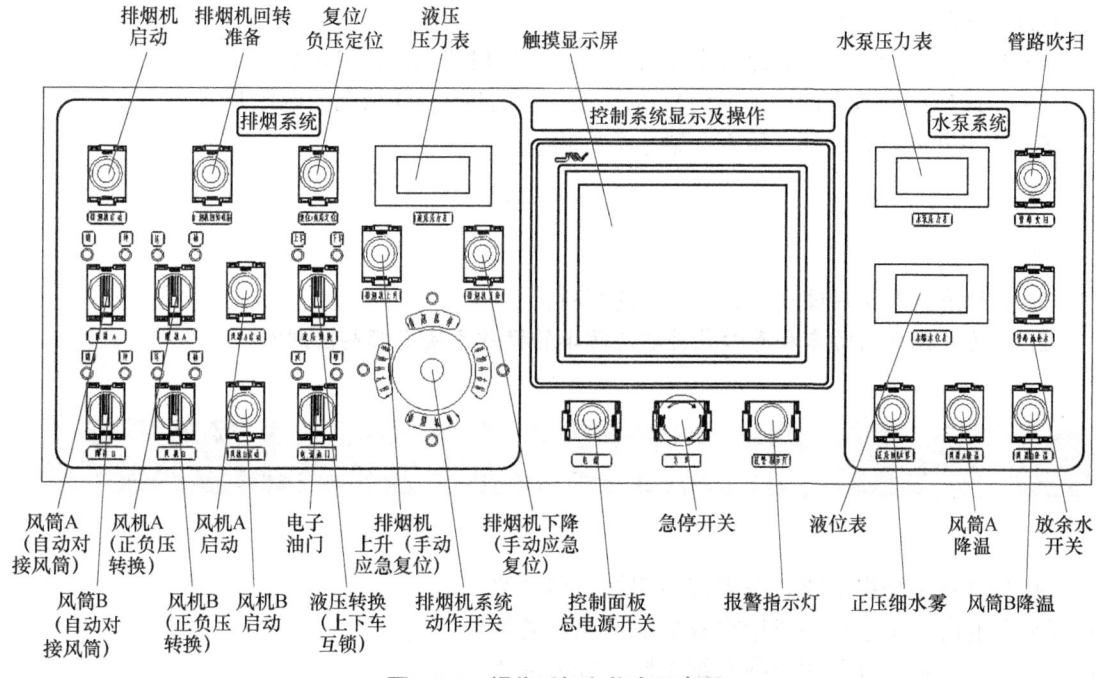

图 9-2-3 操作手柄和仪表示意图

2. 对准目标

操作控制面板,结合排烟机回转准备开关,排烟机自动到达工作准备位置。根据实际需要操作液压控制手柄,使排烟机出风口对准灾害现场。

3. 启动排烟机

(1) 一键启动 按下排烟机启动开关,排烟机即可正常工作。根据实际需要操作液压控制手柄开关,使排烟机到达需要的位置。

(2) 分组启动　在触摸显示屏上选择分组操作，然后按下相应的分组控制按钮即可。可在排烟机启动后，根据实际需要操控排烟机升降和变幅开关，进行排风工作。

4. 水泵系统操作

结合水泵开关，观察触摸显示屏上的参数（水罐水位、排烟机工作时的电压、电流等）正常后，方可进行水泵系统操作。

5. 喷射细水雾

当需要灭火、洗消、稀释、驱散烟雾或降温时，结合正压细水雾开关，即可喷射细水雾。

6. 观察系统参数

长时间工作时需及时补充液罐溶液和燃油，每隔5min观察水罐水位表及驾驶室内的燃油表。

7. 工作结束

1）关闭控制面板上的排烟机启动开关或按下液晶屏上的"系统停止"。

2）按下控制面板上的复位/负压定位开关，此时风机液压系统自动复位。注意检查是否有障碍物；若有障碍物，需按下控制面板上的"急停"按钮，取出障碍物，按下控制面板上的电源开关重新操作。

3）待复位后，轻旋控制面板上的液压转换至"下车"，在车尾部仪表板上按下"缩"，把两侧液压支腿完全收回。

4）按下控制面板上的管路放余水开关及管路吹扫开关，放尽余水。

5）轻旋控制面板上的电子油门减速至怠速，关闭控制面板上的电源开关。

6）拔出并放好接地棒，检查车辆，关好箱门。

【思考题】

1. 排烟消防车使用过程中有哪些注意事项？
2. 轴流式排烟消防车和离心式排烟消防车的操作方法有哪些区别？

单元三　照明消防车

照明消防车是指主要装备固定照明灯、移动照明灯和发电机，用于火场或抢险救援现场照明的消防车。照明消防车按照明升降系统不同，分为液压升降系统、电动机械升降系统和气动升降系统三种，如图9-3-1所示。

一、结构组成

照明消防车一般由底盘、驾乘室、发电系统、照明系统、功率输出装置、控制系统和升降系统等组成。

图9-3-1　照明消防车

二、使用方法

1. 车辆的停放

在停放车辆和使用升降灯杆前，先选择地面比较平坦而结实的地方，然后将车停稳保持水平，可靠驻车制动，并用制动块对轮胎进行固定。车辆必须在空挡位置，启动发动机。

2. 液压泵档的操作

踩下离合器踏板，按下"P.T.O"泵挡开关，然后慢慢抬起离合器踏板，即挂上液压系统的挡位。液压系统工作时，发动机的转速设置在1200r/min左右，并且不允许摘掉"P.T.O"泵挡。在不使用发电机时不必挂发电机的驱动挡。如使用发电机，应先踩下离合器踏板，按下"P.T.O"泵挡开关，然后慢慢抬起离合器踏板，使发动机的转速设置在1500r/min。

3. 电源选择

为确保安全，在操作照明系统前，必须关闭电控柜上所有的电源断路器以及电源开关。在切换市电及发电机电路前，必须关闭电控柜上的所有开关。在发电作业时不能推照明车操作盘上的发电机断路器开关，否则会造成故障。使用发电机前，在推照明车操作盘上的发电机断路器开关前应确保无任何负载。当照明灯"向上"指示灯亮起时，不能挪动车辆。

4. 升降、旋转和俯仰操作

将有线遥控器电缆插头插进操作面板上的"遥控"插口，分别将操作面板上的升降灯杆电源断路器切换至"ON"，将旋转马达断路器切换至"ON"，然后就可以使用有线遥控器进行操作。

持续按住有线遥控器上的按钮进行相应操作，松开手指操作即停止。需要注意的是，只有当升降灯杆超过安全确认高度时，才能进行俯仰和旋转操作。照明灯升起时，"向上"指示灯亮起。按"自动"按钮，可自动收起灯杆。首次按下"自动"按钮，照明灯将自动进行俯仰、旋转并达到安全位置，再次按下"自动"按钮，照明灯将再向下移动并最终回到收存位置。收存后，"向上"指示灯熄灭。在照明灯自动收存过程中按动"向上"按钮，自动收存操作将中止。

5. 照明灯组的启闭

将操作面板上的照明灯组电源断路器开关切换至"ON"，对应控制的照明灯组将分别开启，切换为"OFF"时则关闭。在操作不同的照明灯电源断路器开关至"ON"或"OFF"时，应确认频率数在50~55Hz之间。

6. 移动照明灯的启闭

将移动照明灯放置到三脚支架上，然后将电源电缆与移动照明灯连接，电控柜上对应的移动式探照灯断路器切换到"ON"，相应的移动照明灯即打开，切换到"OFF"时关闭。

需要注意的是，打开和关掉照明灯后，需检查电压和频率。不要使灯近距离照射，防止目标物被灼伤。照明灯在使用及刚刚关掉时，其前盖、灯罩和灯表面很热，手或皮肤切勿碰触。照明灯开启后，为避免紫外线伤害眼睛和皮肤，不能直视；如必须直视，应佩戴防紫外线的防护镜，透过透光度低的滤光器进行观看，并且还要戴上面罩，穿着厚衣服，避免皮肤照射。

7. 电控柜插座面板上的输出插座

确认插座面板上的指示灯已亮，然后将插座面板上相应的断路器切换为"ON"，插座即得到380V（3Φ）或220V（1Φ）的交流供电。切换为"OFF"，电源则断开。

需要注意的是，380V 输出插座可连接的最大负荷为 50A，220V 输出插座可连接的最大负荷为 15A，不要超过此负荷。如果超出此限值，断路器会自动切换为"OFF"。

8. 发电机停机步骤

确定操作面板上的"向上"指示灯熄灭，检查确定升降灯杆保持在正确位置。将插座面板和电源转换板上的所有断路器切换至"OFF"。操作发电机加速/减速调速开关，使发动机转速逐渐下降至怠速，最后将发电机取力器脱开，完成停机。

需要注意的是，发电机停机前切勿关闭底盘发动机，否则会损坏设备。

9. 市电的停止步骤

确定操作面板上的"向上"指示灯熄灭，检查确定升降灯杆保持在正确位置。将插座板和电源转换板上的所有断路器切换到"OFF"，关掉市电电源即可。

10. 手动升降、俯仰和旋转操作（应急操作）

当升降灯杆或者俯仰和旋转装置不能正常操作时，可采用应急操作装置进行操作。

（1）使用手动液压泵进行灯杆举升操作　关闭电源，插入操作连接杆至手动液压泵，摇动操作连接杆，手动液压泵开始工作，举升装置向上移动，灯杆举升。

需要注意的是，进行该操作时务必确认电源已经关掉；非紧急情况下尽量不要进行手动操作；当达到动作上限时，应立即停止手动操作；不要对操作连接杆施加过大的力。

（2）使用泄压阀进行灯杆下降操作　关闭电源，确认安全后，逆时针转动液压泵体上的阀门打开旋钮，升降灯杆下降；顺时针转动阀门打开旋钮，升降灯杆将停止下降。

需要注意的是，进行该操作时务必确认电源已经关掉；非紧急情况下尽量不要进行手动操作；不能使用工具转动阀门打开旋钮，以免产生过大的扭力，造成阀门打开旋钮损坏；松开阀门打开旋钮时不能太快，以免伸缩杆突然下降导致事故发生；务必安排其他人员注意车辆顶部，以免照明灯触及障碍物；升降灯杆下降后，务必扭紧旋钮，否则进行灯杆举升操作时，升降灯杆不能举升。

（3）手动俯仰和旋转操作　关闭电源，取下螺栓，取出零件。将手动手柄插进右侧插孔后并转动，即可进行旋转操作，顺时针转动是"仰"，逆时针转动是"俯"。将手动手柄插入左侧插孔并转动，即可进行回转操作，顺时针转动是"左"，逆时针转动是"右"。

需要注意的是，进行该操作时务必确认电源已经关掉；非紧急情况下尽量不要进行手动操作；转动手柄时，不要超出俯仰和旋转装置内的限位开关位置；始终确保照明灯旁没有人或障碍物。

三、注意事项

1）操作人员必须接受培训并进行多次实际操作，掌握正确操作方法后方可操作。

2）灯杆作业区上空应无障碍物，特别注意避开高架电线等高压危险物。

3）启动发电机前，应确认电控柜上发电机电路开关关闭，确保发电机无负载启动。同时，必须确保良好接地。在使用照明系统过程中，切勿触摸输出端子，以防触电。

4）在操作发电系统时往往会产生很大的电流和磁场，特别是在启动和操作发电机组时突然产生电流，会给各部件和导电物体带来比较严重的危险，应予以注意。

5）应根据气候环境使用照明消防车的照明灯，避免在大风大雨环境中使用。一般在雨天使用时，照明灯应保持水平或倾斜向下照射。

6）开启和关掉照明灯时，需检查电压和频率是否在正常工作值范围内。照明灯开启后，尽可能等其完全点亮并连续工作 5min 后再关闭。关闭后，应尽可能在 2~5min 后再次开启，以确保灯管的使用寿命。如有个别灯具不亮,不必立即关闭主灯,可能是该灯具没冷却到启动临界温度,一旦冷却到启动临界温度灯具即自动点亮。

7)每次使用后,检查漏电保护器的可靠性。在发电机启动状态下合上漏电保护器开关,待电压指示灯亮起后,按下漏电保护器上的测试按钮,看其是否跳闸,如跳闸则表示正常。

四、维护保养

1. 整车

① 发电机组在使用前应检查油量,观察液位是否在允许范围内。
② 发电机组每工作 50h,应更换机油,清洗火花塞调整间隙在 0.6~0.7mm 范围内。
③ 使用后照明灯应罩好防尘罩,防止灰尘侵入。
④ 长期不用时,车辆停放在清洁、干燥的车库内。

2. 照明系统

① 当灯罩表面比较脏时,应采用软布和软硅树脂布等擦掉污物。
② 不要用手直接接触新装的灯;如果已经接触,应用酒精沾湿软布擦掉污渍。
③ 更换熔丝时应确保已经关掉各处电源。松开操作面板左侧的旋钮,打开操作面板。熔丝盒装在操作面板内,熔丝装在盒内。如果熔丝已经断开,则应更换熔丝。添加液压油必须在伸缩杆在收存状态下进行。
④ 在雨天使用后,应检查照明灯的密封情况,以保证使用安全。
⑤ 一般每两个月进行一次维护保养,对发电机传动轴、灯杆、云台及销轴进行清洁及润滑,以使其操作平滑,延长使用寿命。
⑥ 一般每次使用前后都应对液压油及液压油箱进行检查,确保液压油的品质可靠、液压油油位满足使用要求、液压油箱无渗漏。
⑦ 每次使用后应对灯杆外表面进行检查,对明显混有砂砾处及时进行清洁。
⑧ 如使用时发现灯杆在升降时发生不稳定漂移、产生噪声以及一节或多节灯杆粘在一起,应及时进行润滑。
⑨ 每两年对所有电气线路进行一次检查,如发现线束老化、护套损坏等现象应及时更换,以保证使用安全。

【思考题】

1. 照明消防车使用过程中有哪些注意事项?
2. 照明消防车工作时应考虑哪些现场情况?

单元四 洗消消防车

洗消消防车(简称洗消车)是指主要装备水泵、水加热装置和冲洗、中和、消毒的药剂,用于对被化学品、毒剂等污染的人员、地面、楼房、设备、车辆等实施冲洗和消毒的消防车。洗消消防车一般分为公众洗消车和场地洗消车,如图 9-4-1 所示。

一、结构组成

洗消消防车一般由底盘、驾乘室、器材厢、水罐、水泵及管路系统、加热炉、均混器、喷洒系统、洗消帐篷等组成。

(1) 水泵及管路系统　包括水泵、水路系统、喷洒管路及控制仪表板。

(2) 加热炉　采用燃油内加热式储水锅炉，对罐内水进行加热。

(3) 器材厢　器材厢用于存放各类侦俭、洗消及输转器材。主要器材包括加热风机、污水回收泵、隔膜泵、单兵洗消帐篷、高压清洗机、污水桶等。辅助器材包括发电机等。

图 9-4-1　洗消消防车

(4) 均混器　均混器是指通过搅拌、电控配比等方式来实现洗消液充分混合的仪器。

二、使用方法

1. 使用前的准备工作

1) 驻车，打开泵房面板电源开关，检查底盘、泵房仪表是否正常。
2) 关闭所有放余水阀门。

2. 用水灭火

(1) 采用外部水源

① 驻车，置空挡，关闭泵系统的所有出水口阀门、放水余阀等。

② 泵吸水口接上吸水管和滤水器连接，或直接将免接式吸水管拉出接上滤水器，可靠置于水源（滤水器沉入水中不低于30cm）。

③ 打开控制箱面板急停电源开关、按下气源开关，发动机怠速运转。按下"取力器"按钮，取力器带动泵低速运转。

④ 间歇性拉动真空泵引水开关。

⑤ 通过控制箱面板上的"油门"旋钮，调节泵所需压力。打开水枪出水阀，即可用水枪灭火；按下"炮出液"按钮，即可用消防炮灭火。

(2) 采用罐内水

① 驻车，置空挡，关闭泵系统的所有出水口阀门、放水余阀等。

② 打开控制箱面板急停电源开关、按下气源开关，发动机怠速运转。按下"罐出水""取力器"按钮，取力器带动泵低速运转。

③ 通过控制箱面板上的"油门"旋钮，调节泵所需压力。打开水枪出水阀，即可用水枪灭火；按下"炮出液"按钮，即可用消防炮灭火。

④ 灭火结束后，调节油门使发动机怠速运行，按下"取力器"，发动机熄火。打开出水阀、放余水阀，放掉余水，以免在冬季冻坏管路和水泵；关掉气源开关和急停电源开关。

3. 给罐注水

(1) 外部水源向罐内注水　采用纯灭火（外部水源）方式，调节泵压力至0.5MPa左右，按下"罐注水"按钮，当控制箱面板上液位表显示液罐水位满或液罐溢水口溢水即完成注水。

（2）消火栓向罐内注水　将消防水带连接消火栓和液罐的左侧或右侧的注水口，打开消火栓阀门，即向消防车液罐供水。当控制箱面板上液位表显示液罐水位满或液罐溢水口溢水即完成注水。

4. 洗消作业

根据需要在预混罐中加注适量的洗消粉或洗消剂（应参考药剂的使用说明），需要时应启动加热器和搅拌器给预混罐的水加热、搅拌，使药剂充分混合反应。

1）确保罐内有 2/3 以上的水，按照燃烧器操作程序将罐内的水加热到 80℃ 以上。
2）根据要洗消的污染物类型准备好相应的洗消粉，并将吸粉管插到距粉桶底部 50mm。
3）按采用罐内水灭火的方法启动水泵，同时打开加粉按钮使水泵常压运转。
4）待粉加完后保持运转 3min 左右再关闭加粉，同时打开卷盘进行洗消。
5）若用车前部喷洒洗消，可将车挂在 2 挡，同时运转水泵，即可实现边行走边喷洒洗消。

三、注意事项

1）引水过程中，如 50s 内没有引上水，应关闭开关，检查各出水阀门、泵密封情况，然后再进行吸水操作（最大真空度 ≥ 85kPa）。
2）作业完毕后，打开泵上所有放余水开关，余水放净后关闭。
3）应用清水运转 1min 以上，以便清洗泵内残液。
4）定期检查轴承内的润滑油情况，若少应及时补充。
5）冬季使用完后，应再将水泵运转几次，排净系统内的水。
6）水泵严禁长时间无水运转（1min 以上）。

【思考题】

1. 洗消消防车洗消作业时有哪些注意事项？
2. 洗消消防车残液收集时有哪些注意事项？

模块十

>>> 战勤保障类消防车

战勤保障类消防车指为灭火救援现场提供各类灭火剂、消防器材装备，提供后勤保障的消防车。战勤保障类消防车主要有供气消防车、器材消防车、供液消防车、供水消防车、自装卸式消防车、装备抢修车、饮食保障车、加油车、宿营车、淋浴车、工程机械车辆（挖掘机、铲车等）等。

单元一　供气消防车

供气消防车是指主要装备高压空气压缩机、高压储气瓶组、供气防护箱等装置的消防车。供气消防车主要用于向大型灾害事故现场提供已供气气瓶，为灾害现场空气呼吸器气瓶及气动工具提供气源，同时也可作为流动供气站，为各执勤消防站空气呼吸器气瓶供气；供气消防车还可加装照明设施以拓展用途。

一、结构组成

供气消防车由底盘、驾乘室、车厢、空气压缩机系统、储气瓶组、防爆箱、备用气瓶架、发配电系统、供气控制系统等组成。××5140TXFGQ80W 型供气消防车的结构如图 10-1-1 所示。

图 10-1-1　××5140TXFGQ80W 型供气消防车的结构

(一）空气压缩机系统

空气压缩机系统由空气压缩机、降温除水系统、仪表控制系统、自动保护装置、气体管路系统、空气净化系统等组成。

1. 空气压缩机

该型供气车配备一台型号为MCH（HD680）的空气压缩机，如图10-1-2所示。气缸为风冷式，呈X形活塞布置，单动作四级压缩。空气压缩机每级后有油/水分离器，每级有安全阀、级间显示压力表，空气压缩机设有电子自动控制系统。

2. 降温除水系统

降温除水系统用于在压缩空气进入过滤系统之前将其温度降至3℃，并可将空气冷却后产生的大量冷凝水自动排出。

3. 空气净化系统

空气净化系统由活性炭、分子筛、一氧化碳吸收分子组成。空气净化填料筒如图10-1-3所示，可重复使用，滤芯更换方便，带出口稳压阀，共4个筒体，筒体耐压40MPa。

图10-1-2 空气压缩机

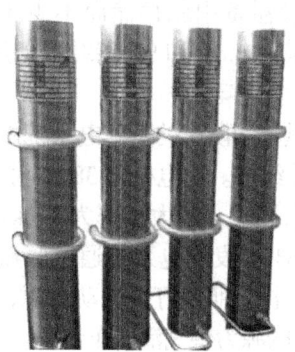

图10-1-3 空气净化填料筒

（二）储气瓶组

储气瓶组由12个40L/40MPa钢瓶、钢瓶压力表、钢瓶截止阀、减压阀、安全阀和压力开关、钢瓶支架和管路等组成，如图10-1-4所示。每3个钢瓶并联成为一组，共4组钢瓶，根据压力从低到高分为4个阶梯。

（三）供气控制系统

利用钢瓶组里的压缩空气和充填泵对碳纤维瓶进行自动供气的过程，采用全自动阶梯式供气控制系统进行控制。当对碳纤维瓶进行供气时，先用最低压力钢瓶里面的压缩空气进行供气（第1组钢瓶）。当碳纤维瓶内压力与第1组钢瓶内压力一致，并且压力没有达到要求的供气压力时，自动关闭第1组钢瓶，开启第2组钢瓶，对碳纤维瓶进行补气；当碳纤维瓶内压力与第2组钢瓶内压力一致，并且压力没有达到要求的供气压力时，自动关闭第2组钢瓶，开启第3组钢瓶；依此类推。当碳纤维瓶内压力达到要求的供气压力时，供气自动停止，

图10-1-4 储气瓶组

整个过程自动完成。当 4 组钢瓶都无法使碳纤维瓶充至要求的供气压力时，充填泵会直接给碳纤维瓶补气。在没有利用充填泵对碳纤维瓶进行补气时，充填泵对钢瓶组根据阶梯方式进行补气。此充瓶方式的优点是可以使钢瓶内的压缩空气得到充分利用。系统配有压力调节阀，保证供气压力和碳纤维瓶的规定使用压力一致，不会过充。

（四）防爆箱

储气瓶充装时放置于防爆箱中，箱体采用双层结构，外箱采用 5.0mm 钢板，内箱采用 3.0mm 钢板，开有泄压孔，可以单独更换，储气瓶充装防爆箱如图 10-1-5 所示。储气瓶托架采用旋转结构，并配有气动弹簧，带关门自锁装置。箱门带连锁装置，开门时自动切断供气回路，关门时自动打开供气回路。面板上布置有减压阀、供气阀、压力表等。操作面板背面封闭的控制箱内布置管路和安全阀、节流阀、杠杆式通断阀等，节流阀和减压阀分别用于控制充填速度和充填压力，确保储气瓶安全。

（五）备用气瓶架

备用气瓶架用于存放多具碳纤维周转气瓶，一般要求按照空气呼吸器备用瓶存储筒不少于 80 个配备，且备用瓶存储筒一般采用 6.8L 和 9L 碳纤维备用瓶通用款。

（六）发配电系统

该型供气消防车的发配电系统由额定功率 112kW 的发电机和配电柜等组成。配电柜设 380V 对外供电防水插头和 220V 市电接入防水插头，最大功率为 120kW，额定转速为 1500r/min，效率为 91.3%。发配电系统通过底盘发动机取力器驱动，用于

图 10-1-5　储气瓶充装防爆箱

向空气压缩机、照明灯提供动力源，也可配备供电线盘，实现远距离供电。此外，还可直接利用外接 380V 电源为供气消防车供电。

（七）配备器材

供气消防车的配备器材见表 10-1-1。

表 10-1-1　供气消防车的配备器材

名称	数量	单位	规格	备注
消防斧	1	把	GFT817	
铁铤	1	把	GT1	
丁字镐	1	把		
铁锹	1	把	2 号	
手提式干粉灭火器	1	个	MFZ4	
随车工具	1	套		
备胎	1	个		
轮胎止动器	2	个		（铁三角木）
接地棒	1	个		

二、技术要求

按照《消防车　第 23 部分：供气消防车》（GB 7956.23—2019）的规定，供气消防车的

技术要求如下。

(一) 一般要求

1) 操作处的噪声不应大于 95dB (A)。
2) 供气消防车高温或高速旋转部件应设防护措施。
3) 供气控制系统各部件应固定可靠。
4) 供气控制系统各部件应便于操作、更换、检查、设定和维修。
5) 供气控制系统各仪表、阀门等部件功能和状态均应标识清晰。

(二) 管路要求

1) 阀门、连接件和管路的工作压力应满足空气压缩机的额定工作压力。
2) 高压硬管管路应每隔 400mm 进行固定；高压管路若有交叉，交叉处不应相互接触。
3) 操作仪表板应面向操作者放置。

(三) 空气压缩机要求

1) 空气压缩机用安全阀应符合《压缩机用安全阀》(JB/T 6441—2008) 的规定。
2) 空气压缩机和原动机公共底座应通过减震装置与车辆连接，公共底座应有起吊装置。
3) 采用带传动的空气压缩机应可调节传动带松紧度。
4) 空气压缩机每级后应安装安全阀。
5) 空气压缩机应设油水分离器和自动排污阀。
6) 在空气压缩机额定流量和压力下，供气消防车连续 6h 可靠性运转试验应满足以下要求。

① 在连续运转试验过程中，发动机转速不应超过发动机的额定转速。
② 发动机无异响、过度振动、漏水、漏油、漏气等异常现象。
③ 发动机冷却液温度小于 90℃。
④ 发动机机油温度小于 95℃。

7) 采用电动机驱动的，在连续运转试验过程中，电动机无异响、过度振动等。
8) 环境温度高于 0℃时，空气压缩机末级冷却器出口的压缩空气温度不应超过环境温度加 15℃。

(四) 取气口要求

1) 取气口应位于不受污染的区域。
2) 取气口与发动机排气口的距离应大于 1500mm。
3) 取气口高于车顶时，取气口与车体距离应大于 200mm，并应设防雨和防尘措施。
4) 空气压缩机取气口至进气口间应安装空气滤清器。
5) 取气口至进气口的气路和空气滤清器应便于拆卸、更换。

(五) 供气控制系统要求

1) 空气压缩机出现下列情况时，应自动停止且避免自动重新启动，并有声光报警。

① 润滑油油位或油压过低。
② 排气温度高于规定值。
③ 排气压力高于规定上限值。

2) 空气压缩机应配备下列设备或显示功能。

① 控制最大工作压力和空气压缩机启停的压力传感器。
② 每个压缩级后的级间压力指示装置。
③ 排气压力指示装置。

④ 压力润滑空气压缩机的油压表或非压力润滑空气压缩机的油位指示器或油位开关。

⑤ 电子非可复位式计时器。

⑥ 紧急停机装置。

3）电机驱动空气压缩机应配备下列装置。

① 电机过载保护功能的启动器。

② 恢复供电后避免自动重启的保护装置。

③ 具有自动断电功能的短路保护、漏电保护、接地装置。

（六）钢瓶组要求

1）钢瓶应符合《压力容器》（GB/T 150.1~150.4—2024）及《钢质无缝气瓶》（GB/T 5099.1~5099.4—2017）的规定。

2）钢瓶组上应设低压报警功能，当钢瓶内气压低于规定值时，应提供声光报警。

3）钢瓶组应安装安全阀和压力表，每个钢瓶上应安装截止阀。

4）应在明显位置处设置标识，内容为"高压__ MPa 呼吸空气"。在操作人员可见处永久固定具有以下内容的标牌：钢瓶的水压试验周期；钢瓶的外部检查周期；钢瓶的内部检查周期；压力表、安全阀的校准周期。

5）钢瓶组安装位置应远离发热、运动等可能导致气瓶损伤的部件。

6）钢瓶组与安装框架之间应有减震措施。

7）钢瓶组应便于操作、检修。

（七）充气防护箱要求

1）充气防护箱上的每个充气位应设置压力表、充气阀和放空阀，并设置永久固定的说明标牌。

2）充气防护箱应设减压阀和安全阀，减压阀应有避免误操作的措施，并设置永久固定警示标牌。

3）充气防护箱与气瓶接触处应用柔软的材料包覆。

4）充气防护箱应具有安全锁止功能和防止误开功能，充气防护箱门打开后应能自动切断气源。

5）充气防护箱钢板厚度不应小于 5mm，其结构应能将气流导向远离人员的方向，并直接排向车体外部。

6）当气瓶充满时，应有声光报警信号。

（八）空气净化装置要求

1）空气净化装置应配备空气品质检测仪。

2）净化系统应便于更换滤芯。

3）净化系统的安装位置应远离发热、运动等可能导致净化系统损伤的部件。

（九）气瓶充气时间

气瓶供气时间应符合表 10-1-2 的规定。

表 10-1-2　气瓶供气时间

供气方式	气瓶供气时间 /s
单个 6.8L 储气瓶由空气压缩机直接供气	≤ 200
单个 6.8L 储气瓶由空气储存装置供气	≥ 120

三、使用方法

（一）接合取力器

车辆停止，使用驻车制动，将变速器置于空挡，发动机怠速运转。打开气源总开关，待气压达到 0.8MPa 时，踩下离合器，停顿 4~6s。打开油门转换开关、取力器开关，缓慢松开离合器，使发电机运转。

（二）发电机操作

启动发电机前必须把接地棒可靠接地。轻旋油门旋钮，打开仪表板上的电源开关，观察 PLC 液晶屏，使仪表板上的转速表在 1500r/min 以内，电压表保持在 350~400V，频率为 45~50Hz。

（三）供气控制系统操作

1. 压缩机的准备

通过德国西门子 S7200PLC 和 7 寸触摸屏完成供气控制系统工作。系统 PLC 部分的供电由车载电瓶提供 DC24V 电源。压缩机运行部分由车载发电机提供动力，或者接市电提供动力。

1）开机前先确定供电来源。首先打开驾驶室内的车载 DC24V 总电源，给 PLC 供电。

2）选择压缩机运行供电来源。如选择车载发电机供电，参照发电机工作流程，启动车载发电机。如果选择用市电供电，需要市电供电满足 380V、50Hz、40kW 以上的要求，把市电接入到市电供电接口，接口需要有最少 4 线（3 根火线和 1 根零线），且应该接在有过载保护的断路器下。接线前先把市电插头一端接入车载控制面板的"380V，50Hz，100A"接口处，再到市电接入口处，确认关闭市电断路器，然后对应线标接入 3 根火线和 1 根零线。接完后打开断路器开关送电到系统，再到车载控制面板处把"电源切换"旋钮调到市电挡。给 PLC 上电后，如果电源线相序有误，会导致压缩机反向旋转，进而引起压缩机冷却不当，造成压缩机拉缸的严重后果。

调节电子油门，观看供电显示表。如果电压和频率分别显示在 (380 ± 10) V 和 (50 ± 1) Hz 范围内，且发电机转速 $\leq$ 1500r/min；表示发电机发电正常；如果有偏差，应调节电子油门。

3）设定压缩机运行模式。压缩机有两种运行模式；手动运行模式下，压缩机可以自动停机，但无自动启动功能；自动运行模式下，在压缩机运行高压停机后，系统检测到钢瓶组内最后一组压力低于设定值，压缩机会自动启动。系统上电默认为手动模式，持续点按 1s 以上自动切换运行模式。

4）设定停机压力和启动压力。

5）每次压缩机工作完毕，需要把过滤器中积聚的油水拍掉，并泄压。

2. 钢瓶组给碳纤维瓶供气过程

打开 4 组钢瓶的进出气球阀，打开 PLC 24V 供电开关，打开防爆箱门，放入碳纤维瓶。取下充瓶阀，可靠连接上碳纤维瓶。打开碳纤维瓶头阀，检查并关闭总泄压阀，关闭防爆箱门。在面板上打开对应的充瓶阀，在触摸屏操作页面打开充瓶开关，再打开自动阶梯选择，实现自动阶梯供气充满自动报警。充满后打开防爆箱门，关闭瓶头阀，打开总泄压阀排空余压，卸下充瓶阀。如果继续充瓶，按照以上步骤重复，不充瓶则把充瓶阀固定在阀座上。关闭面板上的充瓶阀，再关闭防爆箱门。以上阶梯式自动实现，也可以手动阶梯，即打开充瓶开关，再按次序手动点按气动阀开关按钮，不用则关闭。供气操作示意图如图 10-1-6 所示。

a) 四组钢瓶进出气球阀　　b) PLC 24V供电开关　　c) 充瓶阀　　d) 充瓶阀与碳纤维瓶可靠连接　　e) 碳纤维瓶头阀

 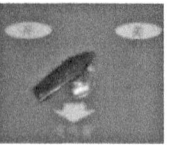  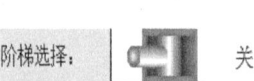 

f) 总泄压阀　　g) 充瓶阀开关　　h) 充瓶开关　　i) 自动阶梯选择开关　　j) 屏幕显示瓶组工作示意图

图 10-1-6　供气操作示意图

注意，钢瓶给碳纤维瓶供气期间，如果碳纤维瓶显示压力没有到要求值，可以用压缩机直接补齐。如果防爆箱关门正常供气，碳纤维瓶中无压，可能是杠杆阀杆弯曲，应拆卸更换阀杆，如图 10-1-7 所示。如有其他无法供气情况则应联系厂家。

3. 钢瓶供气

打开 4 组钢瓶进出气球阀，启动 PLC 进入操作页面，关闭两个防爆箱面板上的碳纤维瓶控制阀，再打开启动压缩机，就可以给钢瓶组供气。

如果用压缩机直接给碳纤维瓶供气，不使用阶梯（手动或自动）钢瓶组，气动阀常闭即可。后续按照正常操作步骤即可。注意：不供气则关闭钢瓶组的进出气球阀，关闭防爆箱面板的充瓶阀。

图 10-1-7　阀杆示意图

四、注意事项

1) 车辆应保持清洁、干燥，寒冷季节应适当保温。
2) 保持车辆有足够燃料、润滑油、冷却液和液压油，并定期添加更换。
3) 经常检查电路、气路、油路等系统是否正常。
4) 定期对风扇、冷却器进行维护保养。
5) 对压缩机组进行技术保养，包括每日技术保养、一级技术保养和二级技术保养。
6) 经常检查电气控制箱以及各种仪表、信号、照明灯的开关等是否完好，工作是否正常。
7) 经常试车、检查发动机等运转是否正常。
8) 经常检查气路的密封性。
9) 使用后应用清洁柔软的纱布将车辆外表面擦拭干净，保持外观整洁。

【思考题】

1. 供气消防车主要由哪几部分组成？

2. 简述供气消防车的操作方法。
3. 简述供气消防车的使用注意事项。

单元二 供液消防车

供液消防车（图 10-2-1）是指主要装备液体泵和液体灭火剂罐，用于输送各类液体灭火剂的消防车。

一、结构组成

供液消防车主要由底盘、驾乘室、泡沫液罐、泡沫液泵、管路系统、附加电气和供液器材等组成。为确保输送完泡沫后能够及时冲洗管路，部分供液消防车还装有小型水罐。泡沫液罐和进出液管道均采用优质高强度耐酸、耐碱、不锈钢或复合材料等耐腐蚀材料制造，使用寿命与底盘相当。

图 10-2-1 供液消防车

1. 泡沫液泵

泡沫液泵及管路是供液消防车的关键设备。供液消防车必须具有自吸、自排、他吸、自循环、清洗管路等多方面功能。为防止输送发泡，泡沫液泵一般采用齿轮泵、转子泵等容积泵。

2. 泡沫液罐

泡沫液罐内部一般设置多个液舱，各液舱的容积大小根据具体情况确定。各舱之间分隔，相互之间不连通，可依据需要装载不同类型的泡沫液。各舱内加装防荡板，以提高整车的稳定性。

3. 管路系统

管路系统结构复杂，管道及管接头必须选用防腐材料。阀门采用不锈钢通阀，吸、排出端口均配备不锈钢法兰阳端接头，接头上加盖，可防止管路中的残存液体外溢。三通阀的顶部有一个可以旋转 360° 的转轴，转轴上有一缺口，缺口指向关闭方向。罐体两侧管箱内各配有两根胶管，采用快插接头连接，可与管路端口连接。

二、工作原理

供液消防车的工作原理图如图 10-2-2 所示，消防车变速箱上安装取力器驱动液压泵，然后驱动发动机带动泡沫泵工作。通过操作组合，操作罐注泡沫阀门和罐出泡沫阀门，可将其他容器中的泡沫液吸入供液消防车的泡沫液罐内；也可将供液消防车泡沫液罐内的泡沫液输送到其他消防车的泡沫罐内，利用流量控制阀和泡沫流量计可精确控制各输出口流量。使用完毕后通过冲洗阀可用清洁水冲洗管路系统。

三、使用方法

1）停稳车辆，驻车制动，打开控制面板的急停电源开关和气源开关。
2）将变速箱挂至空挡，使发动机保持怠速运行。

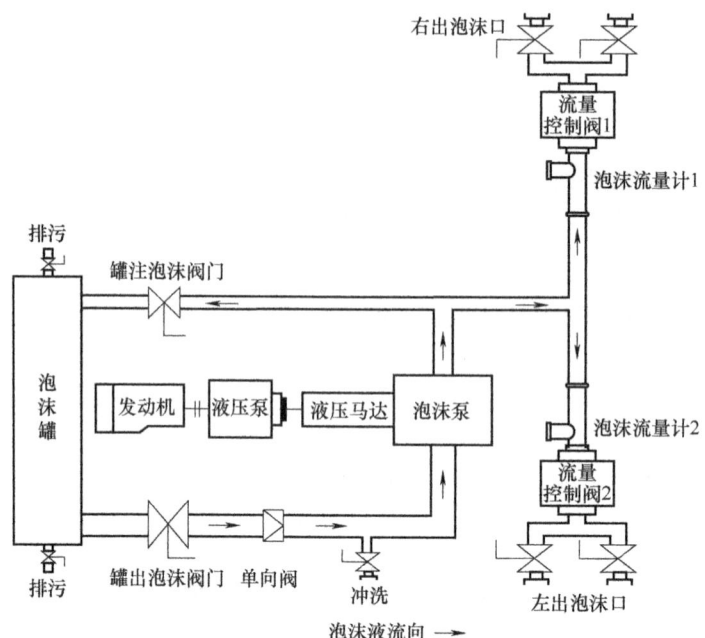

图 10-2-2 供液消防车的工作原理图

3)踩下离合器踏板,按下取力器按钮,缓慢释放离合器踏板,供泡沫液泵启动。

4)打开罐出泡沫阀,将左阀、右阀或二旋钮同时旋至"开"。

5)将左右出泡沫口用水带连接至输出端口,打开出口阀。

6)油门旋钮调至泡沫泵所需额定转速,出泡沫液。

7)作业结束后,将清洗接口接上水源,关闭罐出泡沫阀,按下"管路冲洗"按钮,对管路进行清洗。

8)关闭供泡沫液泵。

四、注意事项

1)使用完泡沫液后必须冲洗管路。

2)在向罐内注入泡沫液时必须确保两者的泡沫液类型一致,不同的泡沫液混合时会发生化学反应。

3)当需向罐内注入两种或两种以上泡沫液时,加注完第一种泡沫液后必须冲洗管路,方可加注第二种;同一个罐只能注入一种泡沫液。

4)操作前应熟悉管路原理图,了解各阀的作用,以免混淆。

5)操作时确保泡沫液泵的压力不超过其额定压力,转速不超过其额定转速。

6)注意检查管路系统有无渗漏现象。

7)在寒冷季节,应将泵体内的残存液体放空,以防冻裂机件。

【思考题】

1. 简述供液消防车的使用方法。
2. 简述供液消防车的注意事项。

单元三 自装卸式消防车

自装卸式消防车（图 10-3-1）是指主要装备自装卸机构，用于将装有消防装备的模块（器材厢）快速运抵灾害现场的消防车。

自装卸式消防车是一种重要的战勤保障类消防车，根据消防灭火救援实际需要设计，通常在中型或重型汽车底盘基础上改装而成。自装卸式消防车可设置多种不同用途的模块箱体，一般包含器材保障、生活保障、供气、供液等模块，集抢险、照明等诸多功能于一体。配置的各种箱体均设有吊装装置，可通过车体自动快速吊上卸下。自装卸式消防车的驾驶室内配置有监控系统，可精确掌握装卸情况。自装卸式消防车性能可靠，使用便捷，是大中城市特勤消防队及大中型石油化工企业、军工、机场、港口、码头的理想装备。

图 10-3-1 自装卸式消防车

一、结构组成

自装卸式消防车由整体式车厢构成，可自装卸，车厢内部按器材配置分割成若干个空间器材厢，由用户根据需要配放各种器材。

以 ××5140TXFZX60/WSA 自装卸式消防车为例，其主要由底盘、车身（各种类、多用途车厢）、附加电器及报警系统等组成。其中，车身主要由副车架、拉臂架、主框架、导向装置、车厢、厢体锁紧装置及液压系统等组成。

拉臂系统是自装卸式消防车的核心部件，器材厢的起吊、平移、锁紧由液压系统来控制，控制装置有手动和线控两种。拉臂钩的型号及参数见表 10-3-1。

表 10-3-1 拉臂钩的型号及参数

项目	技术参数
型号	XR 10S-5100（希尔博）
提升能力 /kg	≥ 10000
重量 /kg	≤ 2150
装载（提升）时间 /s	≤ 29
卸载（放下）时间 /s	≤ 36
自卸角度 /(°)	50
钩心高度 /mm	1570
安装高度 /mm	277
最大工作压力 /MPa	30
液压泵流量 /(mL/s)	50

二、使用方法

自装卸式消防车到达救援现场适当位置后，可用举升臂和摆臂将器材厢模块卸到指定位置上，再根据模块车厢的功能设置，开展相应作业。吊装模块操作可按照以下步骤进行。

1）扳动伸缩液压缸操作杆，使 L 形摆臂向后摆动，至 L 形摆臂的吊钩略低于模块吊环的高度后，纵向对准，适当倒车使吊钩钩住模块吊环。

2）扳动举升缸操纵杆，将模块向上拉起，使模块底部导轨进入车尾部导向滚轮内，绕导向轮转动，直至模块在自装卸式消防车上处于水平位置。

3）扳动摆臂液压缸操纵杆，使 L 形摆臂向前移动，将模块向前推至模块底部导轨上的锁块碰到副车架上的锁止钩为止。

4）模块在自装卸消防车上到位后，收起尾部支撑。

卸下模块的操作顺序与吊装模块的顺序相反。

三、注意事项

1）如在操作时发生故障，出现阻塞或断断续续的声音时，应立即将电源开关关闭。

2）如有针夹或硬币等小型金属物掉入装备内，应立即关闭电源开关。

3）装备不能进水，如装备进水或受潮，应立即关闭电源，用干布将装备仔细地擦干，等完全干燥后方能使用。

4）若需清洁装备，应关闭电源后用干布清洁，如有必要可用湿布或中性洗涤液清洁装备；不得使用苯、乙醇、汽油等挥发性有机溶液。

5）为了防火和防止电击，不能让装备淋雨或暴露在潮湿的地方。

6）液压系统用油严格按规定选用，根据不同的工作环境温度，按规定选用液压油。

7）新使用的自装卸式消防车，在工作满 200h 后，应清洗油箱，并更换新油，以后每半年清洗换油一次。在环境恶劣的条件下作业时（多风沙、灰尘场所），应适当缩短清洗周期。

8）滤油器应经常清洗，否则滤网将淤塞而失去作用。

【思考题】

1. 简述自装卸式消防车的主要结构。
2. 简述自装卸式消防车的操作方法。
3. 简述自装卸式消防车的使用注意事项。

参考文献

［1］朱国庆，刘洪永，陈南，等.消防救援技术与装备［M］.徐州：中国矿业大学出版社，2020.

［2］陈智慧.消防技术装备［M］.北京：应急管理出版社，2022.

［3］闫胜利.消防技术装备［M］.北京：机械工业出版社，2019.

［4］李莹滢.消防器材装备［M］.北京：化学工业出版社，2021.

［5］应急管理部消防救援局.消防泵与消防车［M］.昆明：云南人民出版社，2020.

［6］郭子东，罗云庆，王平，等.灭火剂［M］.北京：化学工业出版社，2015.

［7］董玉杰，梅全亭.多样化军事行动装备物资保障研究［J］.今日消防，2020（5）：26-28.

［8］朱伟峰，苏琳.消防车泵实际供水性能测试方法研究［J］.武警学院学报，2021（04）：5-9.

［9］田永祥.消防车技术与性能测试［M］.上海：上海科学技术出版社，2020.

［10］关醒凡.现代泵理论与设计［M］.北京：中国宇航出版社，2011.

［11］徐建国.消防负压排烟车实战效能研究［J］.今日消防，2021（1）：27-28.

［12］张家银.扑救地下建筑火灾中移动式排烟设备的有效运用［J］.中国设备工程，2024（1）：192-194.

［13］肖永玖，焦生杰，王庆先.双电机工程抢险救援车参数匹配与仿真［J］.南方农机，2023（1）：141-143.

［14］张杰，周锋，李霖，等.多功能化学洗消消防车研制［J］.消防科学与技术，2020（9）：1257-1259.